MAYORDOMÍA VOCACIONAL
PARA EL BIEN COMÚN

EL LLAMADO DEL REINO

Amy L. Sherman

Prólogo de Reggie McNeal
Epílogo de Steven Garber

El llamado del reino

Impreso ISBN 978-1-946584-13-7
ePub ISBN 978-1-946584-14-4
Mobi ISBN 978-1-946584-15-1

Publicado en ©2017 por: Proyecto Nehemías,
170 Kevina Road, Ellensburg WA 98926
www.proyectonehemias.org

Si bien todas las historias de este libro son verídicas, se han cambiado algunos nombres y cierta información identificativa para proteger la privacidad de las personas involucradas.

Que el favor del Señor nuestro Dios esté sobre nosotros.

Confirma en nosotros la obra de nuestras manos;

sí, confirma la obra de nuestras manos.

Salmo 90:17

Para Jay Hein,

Un auténtico líder-siervo,

un hombre de visión y humildad,

un tsaddiq.

Soy muy bendecida al trabajar contigo.

Índice

Prólogo

Dos conversaciones personales recientes relatan la historia dentro de la historia de este libro. La primera ocurrió en la cena en mi casa con mi hija mayor. "No necesito que la iglesia venga con algo más que debo hacer a fin de ser misional", dijo ella. "Me siento misional cinco días a la semana". Al trabajar como Magister Licenciada en Trabajo Social (LMSW en inglés) en un hospital local, ella está expuesta a los ámbitos más sombríos de nuestra cultura, ayudando cada día a la gente a decidir sobre una serie de opciones de salud que configurarán el siguiente capítulo de sus vidas. Muchas veces ninguna opción es buena, y la gente está devastada. A menudo ella es la única persona que puede dar una palabra de esperanza en la situación. Ella vive su fe en un lugar y de un modo realmente significativos. En el preciso lugar donde acontece la vida (y la muerte).

La segunda conversación tuvo lugar a medio continente de distancia de mí. Un pastor le transmitió a uno de nuestros investigadores de Red de Liderazgo un comentario que hizo un miembro de su equipo luego de haber participado en nuestra Comunidad de Liderazgo Renacimiento Misional. Los diversos equipos involucrados en esta comunidad de liderazgo incluyen tanto a líderes de iglesias como a líderes de comunidades que idean formas de acelerar el involucramiento misional de la iglesia en sus respectivas comunidades. Este equipo en particular había llevado al alcalde de su ciudad a una reunión reciente en Dallas. En el vuelo de vuelta de la experiencia, el alcalde le comentó al pastor: "Nunca había considerado mi labor como alcalde como un ministerio —hasta ahora". Sospecho que ninguna tarea que realicen los comités de la iglesia se puede comparar con lo que este hombre hace cada día en cuanto a impacto en la comunidad.

Mi hija y el alcalde representan un creciente número de personas que comparten una conciencia de que las tareas del reino típicamente implican escenarios que están fuera de los edificios y la programación de la iglesia.

Los llamados del reino nos llevan a escuelas, hospitales, empresas y estudios de arte, así como a refugios para indigentes, clínicas para el SIDA y hogares de mujeres maltratadas. Los llamados del reino se viven como vecinos, amigos, esposos, padres, empleados y estudiantes, y asimismo como voluntarios para la comunidad, tutores escolares, entrenadores de ligas juveniles, y sí, como obreros de la iglesia. En otras palabras, los llamados del reino se llevan a cabo en todos los ámbitos de la vida, ¡porque allí es donde la vida se lleva a cabo!

Durante siglos, nos hemos enfocado en actividades centradas en la iglesia como el principal escenario donde ejercer nuestro llamado como seguidores de Jesús. La perspectiva misional de la iglesia no confina el reino a este limitado margen de actividad. Los pensadores misionales ven la iglesia en su total capacidad de reino: desplegada a través de todas las esferas de nuestra cultura. Sin duda nosotros somos el pueblo "llamado" de Dios. ¡Pero hemos sido "llamados" para ser "enviados de vuelta"! Somos enviados de vuelta como agentes virales del Rey para ser socios en su misión redentora *en el mundo.*

En este reflexivo libro, Amy Sherman nos comparte su convicción de que la "mayordomía vocacional" —el despliegue intencional de nuestro conocimiento laboral, habilidades, plataformas y redes— nos provee una forma de promover el reino para la transformación de la comunidad. El trabajo de Amy va más allá de la típica discusión sobre la integración de la fe y el trabajo. Ella no solo nos ayuda a ver el potencial para promover un programa de reino en el trabajo, sino que nos da sugerencias sobre cómo pueden las congregaciones y los líderes de la iglesia capacitar a sus miembros para llevarlo a cabo. Si estás pensando que este libro fundamentalmente ayudará a las personas de la iglesia a aprender cómo iniciar estudios bíblicos en el trabajo, entonces tu pensamiento está demasiado restringido. ¡Lo que Amy se propone es nada menos que cambiar tu ciudad!

Imagina a los arquitectos sirviendo al reino como arquitectos y a los banqueros promoviendo los valores del reino como banqueros, todos dirigiendo sus esfuerzos hacia el desarrollo comunitario para ayudar a la gente a experimentar la vida abundante de la que habló Jesús. Ahora imagina que existe un material para que las personas que captan esta idea puedan ponerse manos a la obra. No imagines más.

Solo da vuelta la página.

Reggie McNeal
Especialista en Liderazgo Misional, Leadership Network, Dallas, Texas.
Autor de *Missional Renaissance* y *Missional Communities.*

Reconocimientos

En este proyecto participaron muchas personas, y con ellos tengo una deuda de gratitud que no puedo expresar con meras palabras. No obstante, este agradecimiento es de todo corazón. Mi deuda intelectual con el Rev. Tim Keller de Iglesia Presbiteriana Redeemer, Ciudad de Nueva York, será inmediatamente evidente en las páginas que siguen. Tim, tu trabajo y tus palabras han enriquecido mi vida de una forma inmensurable. Andy Crouch compartió generosamente su tiempo conmigo y me guió hábilmente en los primeros días del proyecto. Andy, aprecio tu aliento, y tus escritos me han enseñado mucho. Las ideas y los consejos de Steve Garber han sido invaluables. Steve, ¡qué gusto me da colaborar contigo en esta viña donde has sido fiel durante tantos años!

Mi pastor, Greg Thompson, y el Rev. Scott Seaton de la Iglesia Presbiteriana Emmanuel, Arlington, Virginia, leyeron un borrador de mi manuscrito con mucho cuidado y aportaron sugerencias que mejoraron significativamente el producto final. Muchas gracias, hermanos. Varios otros líderes de la iglesia, incluidos Andy Rittenhouse, Sean Radke, Drue Warner, Wade Bradshaw, Sue Mallory, Don Simmons, Tom Nelson y Dana Preusch, también han brindado un generoso aliento y útiles comentarios durante el proceso.

También quiero agradecer a Gary MacPhee de Engineering Ministries International, a Gordon Murphy de The Barnabas Group, a Lloyd Reeb de Halftime, a Bill Wellons de Fellowship Associates, y a Mark Stearns y Dale Bowen de Ministerios Lincoln Village por conectarme con varias de las personas retratadas en el libro.

Mis amigos de Iglesia Mariners en Irvine, California, especialmente Robin Riley, Laurie Beshore y Matt Olthoff, hicieron posible mis "pruebas" de algunos de los conceptos del libro en un contexto congregacional de la vida real. Muchas gracias a cada uno de ustedes por esa extraordinaria oportunidad. Mis jóvenes asistentes de investigación de los últimos años, Reynolds Chapman, Becca Saunders, Rose Merritt, Mary Grace Edwards, Sally Carlson y Kelly Givens, ayudaron fielmente en mi investigación, haciendo entrevistas e interminables transcripciones. Su buen humor y genuino entusiasmo por el proyecto fueron una fuente de aliento de principio a fin.

Estoy muy agradecida también con mis queridas amigas Barb Armacost, Anne McLain Brown y Ellen Merry por tantas conversaciones que hemos tenido acerca de este material y las innumerables sugerencias que hicieron que han fortalecido el libro. También debo agradecer a Ken Myers, Jerry Moll, Steve Hayner, Mark Labberton, Arloa Sutter, Nate Ledbetter y Jason Adkins por los útiles comentarios durante el proceso. También estoy agradecida por las visitas en terreno a Iglesia Crossroads en Cincinnati, y especialmente con Don Gerrod y Andrew Peters por su ayuda y hospitalidad.

Mi visita a Iglesia Mavuno en Nairobi con la amable y generosa hospitalidad de los pastores Murithii Wanjau y Linda Ochola-Adolwa y el hábil asistente de Murithii, Frank Ondere, fue lo más memorable del proyecto. El ejemplo de Mavuno sigue inspirándome, y mi oración es que haga lo mismo por muchos otros cristianos en América a través de este libro. Mi sincero agradecimiento a Emily Masloff por acompañarme como mi alegre y servicial asistente en el viaje a Nairobi. Espero que podamos hacer esto nuevamente alguna vez.

También estoy profundamente agradecida con cada persona que aceptó ser entrevistada para este libro y ser retratada en él. Sin sus historias, el libro no tendría vida, inspiración ni instrucción.

Finalmente, mi mayor gratitud es para mi jefe y amigo, Jay Hein, sin cuyo enorme apoyo este libro no habría sido posible.

Introducción

LA GLORIOSA VISIÓN DE PROVERBIOS 11:10

Lloré cuando leí el libro —y me sentí un tanto avergonzada. A fin de cuentas, no era un texto de ficción; era el libro de un sociólogo asignado en la clase de religión de pregrado de un amigo. No era exactamente un drama; pero lloré mientras leía *Faith in the Halls of Power* (Fe en los salones del poder) de Michael Lindsay.

Es una obra de excelente trabajo académico. Lindsay pasó tres años entrevistando a unos 360 evangélicos que habían alcanzado posiciones considerables en sus diversos campos: negocios, política, la academia, los medios de comunicación, y el entretenimiento. La pregunta que da vida al libro atañe a cómo estas exitosas personas integran su fe y su trabajo. Luego de su exhaustiva investigación, Lindsay concluyó:

> A medida que estos líderes han ascendido en la escalera profesional, no han abandonado su identidad religiosa. En efecto, para muchos de ellos, el viaje ha profundizado su fe. Es cierto que los líderes que entrevisté caen en los mismos fosos que sus pares seculares. Son susceptibles al materialismo y el encumbrado orgullo. No obstante, en general ellos siguen siendo muy distintos a los demás líderes, y la razón es su fe[290].

Eso no suena como algo que inspire lágrimas. Pero la investigación de Lindsay sugiere que su conclusión es demasiado generosa; su libro proporciona escasa evidencia de la manera en que el estilo de vida de estos líderes evangélicos difiere del de sus pares seculares.

---

290 D. Michael Lindsay, *Faith in the Halls of Power: How Evangelicals Joined the American Elite* (Nueva York: Oxford University Press, 2007), p. 226.

En cuanto a los líderes de negocios, por ejemplo, Lindsay descubrió que "los ejecutivos evangélicos tienden a aceptar los accesorios materiales de un estilo de vida adinerado sin cuestionamientos"[291]. Para su sorpresa y decepción, casi ninguno de sus entrevistados planteó el tema de las exorbitantes remuneraciones de los directores ejecutivos. Menos de la mitad de los ejecutivos de empresas indicaron que su fe influya en la forma en que invierten su dinero. Un director ejecutivo de una enorme compañía admitió que nunca oraba acerca de los acuerdos de negocios. Varios de los ejecutivos varones, cuando se les preguntaba sobre la forma en que su fe influía en su trabajo, señalaban hacia placas en sus oficinas que indicaban sus creencias cristianas. Por su parte, las mujeres indicaban que deliberadamente usaban crucifijos.

Respecto a los evangélicos en posiciones influyentes en Hollywood, Lindsay escribió que estos "difieren poco de los demás en la industria del entretenimiento. Conducen autos de lujo, viven en comunidades exclusivas, y les preocupa que su fama y talento se esfumen de un momento a otro"[292].

Más del 60 por ciento de los entrevistados de Lindsay no participaban en una iglesia local. Muy pocos eran miembros de grupos de responsabilidad que pudieran ayudarlos a lidiar con las tentaciones del poder, el privilegio y las riquezas.

Había excepciones, desde luego, y estos puntos brillantes del libro pueden ser inspiradores[293]. Phil Anschutz, un productor de cine multimillonario, ha usado su influencia y dinero para llevar al cine grandes películas tales como *Amazing Grace* y las historias de Narnia. Y Max De Pree, anterior director ejecutivo de Herman Miller, intentó hacer justicia en su compañía al fijar deliberadamente un límite a su salario en no más de veinte veces la remuneración de su trabajador con el menor salario.

En general, no obstante, la minuciosa investigación de Lindsay demostró que la gran mayoría de los evangélicos posicionados en la cima de sus

291 *Ibíd.*, p. 192.

292 *Ibíd.*, p. 130

293 Por ejemplo, Greg Newman, un capitalista de emprendimientos de San Francisco, ha provisto fondos iniciales para una compañía de velas de Tailandia que emplea a mujeres en recuperación de abuso sexual. Los filántropos a tiempo completo Dennis y Eileen Bakke han establecido el programa Harvey Fellows para incentivar a evangélicos inteligentes a estudiar en las escuelas de la Ivy League. William Inboden usó sus posiciones en los altos niveles del gobierno para elaborar la Ley de Libertad Religiosa Internacional de 1998. Él se describe a sí mismo como alguien que quiere moldear la cultura, no solo seguirla.

carreras en diversos sectores sociales mostraban una visión profundamente anémica de lo que podían lograr para el reino de Dios. Y *eso* me hizo llorar, porque justo antes de leer el libro de Lindsay, me había conmovido profundamente por un sermón dado por el Rev. Tim Keller de la Iglesia Presbiteriana Redeemer en la Ciudad de Nueva York. En dicho sermón, Keller habló brevemente acerca de Proverbios 11:10: "Cuando el justo prospera, la ciudad se alegra"[294].

Keller explicó que los "justos" (en hebreo, *tsaddiqim*) son las personas rectas, los que siguen el corazón y los caminos de Dios y ven todo lo que poseen como regalos de Dios que deben ser administrados para los propósitos de él. Keller escribió: "Los justos en el libro de Proverbios son por definición aquellos que están dispuestos a ponerse en desventaja a favor de la comunidad, mientras que los malvados son aquellos que ponen sus propias necesidades económicas, sociales y personales por sobre las necesidades de la comunidad"[295].

Esta definición de los justos es lo que hace razonable este versículo. De lo contrario, sería ilógico. Al fin y al cabo, el texto nos dice que hay un grupo de personas en particular en la ciudad que está prosperando —progresando en sus empleos, su salud, sus finanzas. Este afortunado grupo tiene poder, riqueza, y estatus; como lo expresa Keller, ellos están "en la cima". Y a medida que prosperan, toda la ciudad —incluidos los que están en el fondo— celebra.

Eso es un poco extraño, considerando la naturaleza humana. Fácilmente se podría imaginar un escenario más plausible caracterizado por la envidia y el resentimiento, donde los que están en el fondo protestan: "Los ricos siguen enriqueciéndose mientras los pobres solo se empobrecen".

En lugar de ello, la prosperidad de los justos es causa de alegría. (Y no cualquier tipo de alegría, como veremos en un momento). Puesto que los *tsaddiqim* no ven su prosperidad como un medio de enriquecerse o engrandecerse ellos mismos, sino más bien como un medio para bendecir a los demás, *todos* se benefician de su éxito. En tanto que los *tsaddiqim* prosperan, ellos administran todo —su dinero, su posición y pericia vocacional, bienes, recursos, oportunidades, educación, relaciones, posición social, contactos y

---

294 Timothy J. Keller, "Cuidado de la creación y justicia", sermón entregado en la Iglesia Presbiteriana Redeemer , Nueva York, 16 de enero de 2005.

295 *Ibíd.*

redes— para el bien *común*, para la promoción de la justicia y la *shalom* de Dios[296]. Y cuando las personas "en la cima" actúan de esta forma, toda la comunidad se alegra. Cuando los justos prosperan, su prosperidad mejora la vida de todos.

UNA ALEGRÍA PARA BAILAR EN LAS CALLES

La palabra "alegrarse" en Proverbios 11:10 es muy importante. Es un término único que se usa solo en un lugar más en el Antiguo Testamento y tiene connotaciones casi militares. Describe el gozo extático, el júbilo y el triunfo que la gente expresa cuando celebra por haber sido liberada de la mano de sus opresores.

Así que aquí "alegrarse" es una palabra grande y robusta. Esta es una alegría profunda, apasionada, no la alegría "feliz feliz" de una fiesta de cumpleaños sino la alegría como la del Día de la Victoria en Europa: la alegría de que "se acabó la guerra y ganamos". Es un regocijo que arroba el alma.

Por lo anterior, nos damos cuenta de que, con su prosperidad, los justos deben estar causando un impacto notoriamente positivo en su ciudad. Ellos deben ser mayordomos de su poder, riqueza, habilidades e influencia por el bien común para llevar a cabo una notoria y significativa transformación de la ciudad. De no ser así, ¿qué impulsaría a los residentes a volverse locos de alegría y gratitud? Está claro que la mayordomía de los *tsaddiqim* no está meramente llevando la ropa usada a la Tienda de Segunda Mano del Ejército de Salvación y los pobres la encuentran allí y se alegran por comprar un vestido de cien dólares en cinco dólares. No, este gozo para bailar en las calles ocurre cuando los *tsaddiqim* promueven la justicia y la *shalom* en la ciudad de manera tal que las personas vulnerables en el fondo dejan de ser oprimidas, comienzan a tener oportunidades genuinas y empiezan a disfrutar de salud espiritual y física, suficiencia económica y seguridad.

De hecho, lo que enseña el texto es que los *tsaddiqim*, con la mayordomía intencional de su tiempo, talento y posesiones, hacen realidad nada menos que *anticipos del reino de Dios.*

---

296 *Shalom* es el rico término hebreo que comunica la idea de paz con Dios, paz consigo mismo, paz con los demás y paz con el orden creado. Aquí, *paz* no se refiere simplemente a la ausencia de hostilidades sino a una profunda plenitud.

Las celebraciones del tipo Día de la Victoria ocurren en aquellos lugares donde el Rey Jesús está realizando su enorme y vasta obra de restauración. Ocurren en la intersección donde Jesús está ahuyentando el reino de las tinieblas y abriendo paso al reino de la luz. En su vida él ofreció anticipos de la *shalom* del reino venidero; su muerte conquistó todo el pecado y el mal que pudiera oponerse a la plena realización del reino. Él vino para comenzar la obra de "hacer nuevas todas las cosas". Él nos salva de nuestros pecados para llamarnos a esa obra junto con él.

MISIÓN DEL REINO DE JESÚS

Jesús puso muy en claro la misión de su reino. Él la anunció en su discurso inaugural en Lucas 4:16-21. Al leer aquel pasaje profético acerca del tiempo venidero cuando se predicarían las buenas nuevas a los pobres, los ciegos serían sanados y los oprimidos libertados, él anunció que este texto se "cumplía" en él. La enseñanza central de Jesús era el reino. Su Sermón del Monte era acerca de la ética del reino. Él relató parábolas que para la gente eran como ventanas hacia los caminos y virtudes del reino.

La invitación evangelística de Jesús fue: "Vengan, entren en mi reino". Y él interpretó sus milagros en lenguaje de reino. Por ejemplo, expulsó un demonio de un hombre sufriente, y los fariseos lo criticaron. Lo acusaron de estar asociado con Beelzebú. Pero Jesús respondió: "Si expulso a los demonios con el poder de Dios, eso significa que ha llegado a ustedes el reino de Dios" (Lc 11:20). Cuando él sanó a los leprosos, es como si hubiera alcanzado hasta el cielo nuevo y la tierra nueva, donde no habrá más enfermedad, y hubiera arrancado un anticipo de aquello y lo trajera hasta el presente[297].

Nuestro Rey quiere que tengamos presente que el reino de Dios comenzó a irrumpir en nuestro tiempo y espacio[298]. Su obra se trató de ofrecer anticipos de las realidades del reino, y esta es la vida y la misión a la que él

297 Debo esta idea al Rev. Jeff White de la Iglesia Nueva Canción de Harlem de Nueva York.

298 Por cierto, Jesús también enseñó claramente que además el reino "todavía no" es. En nuestro mundo aún deshecho esperamos y anhelamos su plena consumación. Por sí solos, nuestros esfuerzos no lo inaugurarán ni pueden hacerlo. Se nos permite una enorme visión de tamaño divino de nuestras labores y esperanzas, pero no se nos permite la utopía. El reino solo llegará en plenitud al retorno del Rey.

nos llama a nosotros sus seguidores. Los *tsaddiqim* se unen con gusto al Rey Jesús en esa gloriosa misión.

PRÓSPEROS, PERO NO *TSADDIQIM*

La estridente discrepancia entre esta noble e inspiradora visión de los *tsaddiqim* y la anémica visión de muchos de los profesionales evangélicos que entrevistó Lindsay realmente me exasperó. Qué trágico es que tantos creyentes denominados "prósperos" no pudieran asimismo atribuirse el título *tsaddiqim*. ¿Por qué sucedía esto? Al parecer las comunidades cristianas a las que pertenecían los entrevistados de Lindsay fallaron en discipularlos para que llegaran a ser personas que pensaran adecuada y profundamente en usar su poder vocacional para promover el reino. Yo me preguntaba: "¿Qué tan generalizado será este problema en el mundo evangélico?". Más importante aún, ¿qué se puede hacer en nuestras iglesias para cambiarlo? ¿Y habrá congregaciones de *tsaddiqim* de las cuales podamos aprender?

A causa del mi propio sentido de llamado vocacional, no podía desprenderme de estas interrogantes. Durante casi veinte años, he estado tratando de ayudar a las iglesias a crecer en su amor por su prójimo cercano y lejano, especialmente su prójimo vulnerable y de más bajos ingresos. El trabajo de mi vida consiste en ayudar a las iglesias a vivir Miqueas 6:8: "¡Ya se te ha declarado lo que es bueno! Ya se te ha dicho lo que de ti espera el Señor: Practicar la justicia, amar la misericordia, y humillarte ante tu Dios". Con ese fin he servido en el equipo de mi propia iglesia fundando y operando una organización cristiana sin fines de lucro para el desarrollo comunitario que sirve a un barrio de bajos ingresos en Charlottesville, Virginia. He capacitado a líderes ministeriales para que sondeen las necesidades y los bienes de su comunidad y diseñen respuestas efectivas, y evalúen el progreso. He escrito libros y manuales explicativos para ayudar a los líderes de las congregaciones a movilizarse y desplegar a su gente en ministerios holísticos para la comunidad.

La visión de Keller de los *tsaddiqim* me dejó totalmente fascinada. Proverbios 11:10 le dio a mi trabajo un nuevo y entusiasta lenguaje. Me di cuenta de que lo que había estado tratando de hacer todos esos años era ayudar a las iglesias a "alegrar" su ciudades, ya sea que esas iglesias estuvieran en ciudades pequeñas como mi pueblo natal de Charlottesville, o en metrópolis como Miami, o en comunidades en el extranjero como Nairobi o Ciudad de Guatemala. También me di cuenta de que la gloriosa visión de Proverbios 11:10, aparejada a la triste evidencia del libro de Michael Lindsay, significaba que alcanzar aquella "alegría" requiere al menos dos grandes cosas.

Primero, significa que muchas iglesias necesitan tener una visión más robusta y abarcadora de lo que deberían estar persiguiendo de manera misional. Si efectivamente vamos a "alegrar" nuestras ciudades, necesitamos evaluar honestamente lo que estamos haciendo. ¿Estamos ocupados en esfuerzos que sean relevantes para los gemidos de la creación y el clamor de los pobres? ¿Estamos produciendo discípulos cuyo trabajo esté contribuyendo a transformaciones profundas que pongan a la gente a bailar en las calles? ¿Nos hemos unido al Rey Jesús en su enorme y vasta misión de restauración? Al trabajar junto a él, ¿estamos trayendo anticipos de justicia y *shalom*, o estamos ocupados en gran medida en mera caridad?

Segundo, significa que las iglesias necesitan tomar la vocación mucho más en serio. Proverbios 11:10 nos dice para qué es nuestra prosperidad. La mayoría de los evangélicos estadounidenses de clase media y media-alta pueden ser catalogados como "prósperos". Es cierto que no somos Bill Gates ni Donald Trump. Pero comparados con muchos de nuestros vecinos y con los millones de pobres en todo el mundo, efectivamente somos privilegiados y ricos.

Una parte vital de esa prosperidad es nuestro poder vocacional. A diferencia de muchos en el mundo, podemos elegir qué trabajo hacer. Estamos bien educados y capacitados. Tenemos redes donde apoyarnos, plataformas para usar, y conocimiento que compartir. Muchos trabajamos en instituciones —escuelas, medios de comunicación, oficinas de gobierno, corporaciones— que influyen significativamente en la calidad de vida de nuestra nación. Dios ha prodigado todo esto sobre nosotros por una razón: que lo usemos para el bien común, no para el provecho individual.

Está claro que aprender a ser mayordomos de nuestro poder vocacional es uno de los principales componentes de crecer como *tsaddiqim* que alegran nuestras ciudades. Con mayordomía vocacional me refiero al *despliegue intencional y estratégico de nuestro poder vocacional —conocimiento, plataforma, redes, posición, influencia, habilidades y reputación— para promover anticipos del reino de Dios*. Para las congregaciones misionales que desean alegrar sus ciudades, la mayordomía vocacional es una estrategia esencial. Para llevar a cabo su gran visión, necesitan sacarle partido intencionalmente al poder vocacional de sus miembros.

Decidí intentar escribir un libro para ayudar a los líderes misionales a hacer eso precisamente.

AUDIENCIA OBJETIVO

Jamás he conocido una iglesia que no incentive a su gente a servir a Dios con su "tiempo, talento y posesiones". No obstante, muy pocas congregaciones —incluso las que están entregadas a la *missio Dei*— realmente están facilitando el "servir a Dios con tu talento" de una forma intencional, sostenida, práctica y estratégica que preste atención a los dones vocacionales, las pasiones y el poder de los miembros.

El Dr. Don Simmons ha estado apoyando a las iglesias con sus ministerios de "capacitación" durante décadas. Basado en la observación de veintenas de congregaciones, él señala:

> Existen muy pocas iglesias que cuenten con sistemas potentes e intencionales para desplegar el tiempo de su gente y sus talentos. Las iglesias no considerarían hacer una campaña de mayordomía para conseguir dinero sin contar con sistemas que les permitan reunirlo, distribuirlo, informar cómo se está usando, e informar a las personas que lo están donando. Pero respecto al servicio del tiempo y el uso del talento de su gente no piensan lo mismo[299].

Los feligreses en nuestros bancos tienen que saber que deberían —y pueden— conectar su vida cotidiana con su fe. Muy a menudo ellos sienten que Dios es solo un Dios del domingo. A veces como líderes de la iglesia exhortamos a la gente a "vivir para el reino de Cristo" pero no explicamos adecuadamente qué significa eso para sus vidas de lunes a viernes, de nueve a cinco. Debemos hacer un mejor trabajo de inspirar a nuestros miembros en cuanto al rol que ellos pueden desempeñar en la misión de Dios y equiparlos para que vivan misionalmente *a través de su vocación.*

Sobre la base de lo que he aprendido acerca de las congregaciones que lo están haciendo, queda claro que la mayordomía vocacional produce resul-

299 Don Simmons, presidente, Creative Potential Consulting and Training, entrevista telefónica, 5 de agosto de 2010.

tados fascinantes. Los miembros experimentan un renovado gozo, sentido e intimidad con Cristo. A la vez, la iglesia mejora significativamente su efectividad en llevar al prójimo cercano y lejano un mayor anticipo de *shalom*.

Este libro es fundamentalmente para pastores y líderes ministeriales —especialmente los que ya están comprometidos con liderar iglesias misionales (es decir, iglesias que intentan seguir al Rey Jesús en su misión de hacer nuevas todas las cosas). También espero que los pastores lo traspasen a los miembros individuales que están luchando por integrar su fe y su trabajo. Esperamos que este libro resulte útil para los creyentes que quieren entender mejor cómo promover los propósitos del reino a través de sus vocaciones —ya sea que lleven cincuenta años en el trabajo o apenas estén comenzando. Mi oración es también que los lectores que aún están en la universidad o institutos profesionales encuentren alguna sabiduría relevante en estas páginas acerca de su futura labor.

PANORAMA DEL LIBRO

La primera parte, "Fundamentos Teológicos", provee el sustento bíblico tanto para la misión de la iglesia de "llevar anticipos" como para la estrategia de mayordomía vocacional. Sobre la base de un estudio de los pasajes de la Escritura con "avances" que describen el cielo nuevo y la tierra nueva, en el capítulo 1 argumento que una ciudad "alegre" es un lugar donde los anticipos cada vez mayores de la justicia y la *shalom* son realidades palpables. Exploro varias dimensiones específicas de justicia y *shalom*, y describo la manera en que los cristianos de hoy están promoviendo esos valores del reino a través de su trabajo. Cultivar una ciudad alegre es una tarea gloriosa e intimidante.

El capítulo 2 describe a los *tsaddiqim* que intentan emprender esta labor. Ellos son completamente humildes, dependientes de Dios, personas espiritualmente maduras que pretenden vivir de forma justa en y a través de su trabajo. El capítulo 3 examina los obstáculos que han impedido que muchos cristianos vivan como *tsaddiqim*, y el capítulo 4 analiza de qué manera las iglesias pueden lidiar con tales obstáculos.

La segunda parte, "Discipulado para la mayordomía vocacional", provee orientación sobre pasos prácticos para los líderes de la iglesia. Comienza en el capítulo cinco con una mirada al actual estado del pensamiento evangélico sobre la integración de fe y trabajo —y sus deficiencias. Luego bosquejo tres tareas clave necesarias para capacitar a los feligreses para que se conviertan en personas que administran su poder vocacional intencionalmente como los *tsaddiqim*.

El capítulo 6, "Inspiración", ofrece una teología bíblica concisa del trabajo que debería sustentar cualquier iniciativa de mayordomía vocacional. El capítulo 7 examina la tarea del descubrimiento: ayuda a los miembros a identificar sus pasiones, "santas disconformidades"[300] y las dimensiones de su poder vocacional. Luego el capítulo 8 aborda la tarea crucial de la formación, es decir, la necesaria configuración de la vida interior de los miembros que les permita ser mayordomos efectivos, humildes y sabios de su poder vocacional.

La tercera parte va al meollo de la mayordomía vocacional. Primero, ofrezco una breve introducción a cuatro caminos para desplegar a los feligreses en la mayordomía de sus vocaciones: 1) florecer donde estamos plantados administrando estratégicamente nuestro actual empleo; 2) donando nuestras habilidades vocacionales como voluntarios; 3) iniciando un nuevo emprendimiento social; y 4) participando en la iniciativa específica de nuestra congregación que apunte a transformar una comunidad en particular o resolver un problema social definido. Aquí también abordo brevemente las tentaciones inherentes a cada camino: potenciales obstáculos para los cuales los líderes de la iglesia deben preparar a los miembros.

Los capítulos nueve al doce abordan un camino cada uno. Cada capítulo muestra cómo es la mayordomía vocacional en la vida de creyentes reales y da ejemplos de iglesias específicas que han aprendido lecciones respecto a cómo capacitar y desplegar a sus miembros por ese camino[301].

LA CUCHARA DE PRUEBA

Hace varios años, el Rev. Jeff White, de la Iglesia Nueva Canción de Harlem, impartió un taller en mi iglesia. Él habló acerca de la obra del Rey Jesús

300 El término pertenece a Bill Hybels, de su libro *Holy Discontent: Fueling the Fire That Ignites Personal Vision* (Grand Rapids: Zondervan, 2007).

301 Dedico una cantidad desproporcionada de tiempo al camino 1, "Florece donde estés plantado", porque es la más importante y más común expresión de mayordomía vocacional. Es también el camino que cada iglesia —independientemente del tamaño o los limitados recursos— puede y debe enfatizar.

de traer restauración y sostenía una de esas cucharitas rosadas para degustación de la tienda de helados Baskin-Robbins. Se trata de las cucharas con las que ofrecen un anticipo del helado que viene. Jeff desafió a los asistentes a verse a sí mismos como esas cucharas, pues nuestro rol en el mundo consiste en ofrecer anticipos del reino a nuestro prójimo cercano y lejano.

Los líderes de las iglesias misionales llaman a su gente a vivir como cucharas de prueba. Pero ellos necesitan *mostrarles* en qué consiste eso. Escribí este libro porque, en un grado significativo, ser cucharas de prueba significa ser mayordomos de nuestro poder vocacional para el bien común.

En Estados Unidos, los trabajadores pasan en promedio cuarenta y cinco horas a la semana en el trabajo[302]. Eso es alrededor del cuarenta por ciento de nuestras horas de vigilia cada semana: una enorme cantidad de tiempo. Si los líderes de la iglesia no ayudan a sus miembros a discernir cómo vivir en forma misional a través de ese trabajo, ellos pierden una importante —en algunos casos *la* más importante— vía que tienen los creyentes para aprender a vivir como anticipos.

302 Lisa Belkin, "Time Wasted? Perhaps It's Well Spent", *New York Times*, 31 de mayo de 2007 <www.nytimes.com/2007/05/31/fashion/31work.html? spc=19&sq=&st=nyt>.

PARTE 1

Fundamentos teológicos

1

¿Cómo es una ciudad alegre?

Los ciudadanos de la ciudad de Dios son los mejores ciudadanos posibles en sus ciudades terrenales.

Rev. Tim Keller

Si el llamado misional de la iglesia es "alegrar" nuestras ciudades ofreciendo a nuestros vecinos anticipos de las realidades del reino, debemos entender qué nos dice la Escritura acerca del reino venidero. Los líderes congregacionales necesitan conocer las marcas del reino: sus características, cualidades, propósitos y virtudes. Luego necesitan predicar y enseñar acerca de estas marcas del reino, ayudando a sus miembros a visualizar cómo es una ciudad que se alegra. Entonces los miembros de la iglesia tienen una orientación para desplegar estratégicamente el poder vocacional que Dios les ha dado para promover aquellas expresiones del reino.

Una forma útil de identificar estas cualidades del reino es examinar atentamente los pasajes de la Biblia que traen "avances". Si ponemos una película en el reproductor de DVD, lo primero que vemos son avances de las próximas producciones. De manera similar, a través de la Biblia hay avances del próximo "largometraje": el reino de Dios en toda su plenitud consumada. Estos textos nos otorgan vistazos de cómo será la vida en el cielo nuevo y la tierra nueva.

Jesús utilizó un pasaje de avance (Is 61:1-2) cuando se puso en pie en una sinagoga nazarena y anunció su misión en la tierra. Muchos creyentes están familiarizados con pasajes anticipatorios como Isaías 11:6 ("el lobo vivirá con el cordero") y Miqueas 4:3 ("convertirán en azadones sus espadas") porque usualmente se leen durante Adviento. Sin embargo, muchos otros pasajes de avance son menos conocidos.

Un estudio exhaustivo de todos los pasajes de avance escapa al propósito de este libro. Sin embargo, podemos partir con una excavación inicial basada en una serie de pasajes que contienen avances[303]. Estos pasajes nos ofrecen una clara imagen de las características del reino consumado. Los pasajes de avance revelan primordialmente que el reino consumado está marcado por dos cualidades principales estrechamente relacionadas: justicia y *shalom*. Por lo tanto, una ciudad alegre es una donde se materializan anticipos cada vez más grandes de justicia y *shalom*.

Ambos conceptos son formidables. Examinaré varias dimensiones específicas de la justicia y la *shalom* empleando un par de concisos esquemas organizadores. A medida que avanzamos, nos encontraremos con cristianos que están cultivando aquellos aspectos de la justicia y la *shalom* por medio de su trabajo. Mi esperanza es que este contenido provea material para sermones e ilustraciones para los líderes de la iglesia que buscan inspirar a su rebaño para que visualice cómo es ser los *tsaddiqim* que alegran la ciudad.

JUSTICIA

La última parte de Proverbios 11:10 atrae nuestra atención hacia el rol vital de la justicia en la tarea de alegrar la ciudad. El verso completo dice: "Cuando el justo prospera, la ciudad se alegra; cuando el malvado perece, hay gran regocijo".

Los lectores familiarizados con el estudio del Antiguo Testamento reconocen aquí una estructura común en gran parte de la poesía hebrea: el paralelismo. En esencia, el poeta dice lo mismo dos veces en un versículo, usando dos construcciones levemente distintas. En proverbios 11:10, hay una conexión entre los "justos que prosperan", por una parte, y los "malvados que perecen", por otra. Nótese que ambos sucesos —la prosperidad de los justos y el perecer de los malvados— produce la misma reacción: gozo desbordante. El júbilo surge cuando los malvados —descritos una y otra vez

303 Los pasajes estudiados son: Sal 46:9; 72; Zac 8:4-13; Is 2:2-5; 11; 25:6-9; 26:1-12; 32:1-8; 35; 42:1-4; 49:8-21; 51:3-6; 54; 61–62; 65:17-25; Jer 23:5-6; Ez 34:11-31; Jl 3:17-18; Am 9:11-15; Mi 4:3-4; Sof 3:14-20; Zac 8:3-17; 14:6-21; Ap 21.

en el Antiguo Testamento como hacedores de injusticia y maldad— son desechados y reemplazados por los *tsaddiqim*, los hacedores de justicia.

Cuando los justos prosperan, prevalece la justicia. Los *tsaddiqim* intentan hacer realidad tres dimensiones de la justicia que marcan el reino consumado[304]. Estas se presentan en la figura 1.1. Veámoslas una a la vez.

Rescate. El reino consumado se caracteriza por el fin de toda opresión. En él, el pobre, el inocente y el desvalido serán rescatados de todas las sombrías realidades que enfrentan en manos de opresores violentos. El Salmo 10 retrata un terrorífica imagen de estas realidades, observando que "persigue el malvado al indefenso" y "cual león en su guarida se agazapa" para atacar y arrastrar al pobre. En Isaías 5:23 el profeta lamenta que los malvados "por soborno absuelven al culpable y le niegan sus derechos al indefenso" y que "se apresuran a derramar sangre inocente" (Is 59:7). Sujeto a los malvados, el orden social queda en bancarrota y la gente se siente desesperanzada: "El derecho está lejos de nosotros, y la justicia queda fuera de nuestro alcance. Esperábamos luz, pero todo es tinieblas; claridad, pero andamos en densa oscuridad" (Is 59:9).

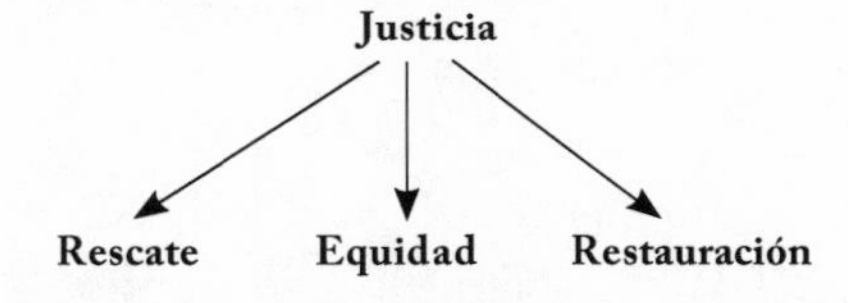

Figura 1.1 Tres dimensiones de la justicia

La obra de rescate consiste en remediar este tipo de violenta injusticia. Implica identificar, exponer y transformar situaciones donde hay abuso de poder, perpetuado típicamente a través de la coerción y el engaño. Significa llevar a cabo el tipo de anticipo de la justicia celebrado en Isaías 62:8-9 (terminar con el trabajo esclavizado) e Isaías 61:1 (liberar a los detenidos ilegalmente de sus oscuras prisiones)[305].

304 Probablemente haya más de tres dimensiones, pero nuestra investigación aquí debe ser limitada.

305 La palabra hebrea para "hacer justicia" en Miqueas 6:8 es *mishpat*. Como señala Tim Keller, aparece más de doscientas veces en el Antiguo Testamento y connota las ideas de castigar las malas acciones y otorgar a las personas sus derechos (*Generous Justice* [Nueva York: Dutton, 2010], pp. 3-9). Los cristianos en diversas profesiones pueden desempeñar importantes roles en el trabajo de rescate. Los funcionarios policiales y detectives encubiertos localizan a las víctimas y documentan la presencia de abuso. Fiscales y jueces traen a cuentas a los criminales. Los trabajadores sociales, los

El abogado británico Matthew Price ha empleado sus talentos vocacionales para efectuar este tipo de rescates. Durante dos años, Matthew y su esposa y su bebé residieron en Kampala, Uganda, sirviendo a la causa de la justicia en una tarea de corto plazo a través de una agencia misionera británica, BMS World Mission. Allí, Matthew se unió a Ugandan Christian Law Fellowship (UCLF), y asesoró a asistentes jurídicos y estudiantes de derecho para capacitarlos a fin de que "impere la justicia en los tribunales" (Am 5:15). Bajo su supervisión, los estudiantes se acercaron a prisioneros, muchos de los cuales eran víctimas de detención ilegal. No se les había aplicado un debido proceso legal y habían languidecido durante meses en cárceles atiborradas, sin saber siquiera de qué delitos se los acusaba.

Mateo y su equipo visitaron estaciones de policía y celdas para asesorar a los prisioneros acerca de sus derechos bajo la ley de Uganda. Al final de su primer año, Matthew y los abogados de la UCLF habían ofrecido representación a más de 260 prisioneros, y casi doscientos de sus casos fueron concluidos. Él explica: "Mediante la intervención de abogados cristianos, estos prisioneros finalmente han probado la justicia en sus casos, ya sea mediante la absolución y liberación, o la condena y un periodo de sentencia definido"[306].

Equidad. La segunda dimensión de la justicia que vemos en los pasajes de avance es la equidad. Isaías 11:4 celebra el tiempo venidero cuando el Rey "juzgará con justicia a los pobres y resolverá con equidad a favor de los mansos de la tierra" (RV95). Jeremías mira al futuro con similar expectación: "Vienen días —afirma el Señor —, en que de la simiente de David haré surgir un vástago justo; él reinará con sabiduría en el país, y practicará el derecho y la justicia" (Jer 23:5).

Otros profetas también celebran las relaciones equitativas que caracterizarán la vida en el cielo nuevo y la tierra nueva. En Isaías aprendemos

---

trabajadores de la salud mental, y los profesionales que usan la música, el arte y la danza como terapia pueden brindar sanidad a las víctimas. Los periodistas de investigación y otros profesionales de las comunicaciones (diseñadores gráficos, editores, fotógrafos, camarógrafos, guionistas, cineastas) pueden generar conciencia al publicar las historias de opresión en todo el mundo. Los abogados de derechos humanos, diplomáticos y oficiales públicos pueden trabajar para elaborar e implementar legislación que criminalice el tráfico, el trabajo forzado y otras formas de abuso. Los especialistas en relaciones públicas y recaudadores de fondos profesionales pueden aplicar sus talentos para generar recursos para organizaciones no lucrativas que realizan operaciones de rescate y para hogares de seguimiento.

306 Matthew Price, misionero con BMS World Mission, "Carta de oración", abril de 2009, y correspondencia personal con la autora, 5 de julio de 2011.

que ya no habrá canallas en el poder que defrauden a los necesitados (Is 32:5-8). Ezequiel profetiza que no habrá nadie que saquee a los débiles (Ez 34:17-22).

No es tan sencillo definir la palabra *equidad*. Denota igualdad e imparcialidad. La equidad se trata de asegurar que el pobre y el débil no sean abrumados de manera desproporcionada por los problemas comunes de la sociedad. Se trata de promover políticas públicas que no favorezcan al rico sobre el pobre, sino que traten a las personas con igualdad. Se trata de evitar políticas que graven injustamente al pobre y al desvalido.

La equidad es un tanto más fácil de describir que de definir. Consideremos, por ejemplo, el proceso de buscar soluciones equitativas para el desafío de proveer viviendas asequibles en una comunidad. Tales viviendas deben ser construidas, y eso requiere dinero. Hay que tomar decisiones sobre dónde ubicar los departamentos. Tales decisiones implican costos. En aras de la ilustración, simplifiquemos la situación: a la luz de este desafío social, se podrían tomar dos caminos: uno implica concentrar la edificación y ubicación de la vivienda asequible en comunidades pobres y políticamente débiles tales como los barrios vulnerables. Este enfoque se podría catalogar como "concentrar la carga". El otro camino implica distribuir el costo de construcción de las viviendas en una región amplia y esparcir los departamentos a través de varios vecindarios distintos. Este enfoque se podría catalogar como "compartir la carga".

En muchas ciudades se sigue el primer camino —en gran medida a consecuencia de la ideología "no lo quiero en mi patio". Los ciudadanos más acomodados en los barrios suburbanos no quieren que se construyan estas viviendas en sus vecindarios, por temor a la delincuencia y a la devaluación de sus propiedades. Dado que los más acomodados económicamente también tienen mejores contactos políticos, la vivienda económica suele construirse solo en áreas desfavorecidas que ya están decaídas. Esto genera lo que los estudiosos llaman "barrios de pobreza concentrada"[307]. Y eso trae problemas asociados tales como escuelas hacinadas, mayores tasas de delincuencia, y aislación social. Estos problemas sociales tienen costos económicos (por ejemplo, es más difícil comenzar un negocio en barrios de

307 Un texto clásico sobre los problemas de los barrios de pobreza concentrada es William Julius Wilson, *The Truly Disadvantaged: The Inner City, the Underclass, and Public Policy* (Chicago: University of Chicago Press, 1987).

pobreza concentrada). Este enfoque también exprime los municipios donde existen barrios de pobreza concentrada. Tienen que gastar más dinero en cuerpos policiales y en programas de bienestar social, a la vez que reciben menos ingresos de los impuestos a la propiedad y del comercio.

El segundo camino es el enfoque más equitativo. En este escenario, los costos de construcción de las viviendas se comparten a través de un área metropolitana, y los departamentos se esparcen por toda el área para evitar la creación de barrios de pobreza concentrada. Políticamente, este es un enfoque más difícil de llevar a la práctica, pero se ha implementado en lugares donde ciudadanos persistentes lo han exigido.

El activista Rich Nymoen desempeñó un rol en una exitosa campaña de orientación religiosa que perseguía precisamente este enfoque para el asunto de la vivienda asequible en el área de las Ciudades Gemelas de Minnesota a mediados de la década de 1990[308]. Él era un nuevo abogado de la Escuela de Derecho de la Universidad de Minnesota. Su decisión de involucrarse en ese esfuerzo fue impulsada en parte por el hecho de haber adoptado el concepto de equidad metropolitana. Él conoció esta idea a través de un profesor adjunto de la universidad, Myron Orfield, quien entonces era también un legislador estatal[309].

Orfield estaba impulsando diversas iniciativas legislativas, incluyendo una llamada vivienda de "repartición justa". A Nymoen le pareció atractivo este enfoque pues enfatizaba que "estamos todos juntos en esto". Llamaba a un enfoque regional para compartir los costos de construir viviendas asequibles.

Nymoen comenzó a trabajar con una coalición de congregaciones y ONG que finalmente se llamó ISAIAH. Primero dirigió una exitosa campaña para aumentar fuertemente el financiamiento estatal para la vivienda asequible. Luego comenzó a promover la idea de vivienda inclusiva: distribuir las viviendas asequibles en proyectos inmobiliarios con ingresos mixtos para evitar los problemas de la pobreza concentrada.

---

308 Rich Nymoen ofreció sus habilidades como activista y abogado en la lucha por la equidad. Los cristianos en otras ocupaciones, tales como administradores públicos, políticos, investigadores de políticas públicas, economistas, expertos en evaluación de políticas y cientistas políticos también pueden promover este valor del reino a través de su trabajo.

309 Rich Nymoen, "ISAIAH's Land Tax Campaign in Minnesota," *Groundswell* (marzo/abril 2004) <http://commonground-usa.net/isaiah04.htm>.

Esta batalla por promover la equidad no fue fácil, y duró tres años. Al final, la decisión sobre vivienda asequible se puso en manos de un concejo metropolitano de siete condados. Los miembros del concejo negocian los objetivos de la edificación (tales como el número de departamentos a construir y dónde estarían ubicados). Cada condado contribuye financieramente al fondo regional de vivienda, en lugar de que solo la ciudad de Minneapolis cargue con ese peso.

Restauración. La tercera dimensión de la justicia bíblica que vemos en la gran historia de la creación/Caída/redención/consumación atañe a la restauración.

En la Biblia, la justicia es un concepto relacional, no simplemente un concepto legal abstracto. Es decir, la justicia bíblica no solo se preocupa del castigo de los delitos, sino de la sanidad de los malhechores y su restauración en la comunidad. La justicia y la salvación son conceptos vinculados. Como lo dice un estudioso: "La justicia de Dios se trata de restaurar la plenitud en las relaciones: con Dios y con los demás seres humanos"[310].

Gran parte de Zacarías 8 es un pasaje de avance, y dos versos hablan de la justicia restaurativa de Dios (Zac 8:16-17). Los israelitas han cometido graves ofensas contra Dios. Han actuado injustamente, pues no han impartido justos juicios en los tribunales, han jurado en falso y han tramado el mal contra su prójimo. La respuesta de Dios no solo es punitiva sino también correctiva. El texto recuerda el juicio de Dios, pero Dios promete perdón y una restauración de la relación, y luego le recuerda al pueblo que no repita sus antiguos pecados.

En una ciudad que se alegra, el sistema de justicia penal incluye esta noción de justicia restaurativa, en oposición a enfocarse exclusivamente en la justicia retributiva. Ciertamente pide cuentas a los transgresores, pero también intenta abordar el *daño* del delito, no solo la ofensa legal contra el estado. Esta justicia toma a la víctima en serio y persigue la reinserción del ofensor en la trama social cuando sea posible. Al reconocer que el crimen se trata del daño a las relaciones humanas, busca la reconciliación de tales relaciones en el máximo grado posible[311].

---

310 Ted Grimsrud, "Base bíblica para la justicia restaurativa", discurso ante el Center for Justice and Peacebuilding, Eastern Mennonite University, Harrisonburg, Virginia., 1 de diciembre de 2008.

311 Múltiples profesiones ofrecen oportunidades de trabajo para llevar a cabo la justicia

El movimiento de la justicia restaurativa ha tenido cierto éxito en infiltrarse en los sistemas de justicia penal en Estados Unidos y otros países. El sistema en el Condado de Genesee, Nueva York, es uno de ellos. Allí, un alguacil llamado Doug Call y un servidor público de mucho tiempo llamado Dennis Wittman trabajaron juntos para incorporar principios clave de la justicia restaurativa a la forma en que el condado procesaba a los delincuentes no violentos. La iniciativa se hizo conocida como Justicia Genesee.

A fines de la década de 1970, Call había profundizado su fe asistiendo al seminario y se convenció de que la verdadera justicia no siempre era servida bajo el sistema preponderante. Él recordó el caso de una joven que perdió ambas piernas en un accidente causado por un hombre de veinte años. El joven fue sentenciado a un año en prisión. Al final del año, se mudó a un lugar cercano a Rochester y consiguió un empleo bien pagado. Mientras tanto, la víctima quedó sin sus piernas y endeudada por las cuentas médicas.

"En su caso, el sistema colapsó", dice Call. "No lo hicimos [al victimario] constructivamente responsable de su delito"[312]. Call sentía que era el momento de intentar un nuevo enfoque. Mientras más hablaba de ello, sus amigos más lo instaban a postular a la oficina de alguacil del condado. Así lo hizo, y en 1980 ganó el puesto.

Al comenzar su labor, el alguacil Call contrató a un antiguo compañero de seminario, Dennis Wittman, quien entonces se desempeñaba como inspector ciudadano en el área. Call le pidió a Wittman que estableciera un nuevo programa de sentencias que exigiera servicio a la comunidad a los delincuentes no violentos. Call quería que los delincuentes hicieran algún bien por la comunidad en lugar de solo sentarse en la prisión, donde eran un drenaje del dinero de los impuestos. Durante los siguientes veinticinco años, Wittman implementó incansablemente el programa. Cuando se retiró en el 2006, cerca de cinco mil delincuentes habían realizado más de 350.000 horas de trabajo no remunerado en el Condado de Genesee.

---

restaurativa: el trabajo en la administración carcelaria; el servicio como mediador o consejero; el trabajo para unidades de asistencia a las víctimas de las oficinas de justicia penal; involucramiento en la abogacía para promover enfoques de justicia restaurativa; enseñanza de los principios de la justicia restaurativa en escuelas de derecho y programas de resolución de conflictos.

312 Citado en Howard Owens, "The Genesee Justice Story", *The Batavian*, 26 de noviembre de 2010 <http://thebatavian.com/blogs/howard-owens/genesee-justice-story/22423>.

A estos dos hombres les agradaba el programa, pero sentían que la Justicia de Genesee también necesitaba hacer más para atender a las víctimas de los delitos. Con los años, implementaron varias iniciativas nuevas. Una implicaba asociarse con la comunidad de fe local para proveer asistencia práctica a las víctimas, tal como reparación de la casa en los casos de robo. Otra introdujo cambios en los procedimientos de sentencia donde se permitía que las víctimas ofrecieran "declaraciones de impacto" respecto al daño que habían sufrido. Una tercera iniciativa fue un programa de reconciliación que reunía a víctimas y victimarios cara a cara en una conversación mediada. Wittman dice: "Dondequiera que había una brecha en el sistema judicial tratábamos de cerrarla"[313].

SHALOM

Una ciudad que se alegra está marcada por las tres dimensiones de la justicia señaladas anteriormente: rescate, equidad y restauración. También es un lugar donde la hermana gemela de la justicia, la *shalom*, es evidente en una medida cada vez mayor.

El teólogo Cornelius Plantinga Jr. define la *shalom* como "el entramado de Dios, los humanos, y toda la creación en justicia, realización y deleite… La llamamos paz, pero significa mucho más que la mera paz mental o el cese al fuego entre enemigos. En la Biblia, *shalom* significa *florecimiento, plenitud y deleite universales*"[314].

El reino consumado se caracteriza por *shalom* en las cuatro relaciones fundamentales de la vida: paz con Dios, paz consigo mismo, paz con los demás y paz con la creación. Varias de las marcas características del reino se pueden organizar ligeramente bajo aquellos cuatro encabezados, como se muestra en la tabla 1.2[315]. Hablo de organizar "ligeramente" porque algunos valores del reino, tales como la belleza o la plenitud, podrían acomodarse a más de un encabezado. Pero este esquema nos ofrece un punto de partida

---

313 Paul Mrozek, "MHA Salutes Dennis Wittman", Restorative Justice Online (20 de mayo de 2010) <www.restorativejusticeonline.net/RJOB/mha-salutes-dennis-wittman/>.

314 Cornelius Plantinga Jr., "Educating for Shalom: Our Calling as a Christian College", Calvin College <www.calvin.edu/about/shalom.htm>. Énfasis original.

315 Esta no es una lista exhaustiva de las marcas del reino. Otras marcas son la verdad, el gozo, la solidaridad, la accesibilidad, la comunidad, la creatividad, y el servicio.

para construir una comprensión robusta de las dimensiones de la *shalom*. Veamos cada una en detalle.

Tabla 1.2. Marcas del reino consumado

Paz con Dios Intimidad con Dios Belleza	***Paz consigo mismo*** Salud/plenitud Esperanza Consuelo
Paz con los demás Unidad Seguridad/ausencia de violencia	***Paz con la creación*** Florecimiento económico Sustentabilidad

PAZ CON DIOS

Intimidad con Dios. En el centro de nuestro gozo en el reino consumado estará nuestra íntima relación con Dios. Como se regocijaba Sofonías, allí "cantaremos", "gritaremos" y nos "alegraremos" porque el Señor estará *con* nosotros. El maravilloso Creador de todo "se alegrará por [nosotros] con cantos" y "se deleitará" en nosotros (Sof 3:14-20). Lo veremos "cara a cara" (1Co 13:12).

Con esta gran esperanza ante nosotros, una parte esencial de nuestra misión consiste ahora en llevar a las personas a una relación personal con Dios. La evangelización que conduce a las personas a seguir a Jesús les ofrece a los nuevos creyentes un anticipo de la intimidad con Dios que ellos experimentarán un día por la eternidad. Muchos de nosotros tenemos oportunidades de evangelizar a través de nuestras relaciones laborales.

Stanley Tam es un excelente ejemplo. Él ha estado operando prósperos negocios desde la década de 1930. Él constituyó legalmente una empresa, United States Plastic Corporation, de manera que Dios era el accionista con el 51 por ciento. La compañía ha ganado más de 120 millones de dólares. Tam envía millones de esas ganancias para apoyar ministerios evangelísticos en el mundo. Él informa que a través de estos grupos, alrededor de 140.000 personas han tomado una decisión por Cristo.

Pero Tam no solo firma cheques para que otros hagan el trabajo. Él mismo es un evangelista. Él se "retiró" hace algunos años y abrió una pequeña fábrica de muebles. En la puerta frontal, colgó un letrero: "¿Busca paz? Pase por una Biblia gratis". Esto ha conducido a muchas conversaciones interesantes.

El ganador del trofeo Heisman, Danny Wuerffel, aprovechaba las oportunidades que tenía de compartir su fe durante su primer empleo "real" después de la universidad: como futbolista profesional de los New Orleans Saints. Él recuerda que esperaba que lo ridiculizaran en los vestidores por causa de su fe, pero descubrió que ocurrió lo contrario. En el mundo altamente competitivo y estresante del deporte profesional, el corazón pastoral y los modales de Danny eran atrayentes. El ambiente "generó muchas oportunidades ministeriales donde las personas efectivamente venían a mí y me hacían algunas preguntas realmente geniales", explica el deportista[316].

Adicionalmente, en su primer año en New Orleans Saints, Danny y un compañero de equipo iniciaron el club *Nuestro pan diario*:

> Desafiábamos a las personas a que leyeran *Nuestro pan diario* [un folleto devocional mensual con breves lecturas diarias] cada mañana, y uno tenía que recordar de qué se trataba. Y si alguien le preguntaba a otro y no sabía, tenía que poner un dólar en un frasco. Y pensé que quizá reuniríamos cinco o seis personas, pero terminamos con cincuenta y seis jugadores y entrenadores ese año.

Danny estableció clubes similares en los otros equipos profesionales donde jugó. Sus años como mariscal de campo ofrecieron, como él dice, "una enorme oportunidad de compartir quién era yo y compartir mi fe y la manera en que eso podía conectarse en el mundo de la Liga Nacional de Fútbol".

Belleza. En la tierra nueva, el encanto de la naturaleza alcanzará su cumbre; el desierto mismo florecerá abundantemente, y brotarán arroyos en los sequedales (Is 35). Para complementar toda esta belleza natural, florecerá la cultura humana. Toda la gran creatividad de la humanidad —el arte en la música, la danza, la pintura, la artesanía en madera, la escultura, la arquitectura y más— será llevada a la Nueva Jerusalén (Is 60).

---

316 Todas las citas de Danny Wuerffel proceden de una entrevista telefónica con la autora, 5 de octubre de 2010.

Dios es la fuente de toda belleza y creatividad. Los artistas, músicos, escultores, escritores, actores y bailarines pueden guiar a la gente a la adoración de este Dios. El talento artístico puede conectarnos con aquella belleza trascendente; tiene un propósito "vertical"[317].

Las artistas Jessie Nilo y Lisa Marten, de la Iglesia la Viña de Boise, Idaho, han llevado belleza a muchas personas. Jessie, una diseñadora gráfica e ilustradora, inició VineArts en la iglesia en 2004. Su grupo de veinte artistas profesionales y emergentes aplicaron su talento a la creación de espacios en el templo de su iglesia para una adoración impulsada por la belleza. Jessie sentía que no había nada "visualmente emotivo" en el edificio para complementar la enseñanza espiritualmente rica de la Viña. Así que VineArts pintó murales en las paredes. También creó una galería en la iglesia, con obras de variados materiales, donde los feligreses pudieran pasar un tiempo de quietud. "Realmente quería que se tratara de adoración y contemplación", explica Jessie[318].

Un día el pastor de misiones de la Viña le sugirió a Jessie la posibilidad de un viaje misionero de corto plazo al extranjero con una orientación artística. Él le había contado a su pastor amigo ecuatoriano que VineArts estaba enriqueciendo la vida de adoración de la congregación de Boise, y este pastor preguntó si algunos de estos artistas podían venir a su iglesia. En junio de 2010, cinco artistas de la Viña de Boise viajaron a Quito a servir a la Iglesia la Viña.

El mejor momento del viaje fue una mañana especial de adoración y arte mediada por el equipo. En la sala de adoración, montaron varios lienzos grandes junto a pequeñas mesas con implementos de pintura. "El pastor les explicó que esta era una mañana donde se traerían todas las formas de

---

317 El arte también sirve a propósitos "horizontales". Los artistas de todo tipo crean obras que alimentan el hambre estética de nuestras almas. Necesitamos belleza, porque Dios nos hizo con sentidos y puso en nosotros un mundo sensorial. El ambiente importa. Los esfuerzos del arquitecto de paisajes por embellecer la ciudad, el trabajo del ingeniero por limpiar sitios abandonados y el establecimiento de un nuevo parque público de parte de los planificadores urbanos, todo esto son esfuerzos del reino.

318 Todas las citas de Jessie Nilo, fundadora y directora, VineArts, proceden de una entrevista telefónica con la autora, 1 de septiembre de 2010. Además de las formas en que los artistas de VineArts promueven la belleza en la adoración, ellos también han desplegado sus talentos para llevar belleza a personas afligidas. Los artistas de VineArts visitan hogares de ancianos y un centro local para embarazos críticos, y facilitan proyectos artísticos para los ancianos y las futuras madres adolescentes. El arte ayuda a sacar a las personas de sus ansiedades y tristeza, señala Jessie.

adoración, incluida nuestra creatividad", dice Lisa[319]. Mientras los músicos tocaban canciones de adoración, los asistentes podrían ponerse de pie y pintar en los lienzos para expresar su corazón a Dios. "Parecía que involucraba todos los sentidos a la vez", señala Jessie. "Ellos produjeron una bella imaginería, en torno a temas de redención, transformación y agua viva". Aquella mañana, Dios se encontró con sus adoradores de un modo emotivo mientras ellos le hablaban a través de un nuevo lenguaje visual, gracias a los artistas que usaron su vocación para el reino.

PAZ CONSIGO MISMO

Salud/plenitud. Qué maravilloso será en la era venidera cuando disfrutemos de la liberación del deterioro de nuestros cuerpos. En el reino consumado, no habrá más ceguera o sordera (Is 32:3-4). "Saltará el cojo como un ciervo" (Is 35:6). No habrá más enfermedad del cuerpo, la mente o el espíritu (Is 65:19).

El ministerio terrenal de Jesús lo mostró siempre atento a los enfermos. Una y otra vez, él arrebató anticipos del reino venidero y concedió salud y alivio a los sufrientes. Hoy seguimos representándolo en tanto que construimos clínicas y hospitales médicos, creamos nuevos canales de distribución para adquirir medicinas bajo prescripción donde son necesarias, abogamos por un adecuado acceso a la salud para todos los que la necesitan y realizamos investigaciones para nuevas tecnologías médicas.

Como médico de atención primaria en una pequeña consulta privada, el Dr. Andy Macfarlan informa que su fe lo motiva a tomar un enfoque muy holístico al cuidado del paciente. Él cree que Dios ha creado a los seres humanos de tal manera que lo espiritual, lo emocional y lo físico están entrelazados. Cuando los doctores atienden a los pacientes con recursos para todos estos ámbitos, dice el doctor, el paciente recibe la mejor atención posible. Para él, así es como se promueve el valor del reino de la plenitud.

Este enfoque exige un profundo compromiso con las relaciones. La convicción de Andy de que "el propósito de la vida se trata de relaciones de amor con Dios, consigo mismo, con los demás y con el medio ambiente"

---

319 Lisa Marten, propietaria, Revelatorart, entrevista telefónica con la autora, 1 de septiembre de 2010.

motivó su deseo de involucrarse en la medicina de atención primaria[320]. Además, él nunca quiso trabajar en una gran consulta, porque eso podía comprometer el tiempo con los pacientes. Andy mide el éxito no solo en términos de proveer la más excelente y competente atención médica, sino también de proporcionarla de un modo que respete profundamente a los pacientes. Para él, una gran parte de la definición del éxito es lograr que los pacientes "salgan de aquí diciendo: 'me escucharon; me dieron suficiente tiempo; me respetaron'".

A causa del respeto por sus pacientes ancianos, Andy ha patrocinado comidas especiales en su hogar para personas mayores de setenta años. "Quiero celebrar los dones que ellos me han dado en mi consulta a través de los años", explica. Sus relaciones con sus pacientes mayores han profundizado su vida espiritual. "Estas son las personas que tienen una perspectiva de largo plazo sobre lo que significa tener una relación con Dios y saber dónde está Dios en sus vidas y lo importante que es eso en el tiempo", dice Andy.

El deseo de Andy de que los pacientes sean atendidos con dignidad a lo largo de una relación duradera con un médico general lo ha motivado a impulsar una nueva iniciativa en su ciudad. Una clínica gratuita atiende allí a los obreros pobres que no tienen seguro médico, pero ellos rara vez ven al mismo doctor. Así que Andy fundó la Red de Médicos Asociados (PPN en inglés). A través de esta red, los doctores coordinan una atención gratuita a pacientes que cumplen con ciertos requisitos de idoneidad. Cada doctor conviene en tomar cierta cantidad de pacientes a través de PPN y los atienden en sus propias oficinas. Entonces la clínica gratuita realiza los trámites y proporciona cobertura de responsabilidad para los doctores participantes. Aunque PPN comenzó a fines de 2010, Andy ya había reclutado a treinta y seis doctores que estaban atendiendo a alrededor de 250 pacientes por medio del programa a comienzos de 2011.

Esperanza. En cierta forma todos los pasajes de avance se tratan de la esperanza. Todos hacen promesas acerca de cómo será la gloriosa vida futura en el cielo nuevo y la tierra nueva. Ellos nos hablan en medio de nuestro dolor y nos aseguran que nadie que espere en el Señor será defrau-

---

320 Todas las citas de Andrew Macfarlan, doctor en medicina, Albemarle Square Family Healthcare, Charlottesville, Virginia, proceden de una entrevista con la autora, 6 de marzo de 2011.

dado. Aprendemos que Dios "ubica a los solitarios en familias" (Sal 68:6), y sanará a la estéril (Sal 113:9). Debido a la bondad, la fidelidad y la justicia de Dios, las islas pondrán su esperanza en su ley (Is 42:3-4). En la nueva creación, todas nuestras esperanzas —de cambio, de sanidad, de renovación, de reunión, de resurrección— se cumplirán.

Ofrecer esperanza a los que se sienten desesperanzados es una labor del reino. A través de su trabajo de horticultores urbanos, Mark y Courtney Williams están cultivando la esperanza en su desfavorecido vecindario en el interior de la ciudad de Pittsburgh.

Courtney creció en el área rural de Kentucky, donde la agricultura era "gran parte de la cultura que conocí", dice ella[321]. Después de graduarse de Wheaton College, trabajó en Grow Pittsburgh, "una organización agrícola urbana que cultivaba vegetales para restaurantes de lujo y trabajaba con adolescentes de barrios problemáticos". Allí perfeccionó sus habilidades de horticultura y adquirió conocimiento en salud y nutrición. Cuando el empleador sin fines de lucro de su esposo decidió lanzar una iniciativa de huerto urbano de verano, contrataron a Courtney como coordinadora. Fue tal el éxito del programa que el empleo pasó a ser de tiempo completo.

Actualmente ella y Mark supervisan los tres huertos Campos de Esperanza. Uno surgió de un antiguo esperpento de la comunidad: un campo de béisbol abandonado que había estado "bajo un metro de zarzas, matorrales y basura". Estudiantes de educación intermedia del barrio limpiaron la basura, removieron la tierra y plantaron semillas. El verso temático para el proyecto, explica Mark, es Génesis 2:15: "Dios el Señor tomó al hombre y lo puso en el jardín del Edén para que lo cultivara y lo cuidara"[322].

La vida no es como debería ser para los chicos, dice Mark. Ellos sufren a causa del abuso, parientes con adicciones, discriminación y pobreza. Pero cuando trabajan para convertir el terreno abandonado en algo bello y saludable, ellos logran "un pequeño paso para hacer de este barrio lo que se supone que debe ser"[323].

---

321 Todas las citas de Courtney Williams, Coordinadora de Huertos Comunitarios, Huerto Campos de Esperanza, The Pittsburgh Project, proceden de una entrevista telefónica con la autora, 27 de agosto de 2010.

322 Mark Williams, Coordinador de Servicio a la Comunidad, The Pittsburgh Project, entrevista telefónica con la autora, 27 de agosto de 2010.

323 *Ibíd.*

El nombre de Campos de Esperanza surgió debido a la transformación que Courtney y Mark presenciaron entre los estudiantes de educación intermedia involucrados en el programa. Como relata Mark:

> La prueba al comienzo y al final fue una encuesta de una sola pregunta. Dijimos: "¿Ustedes creen que sea posible que nuestro barrio cambie?". Sin excepción, todos los chicos dijeron que no. Al final de nuestro semestre, [la encuesta] decía: "¿Ustedes creen que sea posible que nuestro barrio cambie?". Todos dijeron que sí[324].

Consuelo. Dios se preocupa de los que están heridos en el espíritu. Lleno de compasión, él viene con "consuelo pronto"[325]. Su consuelo se expresa en múltiples metáforas en Isaías 54: de los rechazados y abandonados que experimentan aceptación; de los deshonrados y humillados que reciben nueva dignidad y sanidad; de la viuda que experimenta al Señor mismo como esposo.

Presencia junto a los sufrientes, consejo para los afligidos, estas son labores del reino. Nuestros esfuerzos por descubrir los misterios de la enfermedad mental, nuestros programas terapéuticos para sanar a los que han sido abusados sexualmente y traumatizados emocionalmente, nuestro trabajo en todo tipo de centros de consejería y rehabilitación, y nuestros fieles ministerios de visita a los que están recluidos y en asilos: todo esto son expresiones de prioridades del reino.

La enfermera Susan Beeney trabaja diariamente para brindar consuelo a los afligidos a través de Apoyo al Doliente Nueva Esperanza. Nueva Esperanza opera alrededor de treinta grupos de dolientes semanales, provee consejeros para afligidos en escuelas públicas y está asociado con el ejército estadounidense para llegar a las familias dolientes de soldados muertos en acción. En 2003, la organización de Beeney creó el totalmente singular Campamento de Niños Nueva Esperanza, el único campamento de su tipo en Estados Unidos. Cada campamento proporciona a quince niños de entre cinco y dieciocho años el invaluable regalo de un momento de descanso, oídos atentos, sesiones de terapia en grupo, arte, juegos, terapia con mascotas,

324 *Ibíd.*
325 Del himno de James Montgomery de 1821, "Hail to the Lord's Anointed".

un museo marino móvil, y actividades en la naturaleza. "Los campamentos son pequeños en número, pero su efecto es enorme", señala Beeney[326].

PAZ CON LOS DEMÁS

Unidad. En el reino consumado, experimentaremos una comunión más profunda, rica y satisfactoria con otras personas. Isaías 25:6-9 ilustra una imagen del gran banquete que Dios mismo preparará para "todos los pueblos". En la tierra nueva, experimentaremos paz y armonía como miembros de todas las "naciones, tribus, pueblos y lenguas" unidas en adoración conjunta al Rey Jesús (Ap 7:9-20).

Hoy nuestros esfuerzos por fomentar la reconciliación racial y construir diversidad y sensibilidad intercultural promueven este anticipo de la unidad del reino. En la villa multirracial de South Holland, Illinois, el alcalde Don De Graff ha hecho de la promoción de la unidad un tema fundamental a través de sus muchos años en el trabajo.

Hace cincuenta años, South Holland era una comunidad históricamente holandesa con predominio de blancos[327]. En 1990, la población era 86 por ciento blanca. De Graff informa que hoy el pueblo se compone de un 72 por ciento de afroamericanos, un 23 a 24 por ciento de caucásicos, un 3 a 4 por ciento de hispanos, y 1 a 2 por ciento de asiáticos[328].

Para romper las barreras entre estos diversos grupos, De Graff ha promovido cenas de ComUNIDAD. Como explica el sitio web de la Villa de South Holland: "El objetivo principal de las Cenas de ComUNIDAD es promover discusiones positivas entre personas con diferencias en un ambiente relajado y agradable. Esto ayuda a que los miembros de la comunidad se conozcan entre sí en un ambiente positivo"[329]. A lo largo del año se patrocinan varias cenas. "Las iglesias, la asociación de negocios, y las

326 Thyda Duong, "New Hope, 'New Normal'". *Long Beach Business Journal*, 14-27 de octubre de 2008, publicado en New Hope Grief Support Community <www.newhopegrief.org/newnormal.htm>.

327 "South Holland, IL", Encyclopedia of Chicago <www.encyclopedia. chicagohistory.org/pages/1173.html>.

328 A menos que se indique algo distinto, todas las citas de Don De Graf, alcalde, South Holland, Illinois, proceden de una entrevista telefónica con la asistente de la autora, Kelly Givens, 3 de marzo de 2011.

329 "2010 CommUNITY Dinners," Village of South Holland <www.southholland.org/index.php?page=events/commdinners>.

escuelas promueven estas cenas comunitarias", indica De Graff. "En estos encuentros tenemos la oportunidad de hablar de este concepto más amplio de '¿cómo vivimos juntos en comunidad? ¿Cuáles son nuestros intereses básicos? ¿Qué nos hace especiales y únicos?'".

El alcalde además incentiva fuertemente que los vecindarios hagan fiestas por manzana. "Proveemos recursos para ello, lo que incluye comida, carros de bomberos, policías, bancos de parque... todo en un esfuerzo por reunir a la gente". Él ha descubierto que los eventos sociales pueden iniciar nuevas amistades entre los vecinos y detonar el desarrollo de nuevas asociaciones vecinales.

En una comunidad multiétnica, existe el riesgo del prejuicio entre los grupos raciales, prejuicios que pueden expresarse en discriminación a la vivienda. De Graff trabaja intencionalmente con la asociación local de inmobiliarias para "vigilar de cerca nuestra situación habitacional". La asociación le provee "estadísticas sobre el tiempo que tarda la venta de una casa, los precios promedio, y [vigilamos] los abusos o discriminaciones, o cualquier actividad ilegal y anti-ética".

En South Holland, dice orgullosamente De Graff, "prácticamente hemos derribado los muros que dividen a las personas. Y la razón es que hacemos un intento honesto e intencional, todos los días, todos los meses, de abordarlos de frente. Somos muy proactivos".

Seguridad/ausencia de violencia. Un día Dios hará cesar toda guerra (Sal 46:9). En el cielo nuevo, las espadas se convertirán en azadones (Mi 4:3). Las naciones ya no se levantarán en armas contra otras. El día de violencia terminará eternamente y el pueblo de Dios gozará de perfecta seguridad. Como lo expresa bellamente Ezequiel, estaremos seguros en nuestra tierra y viviremos en seguridad, y nadie nos causará temor (Ex 34:27-28).

Hoy la diplomacia para prevenir y terminar la guerra, y los esfuerzos por proteger la seguridad pública, fomentar el perdón y la sanidad entre antiguos enemigos para reducir la violencia (por ejemplo, mediante programas educacionales, asesoría o terapia), todo esto ayuda a promover anticipos de la paz que nos espera en la era por venir.

En Uganda, Dios ha usado a un veterinario para promover un anticipo de seguridad. La Dra. Val Shean, miembro de Misión Veterinaria Cristiana, ha estado sirviendo en la región de Karamoja en el noreste de Uganda desde 1992. Allí las tribus tienen un legado de décadas de guerra por el ganado. El problema se intensificó a finales de la década de 1970 con la introducción de armas automáticas a la región. "Desde 1979 ha habido lucha, lucha y más lucha en esta tierra, de un extremo al otro", dice Shean[330]. Un pequeño saqueo de ganado por parte de un grupo ocasiona represalias, y luego la violencia aumenta. "A veces cientos de personas llegaban con armas, y caían sobre pequeñas aldeas", relata ella.

En la primavera de 2009, sin embargo, se desarrolló un pequeño milagro. Más de seis mil personas karamojong se reasentaron pacíficamente en más de sesenta aldeas. Eran miembros de las sub-tribus Pian y Bakora que se habían estado matando entre sí. El acuerdo de paz fue un resultado directo de los esfuerzos de Shean.

Val Shean era altamente respetada entre los karamojong, un pueblo "obsesionado por el ganado". Su pericia profesional como veterinaria le ganó el respeto y la amistad de los líderes de ambos lados, Pian y Bokora. Tras haberse ganado su confianza, ella usó su influencia para instarlos a detener el derramamiento de sangre. Convenció a los líderes para que estudiaran principios bíblicos de reconciliación.

Apoyada en sus redes, Shean llevó un equipo de cristianos maduros desde Oregon a Uganda para enseñar acerca de reconciliación utilizando el libro de Ken Sande *Pacificadores*. En el invierno de 2007, ella y su equipo pasaron dos semanas enseñando a sesenta ancianos y pastores, guerreros y mujeres de cada sub-tribu. Aunque ellos tuvieron que adaptar el libro de Sande al contexto africano, los principios bíblicos de pacificación se arraigaron, y trajeron avivamiento y arrepentimiento entre las personas[331]. En los meses posteriores, más de 2.500 personas de los grupos Pian y Bokoro completaron la capacitación[332]. En noviembre de 2007, los representantes de cada tribu se reunieron para un histórico concilio de paz.

330 "Cattle, Guns, and Murder . . . or Peace?". Misión Veterinaria Cristiana <www.cvmusa.org/Page.aspx?pid=3049>.

331 Rob Cullivan, "Boring Church Works on Uganda Peace Making", *Portland Tribune*, 22 de Julio de 2010 <www.portlandtribune.com/news/story.php? story_id=127932275124029100>.

332 Ken Sande, "Cattle Rustling, AK-47s, and Peacemaking," Peacemaker Ministries (29 de abril de 2010) <http://bookstore.peacemaker. net/blog/?m=201004>.

PAZ CON LA CREACIÓN

Florecimiento económico. El cielo nuevo y la tierra nueva será un lugar de abundancia económica. Todas las personas tendrán acceso a los recursos necesarios para su bienestar económico. Cada persona descansará segura bajo su propia vid o higuera (Mi 4:4) y gozará del fruto de su esfuerzo (Is 65:22). Todos tendrán refugio (Is 65:21). Reinará la prosperidad en tanto que Dios provee generosamente el alimento: "En aquel día las montañas destilarán vino dulce, y de las colinas fluirá leche" (Joel 3:18). No habrá más hambre (Is 49:10).

Los creyentes promueven anticipos del reino cuando se dedican a la gran labor de asistencia y desarrollo; a la mitigación del hambre; a los pequeños emprendimientos; a la agricultura sustentable; a los esfuerzos por descubrir nuevas formas de proveer refugio y agua potable adecuados para todos; y a defender el imperio del derecho para que pueda prosperar la empresa justa y libre.

La compañía Diversified Conveyors Inc. (DCI), de propiedad de Tom y Beth Phillips, está trayendo beneficios económicos únicos a Memphis, y más allá. Esta empresa se ha convertido en una manufacturera líder en los sistemas de correas transportadoras para gigantes tales como UPS y FedEx. Emplea a treinta y cinco personas en la casa central de Memphis y a muchas más en las sucursales.

Desde un comienzo, los Phillips visualizaron su firma como una compañía "más allá del lucro". "En vista de lo que Cristo ha hecho por nosotros, ¿cómo no vamos a bendecir a otros?", razonan ellos[333]. DCI está asociada con Advance Memphis, una organización cristiana no lucrativa que imparte clases de capacitación laboral para residentes del barrio Cleaborn/Foote (la tercera área más pobre de Estados Unidos). Los residentes que se gradúan de Advance Memphis se han asegurado empleos en DCI. Los Phillips también han creado becas a partir de las ganancias de la compañía que apoyan a los residentes de Cleaborn/Foote para que se matriculen en una escuela de formación técnica u obtengan un grado de bachiller en la universidad[334].

333 Al Tizon, Ron Sider, John Perkins y Wayne Gordon, "Business on a Mission", *Prism*, noviembre/diciembre de 2008, p. 9.
334 *Ibíd.*, p. 10.

No solo eso, sino que recientemente los Phillips contrataron a un coordinador de misiones a tiempo completo[335]. Tal vez esta sea la única corporación con fines de lucro en el país que tenga tal cargo. Pero con la cantidad de asociaciones que forma DCI con los ministerios, y la significativa cantidad de ingresos que destina para donaciones de caridad, la sabia mayordomía exigía a una persona a tiempo completo en el puesto. A nivel local, DCI apoya proyectos de renovación urbana, iniciativas de alfabetización, llegada a las cárceles, y más. A nivel internacional, financia ministerios que hacen todo desde atención médica hasta micro-créditos, con socios en Nepal, Birmania, Polonia, Perú, Brasil y varios otros países remotos.

Sustentabilidad. Muchos de los pasajes de avance hablan de la sanidad de la creación misma en tanto que Dios restaura lo que antes era estéril. Isaías 51:3 es representativo: "Convertirá en un Edén su desierto; en huerto del Señor sus tierras secas". Dios traerá arroyos al desierto, y convertirá la ardiente arena en un estanque y adornará el desierto con brotes (Is 35:1-2, 7). Dios ama la tierra que ha creado. Un día la libertará de su gemir. Mientras tanto, nosotros mostramos su bondad y sus futuras intenciones administrando cuidadosamente la creación.

Hoy los esfuerzos humanos por responder efectivamente a los accidentes industriales tales como derrames de petróleo, por conservar especies animales escasas, por recuperar cursos de agua contaminados y administrar de mejor forma el mundo natural a través de tecnologías y construcciones verdes, todo ello contribuye a traer anticipos de la nueva tierra.

El oceanógrafo Jorge Vazquez dice que aún recuerda los largos paseos con su padre a lo largo de la playa cuando era muchacho. Su padre le señalaba distintos organismos y la belleza de la creación. "Aquellos largos paseos infundieron en mí un amor por entender nuestro planeta, y lo que es más importante, el deseo de asegurarnos de ser buenos mayordomos del precioso regalo que llamamos planeta Tierra", dice Jorge[336]. Hoy, siendo científico en el Jet Propulsion Laboratory en California, Vazquez trabaja para mejorar la calidad de la información de la temperatura de la superficie

335 *Ibíd.*, p. 9.

336 Dr. Jorge Vazquez, "Inspiring Scientist—Dr. Jorge Vazquez," Jet Propulsion Laboratory, California Institute of Technology <http://stardustnext.jpl.nasa. gov/Insp_people/vasquez.html>.

marina, un importante elemento en la búsqueda por entender y monitorear el calentamiento global[337].

CONCLUSIÓN: ENSEÑAR LOS PASAJES DE AVANCE

Los pasajes de avance que hemos examinado son bellos, inspiradores y esperanzadores. Los líderes misionales pueden usarlos para generar entre sus miembros una potente visión del trabajo de alegrar la ciudad mediante la mayordomía vocacional. No obstante, al finalizar nótese que es importante ayudar a los feligreses a evitar dos extremos cuando escuchan este tipo de predicación.

Por una parte, algunos oyentes pueden asumir erradamente que ellos (o la iglesia) pueden hacerlo sin más. Es decir, puede que subestimen considerablemente lo que implica introducir estos anticipos de la justicia y la *shalom*. Puede que fallen en depender suficientemente de Jesús y el Espíritu. Si bien los pasajes de avance nos permiten una visión de tamaño divino de nuestras labores y esperanzas, existe el peligro de que incentiven la utopía. El reino de justicia y *shalom* llegará en plenitud solo al regreso del Rey. Y solo en el poder del Rey —y por *su* sabiduría y dirección— progresaremos en la transformación de nuestras comunidades.

Por otra parte, no debemos permitir que los feligreses crean que, dado que la *plena* visión de los pasajes de avance no se realizará sino hasta la "era venidera", ahora no necesitamos hacer nada. Ciertamente es verdad que estamos esperando la plena consumación del reino al regreso de Jesús, pero mientras esperamos, es tarea de la iglesia —el cuerpo de Cristo— representar y encarnar anticipos de las realidades venideras de ese reino. Como discípulos de Jesús tenemos el asombroso privilegio de participar en su obra de restauración. En efecto, unirnos a él en esta labor constituye el centro mismo de nuestras vidas redimidas.

Dicho en forma sucinta, debemos recordar que el reino de Dios está *ya*, pero *todavía no*.

La predicación sobre los pasajes de avance dirige la mirada de los creyentes hacia la "vida del mundo futuro". Esa frase pertenece a la oración

337 "Jorge Vazquez," Jet Propulsion Laboratory, California Institute of Technology, <http://science.jpl.nasa.gov/people/Vazquez/>.

final del Credo Niceno, que muchos cristianos recitan semanalmente en sus congregaciones[338]. A pesar de esta recitación del credo —y las frecuentes instrucciones del Nuevo Testamento para que fijemos la mirada en lo eterno[339]— muchos asistentes a la iglesia no están mirando regularmente en esa dirección. Muchos creyentes se distraen fácilmente por los afanes, tentaciones e ídolos de este mundo. Pocos tienen una visión clara para representar y encarnar anticipos del reino. En consecuencia, los miembros necesitan recordatorios regulares acerca del bello mundo que está por venir así como exhortaciones a vivir *ahora* de formas que se correspondan con esas esperanzas. La predicación de estos pasajes permite a los pastores recordar a los feligreses que Jesús está actuando para establecer estas realidades —y nos está llamando a unirnos a él en sus obras de restauración.

Esta predicación luego debe ofrecer aplicaciones prácticas de cómo es esta realidad. Mi esperanza es que estas imágenes aquí retratadas de cristianos que trabajan para proveer anticipos de justicia y *shalom* nos ayuden a ver lo que es posible y viable en este tiempo cuando el reino de Cristo misteriosamente está *ya* pero *todavía no*.

338 El credo concluye: “Esperamos la resurrección de los muertos y la vida del mundo futuro”. El Credo Niceno, <http://www.iglesiareformada.com/ Credos.html>.

339 Por ejemplo, 2Co 4:18; Col 3:2; Heb 11:10.

2

¿Cómo son los justos?

Cuando el justo [tsaddiq]
prospera, la ciudad se alegra.

Proverbios 11:10

Una premisa central de este libro es que el cristiano de clase media promedio en Estados Unidos ha sido muy bendecido de parte de Dios —con habilidades, riqueza, oportunidades, posición vocacional, educación, influencia, redes. En suma, somos los prósperos. El propósito de todas estas bendiciones es fácil de afirmar pero difícil de vivir: somos bendecidos para ser una bendición. Nuestro generoso Padre celestial desea que dispongamos nuestro tiempo, talentos y posesiones para ofrecer anticipos del reino venidero a los demás. Aquellos que lo hacen son llamados *tsaddiqim*, los justos. No obstante, lo que vimos en los ejemplos del libro de Michael Lindsay es que es posible ser los prósperos sin ser los *tsaddiqim*.

Está claro que vivir como *tsaddiqim* no es fácil. Se requiere un enorme esfuerzo e intencionalidad. Lo que es más importante, se requiere del poder el Espíritu Santo de Dios. También se requiere entender cómo es un *tsaddiq*.

Pero *es* posible.

En este capítulo, examinaremos las características de la justicia de los *tsaddiqim*[340]. Y, dado que este libro se trata principalmente de nuestra vida

340 Al comenzar este tema de los justos, puede que algunos lectores estén confundidos por

laboral, nos enfocaremos especialmente en lo que significa ser los *tsaddiqim* en el contexto de nuestra vocación.

LOS *TSADDIQIM*

La palabra hebrea *tsaddiq* (justo) y su plural, *tsaddiqim*, se usan doscientas veces en el Antiguo Testamento[341]. Aparecen frecuentemente en los Salmos (cincuenta veces) y los Proverbios (sesenta y seis veces). Los traductores de la Biblia tratan de capturar su significado ofreciendo las palabras "justo" y "recto", y refiriéndose a diversos tipos de justicia: en el gobierno, en la propia conducta y carácter, y en la justicia de la propia causa. El teólogo N. T. Wright dijo: "El significado básico de 'justicia'... no denota tanto la idea abstracta de ecuanimidad o virtud, sino la recta posición y la consiguiente recta conducta dentro de una comunidad"[342].

Si bien estos son apoyos para comenzar a captar lo que Dios quiere decir con "justo", puede que parezcan un poco abstractos. Al estudiar el conocimiento bíblico académico sobre este concepto, he descubierto que resulta útil ver la justicia expresada en tres dimensiones o direcciones: arriba, interior y exterior (ver a continuación tabla 2.1).

---

un problema. Por una parte, la Biblia sostiene constantemente el desafío a ser justos, mientras que, por otra parte, deja muy claro que "no hay un solo justo, ni siquiera uno" (Ro 3:10). ¿Cómo unimos estas dos ideas? Partimos por reconocer que solo Dios es perfecto en justicia. Nosotros somos pecadores, y para nuestra salvación confiamos en la justicia imputada de Cristo. Por tanto, cuando uso la palabra *justo* a lo largo de este capítulo, no estoy afirmando que podamos ser perfectos. Además, nada de lo que diga en este capítulo se debería entender como si significara que los cristianos podemos ganar nuestra salvación por medio de nuestra propia conducta "justa". La justicia que analizo aquí no es lo mismo que la santificación total que nos espera en la tierra nueva. Justicia es lo que poseemos como pecadores salvados a quienes Dios llama "santos". Su Espíritu vive en nosotros y él nos ha hecho —y nos está haciendo— "nuevas criaturas". El llamado a vivir como un *tsaddiq* no es lo mismo que un llamado a vivir como una persona perfecta y sin pecado. Los cristianos no somos perfectos. No, estamos lejos de serlo. Pero hemos sido hechos de nuevo y hemos decidido seguir a Jesús como Señor. Ahora su espíritu habita en nosotros y nos potencia para que seamos sus discípulos. Mirando hacia atrás desde la cruz de Cristo, entendemos que los justos son los que confían en Dios, le siguen, lo aman y buscan sus propósitos —aunque no perfectamente.

341 Dada la frecuencia con que uso estos términos en este libro, puede ser útil saber cómo pronunciarlos. *Tsaddiq* se pronuncia "tsad-dik", y *tsaddiqim* se pronuncia "tsad-di-kim"

342 N. T. Wright, "Righteousness" (justicia), en *New Dictionary of Theology*, ed. David F. Wright, Sinclair B. Ferguson y J. I. Packer (Downers Grove, Ill.: InterVarsity Press, 1988), pp. 590-92.

Tabla 2.1. Cómo es la justicia en el trabajo

Dimensiones de la justicia	**Características**	**Implicaciones en el trabajo**
ARRIBA	Orientación hacia Dios	*Trabajar para la gloria de Dios, no la propia realización. * Evitar el exceso del trabajólico. * Fijar límites a la lealtad institucional.
	Humildad	* Adoptar una diaria dependencia funcional del Espíritu.
	Perspectiva eterna	* Reconocer a Dios como la audiencia. * Valorar el trabajo de hoy como participación en la nueva creación.
INTERIOR	Santidad personal	* No hacer trampa, ni robar, ni mentir. * Pureza sexual con los colegas.
	Fruto del Espíritu	* Relaciones basadas en la gracia.
	Liberalidad	* Generosidad hacia los demás; evitar el materialismo y la autocomplacencia.
	Entrañable compasión por los que sufren	* Percepción proactiva de las necesidades de los demás.
EXTERIOR	Justicia social	* Mejorar las condiciones de los trabajadores. * Promover las relaciones justas con los clientes, proveedores y accionistas. * Ser un buen vecino/ciudadano corporativo. * Promover la transformación dentro de la propia institución. * Promover la reforma social dentro del propio campo.

Con "arriba" me refiero a la dimensión "vertical" de la justicia que involucra nuestra reverente adoración y una humilde dependencia de Dios. Con "interior" me refiero al estado de nuestro corazón: las características internas de la justicia capturadas en la frase "pureza de corazón" y expresadas mediante la rectitud personal (lo que la literatura sapiencial denomina "manos limpias"). Con "exterior" me refiero a las dimensiones sociales de la justicia, aquella parte de la justicia que involucra nuestras acciones con nuestro prójimo cercano y lejano. Esta expresión *integral* de la justicia caracteriza a los *tsaddiqim*. Como explicó Tim Keller:

La justicia bíblica es inevitablemente social, porque se trata de relaciones. Cuando la mayoría de las personas modernas ven la palabra "justicia" en la Biblia, tienden a pensar en ella en términos de moralidad privada, tal como castidad sexual o diligencia en la oración y el estudio bíblico. Pero en la Biblia, *tzadeqah* se refiere a la vida cotidiana en la que una persona lleva *todas* las relaciones en la familia y la sociedad con imparcialidad, generosidad y equidad[343].

ARRIBA

Los *tsaddiqim* viven en dirección a Dios. Es decir, la orientación central de sus vidas está hacia Dios. Ellos evitan cada idolatría, siempre buscando darle a Dios (y a nada ni nadie más) el lugar que le corresponde. Y su orientación hacia Dios los hace personas de oración, porque "estar cerca de Dios es lo que los justos buscan más que cualquier otra cosa"[344].

Los *tsaddiqim* son profundamente humildes. Ellos miran hacia arriba y afirman que Dios es el Creador y ellos las criaturas. Lo reconocen como la fuente de toda vida y aliento, sin engañarse pensando que han "triunfado" por sus propios esfuerzos. Ellos cantan junto al salmista: "Él nos hizo y no nosotros a nosotros mismos" (Sal 100:3, RV95). Ellos reconocen que le pertenecen a Dios, no a sí mismos (1Co 6:19-20). La orientación fundamental en sus vidas no está hacia la realización personal sino hacia la gloria de Dios.

La orientación de los *tsaddiqim* hacia Dios también significa que ellos tienen una perspectiva eterna. Buscan primero el reino de Dios (Mt 6:33). Su horizonte temporal incluye tanto esta era como la era venidera.

Aplicaciones a nuestra vida laboral. Este aspecto de la justicia sugiere varias implicaciones para la mayordomía vocacional. Primero, esta justicia "vertical" significa que afirmamos que el propósito de la vida es glorificar a Dios, no a uno mismo. Eso es tremendamente relevante, práctico y contracultural en nuestro mundo cotidiano, pues en el centro mismo de la mayor parte de la "consejería de carrera" está la devoción por la realización personal. Para el seguidor de Cristo, la realización personal no es el objetivo

343 Timothy Keller, *Generous Justice: How God's Grace Makes Us Just* (Nueva York: Dutton, 2010), p. 10, énfasis original.

344 Jerome F. D. Creach, *The Destiny of the Righteous in the Psalms* (Atlanta: Chalice Press, 2008), p. 18.

último. Más bien, como explicó el erudito Douglas Schuurman: "La vocación es en primer lugar el servicio a Dios mediante el servicio al prójimo"[345]. Esto no significa, como veremos en los próximos capítulos, que Dios sea indiferente a nuestro gozo en el trabajo. Tampoco significa que sea ilegítimo explorar la manera única en que Dios nos ha hecho mientras elegimos una carrera. Sí significa que estamos llamados a resistir la suposición moderna de que la felicidad y la satisfacción personales son el criterio máximo y más importante al considerar decisiones vocacionales.

Segundo, una orientación hacia Dios significa que al administrar sus vocaciones, los *tsaddiqim* no caen en idolatrar sus empleos o las instituciones para las que trabajan. Quizá la expresión más visible de esto es que los *tsaddiqim* no son trabajólicos. Ellos intentan hallar su identidad primordial, no en su trabajo, sino en su relación con Dios. Su orientación hacia Dios les ayuda a recordar ser fieles a *todos* los distintos llamados que él ha puesto en sus vidas además del trabajo, tales como las relaciones familiares, las responsabilidades parentales, los roles de servicio en la iglesia, y los deberes con la comunidad y la nación.

El no idolatrar el trabajo también significa que los *tsaddiqim* buscan discernimiento acerca de los límites de su lealtad con su empleador. Cuando sus organizaciones les ordenan que realicen acciones que benefician exclusivamente a la compañía en perjuicio de otros, ellos se detienen. En nuestro muy complejo sistema económico moderno construido sobre la competencia, sin duda es muy difícil navegar en estas aguas. Considera estas situaciones:

- El ingeniero al que se le pide "hacer recortes" para ahorrar el dinero de la compañía, y él se da cuenta de que si lo hace podría perjudicar a los consumidores o a los propios trabajadores de la firma.

- El abogado de la compañía al que se le pide que demande a la competencia, pero sabe que la demanda se basa en información sesgada o incompleta acerca de la otra compañía.

---

345 Douglas J. Schuurman, *Vocation: Discerning Our Callings in Life* (Grand Rapids: Eerdmans, 2004), p. 123.

- El contador al que presionan para que "maquille los números" de manera que el rendimiento de la compañía parezca mejor de lo que es, y se da cuenta de que esto engañará a los inversionistas.

En cada uno de estos ejemplos, se le pide al empleado que ponga los intereses del empleador por encima de todos los demás intereses, rompiendo así la ley del amor al prójimo. En tales circunstancias, la lealtad a Dios y su ley debe prevalecer sobre la lealtad institucional.

Tercero, esta dimensión vertical de la justicia significa que intentamos hacer nuestro trabajo en una diaria dependencia activa y funcional del poder del Espíritu Santo que mora en nosotros. Los *tsaddiqim* practican la presencia de Dios en medio de sus quehaceres. Ellos son humildes. Admiten sus limitaciones como criaturas y por tanto buscan invitar regularmente la sabiduría del Padre celestial y la dirección del Espíritu. Ellos entienden la insensatez de confiar en su propio entendimiento y más bien recurren a la instrucción de la Palabra de Dios (Pr 3:5). Creen que Cristo está vivo y resucitado y está actuando en el mundo, y le dicen: "Señor, por favor úsame a través de mi trabajo para tus propósitos. Hazme saber qué quieres que yo haga, y concédeme el valor y la fuerza para hacerlo".

Asimismo, los *tsaddiqim* hacen su trabajo "de corazón, como para el Señor y no como para la gente" (Col 3:23, RVC). Es decir, conocen su audiencia. Ellos ofrecen su trabajo —lo que sea que este implique, ya sean tareas grandes o pequeñas— en adoración a Dios. Se resisten a la servil devoción a complacer a las personas. Ellos pueden afrontar el dolor de ser pasados por alto en el legítimo reconocimiento, porque están enfocados principalmente en la aprobación de su Padre celestial, no la de su jefe.

Finalmente, dado que los justos están orientados fundamentalmente hacia Dios, ellos ven su trabajo en términos escatológicos. Examinaremos esta idea en mayor profundidad en el capítulo cuatro. Por de pronto, basta decir que los *tsaddiqim* tienen una perspectiva eterna. Están confiados en la promesa de Dios de hacer todas las cosas nuevas (Ap 21:5). Confían en que en su trabajo participan en la nueva creación, aun si esa tan gloriosa idea en cierta medida les resulta misteriosa. El teólogo Miroslav Volf se refiere a esto como una teología pneumatológica del trabajo. En el libro *Work in the Spirit: Toward a Theology of Work*, él escribe: "A través del Espíritu, Dios ya está trabajando en la historia, usando acciones humanas para crear estados de cosas provisionales que anticipan la nueva creación de un modo real"[346].

Los *tsaddiqim* confían en que sus esfuerzos no son en vano, porque creen que hay una continuidad entre las eras escatológicas presente y futura (aunque admiten que la naturaleza de esta continuidad suele ser inescrutable). Ellos adoptan lo que Volf llama el paradigma *transformatio mundi*: la creencia de que el juicio final es un fuego refinador, que transforma pero no destruye completamente la presente creación. A partir de este paradigma escatológico, ellos celebran la relevancia del trabajo humano y lo ven como un asunto de "cooperación con Dios"[347].

INTERIOR

El segundo aspecto de la justicia atañe al estado de nuestro propio corazón. Este aspecto implica tanto una recta conducta personal como –lo que es importante— santas motivaciones y disposiciones. Los justos no solo intentan *actuar* con justicia sino también *ser* justos interiormente. El estudioso Jerome Creach apunta a los Salmos 15 y 24 en este respecto. Estos textos comunican la idea de justicia como un asunto de "manos limpias" así como de "corazón puro"[348].

El Dios hacia quien estamos orientados es el que nos manda: "Sean santos como yo soy santo". Esta santidad toma diversas expresiones. Por ejemplo, los justos detestan todo lo falso (Pr 13:5). Su caminar es "intachable", hablan la verdad de corazón y temen al Señor (Sal 15). Se deleitan en la ley de Dios (Sal 1:2). Se mantienen sexualmente puros (Ez 18:6). No juran con engaño (Sal 24). Mantienen pesas y balanzas justas; no defraudan (Lv 19:36).

La justicia personal también implica la ferviente búsqueda de "quitarse" la vieja naturaleza y "ponerse" la nueva naturaleza de la que se habla en Colosenses 3. Los *tsaddiqim* intentan caminar en el Espíritu y rendirse a la obra del Espíritu (Ro 8). Ellos le piden a Dios que cultive en su interior el fruto del Espíritu: amor, alegría, paz, paciencia, amabilidad, bondad, fidelidad, humildad y dominio propio (Gá 5:22-23). Procuran dar muerte a

---

346 Miroslav Volf, *Work in the Spirit: Toward a Theology of Work* (Nueva York: Oxford University Press, 1991), p. 100.
347 *Ibíd.*, p. 119.
348 Creach, *Destiny of the Righteous*, pp. 34-36.

las obras de la vieja naturaleza: mortificar la carne con su avaricia, orgullo, lujuria y egoísmo.

Los justos son además personas profundamente agradecidas que entienden que todo lo que son y todo lo que tienen proviene de Dios. Ellos afirman que Dios tiene posesión sobre todas las cosas y saben que solo del Padre proviene el aliento mismo y todo lo necesario para la vida. Sus corazones no están llenos de orgullo arraigado en sus propios logros o su propio arduo trabajo. Ellos están conscientes de que la riqueza que han acumulado o el éxito que han alcanzado son en gran medida el resultado de la providencia de Dios. Tampoco hay una tendencia codiciosa en sus corazones. En lugar de ello, reconocen que no tienen nada; más bien son mayordomos de los recursos de Dios. En consecuencia, son alegremente generosos.

La dimensión interna de la justicia también implica la disposición de nuestro corazón hacia la compasión y la misericordia. Muchos fariseos en los días de Jesús eran considerados justos por parte de sus conciudadanos debido a las diversas disciplinas que ellos observaban. Los fariseos intentaban ser honestos, fieles a las exigencias religiosas, y éticos. No obstante, a veces Jesús descubrió que la justicia personal de ellos era insuficiente porque sus corazones eran fríos. Desde la perspectiva de Jesús, ser puro de corazón no solo es ser una persona que "no se mete en problemas". El que es puro de corazón tiene un corazón *cálido*, dispuesto a sentir el dolor de los demás y a responder con compasión.

Esta compasión se describe claramente en Proverbios 29:7: "Los justos *se preocupan* por los derechos del pobre; al perverso no le importa en absoluto" (NTV; énfasis añadido). Esta "preocupación" por el pobre es de hecho un compromiso radical que no está bien capturado en las traducciones castellanas, que tienden a debilitar y enmascarar el verdadero sentido de la aseveración. En el original hebreo, el verbo traducido como "preocuparse" es *ya-vah*, y es intenso. El mismo término se traduce en Génesis como "conocer", como en "Adán conoció a Eva" y Eva quedó embarazada. Así que, cuando los justos "se preocupan" del derecho de los pobres, significa que les apasiona intensamente ver que se haga justicia a los pobres. Su preocupación es profunda, íntima y sincera.

Jesús manifiesta este tipo de intensa preocupación por los pobres cuando alimenta a los cinco mil. En el relato de este milagro en Mateo 14 y Marcos 6, se nos dice que cuando Jesús vio la multitud, "tuvo compasión de ellos" porque eran como ovejas sin pastor. Él procede tanto a sanarlos como a alimentarlos.

Las traducciones al español como "tuvo compasión" o "misericordia" no hacen justicia plenamente al lenguaje original. La palabra griega para "tuvo compasión" es *splagchnizomai*, que significa "hacer que las vísceras ansíen" de lástima. *Splagchnizomai* se refiere a "entrañas" o "vísceras". Cuando Jesús mira la muchedumbre hambrienta, experimenta una compasión "entrañable". Esta palabra griega se usa doce veces en el Nuevo Testamento. Once de ellas se refieren a que Jesús fue "movido a compasión" y luego alimentó, sanó o enseñó. El duodécimo uso está en la parábola del hijo pródigo y se aplica al padre, quien al ver a su hijo a la distancia, es "movido a compasión" y sale corriendo a encontrarlo.

El término hebreo que se equipara a la noción de *splagchnizomai* de "vísceras" o "entrañas" es *qereb*. Aparece en Levítico donde Dios describe la manera en que los israelitas deben hacer los diversos sacrificios animales. Sin entrar en demasiados detalles sangrientos, basta decir que los sacerdotes seguían varias instrucciones respecto a qué hacer con las distintas partes de los animales: cabeza, cola e "intestinos" (o entrañas o vísceras). Para nuestros propósitos aquí, el punto central es este: lo que se pone en el altar para el sacrificio son las entrañas.

Una vez un predicador ofreció esta fórmula para describir el ministerio de atención de Jesús: él ve el sufrimiento y recibe un golpe de profunda compasión en sus vísceras, y esto lo induce a hacer una ofrenda sacrificial.

Por lo tanto, ser los *tsaddiqim* significa preocuparse del derecho de los pobres, preocuparse con una profunda y entrañable compasión que impulsa el compromiso personal y sacrificial.

Aplicaciones a nuestra vida laboral. La mayor parte de la enseñanza sobre la integración de fe y trabajo enfatiza la importancia de cultivar la justicia personal en el contexto de nuestra labor diaria. Eso es comprensible considerando los enormes peligros éticos del mundo laboral contemporáneo. La Caída ha afectado nuestro trabajo en sí mismo como también el ambiente en el que lo realizamos. A causa de la Caída, el trabajo se ha vuelto extenuante y a veces parece fútil. A causa de la Caída, tanto nosotros los cristianos como nuestros colegas no creyentes somos pecadores. Como escriben los autores Doug Sherman y William Hendricks en *Your Work Matters to God*, el moderno ambiente laboral "es una selva"[349].

---

349 Doug Sherman y William Hendricks, *Your Work Matters to God* (Colorado Springs: NavPress, 1987), p. 97.

Dios nos ha llamado al mundo, incluido el caído mundo del trabajo. Allí, el trigo y la cizaña crecen juntos (Mt 13:25). A veces los cristianos se ven confrontados por los colegas cuyas vidas son licenciosas o los jefes deshonestos. Puede que sean presionados a mentir a los clientes, a los vendedores, o a los accionistas. Puede que trabajen en un ambiente donde todos hagan trampa en su informe de gastos. Puede que enfrenten tentaciones sexuales de parte de colegas apuestos.

En este escenario, los *tsaddiqim* tratan de hacer caso al llamado de Pablo a brillar "como estrellas en el firmamento" a través de su búsqueda intencional, diligente y en oración de la santidad (Fil 2:15). Los justos le piden a Dios que los ayude a mantener "manos limpias" en el trabajo rehusando mentir, hacer trampa, robar o involucrarse en un amorío sexual del lugar de trabajo.

Los líderes de las congregaciones necesitan reconocer la selva que enfrentan sus miembros y alentar a su rebaño recordándoles el poder redentor de Dios. A través de su muerte y resurrección, Cristo ha derrotado tanto la culpa como el poder del pecado. Su Espíritu que mora en nosotros posibilita el crecimiento en la justicia personal. Los pastores necesitan recordarle a su pueblo que, por el poder de Cristo, efectivamente ellos pueden ser trabajadores distintos a los no creyentes que los rodean.

A veces los colegas o supervisores son hostiles a la fe. Los creyentes enfrentan el ridículo o persecución en el trabajo. En otras ocasiones los creyentes simplemente trabajan con personas con falencias tales como el chisme, la pereza o la malicia. En tal contexto, los justos claman a Dios para manifestar el fruto de su Espíritu en sus vidas. Le piden a Dios que les conceda amabilidad, paciencia, bondad y dominio propio. Ellos buscan devolver bien por mal y ofrecer gracia a los colegas difíciles.

En otros casos, los mayores desafíos en el trabajo tienen menos que ver con la persecución y las pruebas que con las tentaciones que siguen al éxito. A medida que los creyentes gozan de ascensos, las recompensas mundanas del trabajo aumentan. Suben los salarios; los cargos y las funciones se vuelven más prestigiosos. Tales alegrías terrenales pueden cautivar el corazón de los creyentes, entorpeciendo así la resistencia al orgullo, el consumismo y la autocomplacencia. Los líderes de las congregaciones deben advertir de estos peligros a su rebaño.

En efecto, los pastores deberían recordarle a su gente que a los creyentes que enfrentan hostilidad en el trabajo por causa de su fe de hecho las cosas pueden resultarles más fáciles que a aquellos que gozan de promociones y éxito. Los primeros están totalmente conscientes de que la atmósfera que los rodea es peligrosa y que exige comportamiento y actitudes contraculturales. En medio de sus pruebas y angustias, probablemente les resulta fácil recordar orar, estudiar la Escritura y buscar la intercesión de otras personas. A fin de cuentas, ellos tienen un sentido de su apremiante necesidad de estos medios de gracia.

Los últimos, por el contrario, puede que caigan tranquilamente en la complacencia. El éxito, el reconocimiento, los privilegios, las recompensas financieras; el cristiano que recibe todo esto en el trabajo puede fascinarse fácilmente. Estas cosas placenteras se prenden de nosotros y no queremos perderlas. Comenzamos a justificar transigencias morales que nos permitan conservar las golosinas a las que nos hemos habituado. Los pastores deberían recordarles a sus miembros que los profesionales que gozan de éxito en el trabajo quizá necesiten una disciplina aun mayor que la de aquellos que son hostigados en el trabajo.

Hemos visto que el llamado a la justicia personal no solo implica un corazón puro sino también un corazón cálido. Cultivar un corazón marcado por *splagchnizomai* —la entrañable compasión por los necesitados— implica mucha oración. Los creyentes necesitan recurrir al Espíritu para que les dé crecimiento en esta área tal como los hace crecer en la honestidad y la pureza sexual. No obstante, además de la oración, los *tsaddiqim* procuran cultivar este tipo de corazón buscando intencionalmente exponerse a personas en necesidad.

Muchos cristianos de clase media y alta viven en barrios económicamente homogéneos, adoran en iglesias con poca diversidad de clase o étnica, y trabajan muy de cerca con personas de la misma clase social. Sin alguna exposición y compromiso con los oprimidos, los hambrientos o los empobrecidos, es fácil que nos falte la sincera compasión *splagchnizomai* de Jesús. Al estar culturalmente distanciados de los pobres, nos volvemos emocionalmente distantes también. Y a veces ni siquiera estamos conscientes de ello.

Los *tsaddiqim*, al contrario, buscan el bien común desde una aguda percepción de los gritos de aquellos que están en el fondo. Al saber que Dios es el verdadero dueño de todo lo que poseen, están dispuestos a compartir sus recursos y talentos para que se alegre toda la comunidad. Ellos dan pasos intencionales para enterarse de las necesidades de su prójimo. Algunos de estos prójimos pueden ser personas de su lugar de trabajo, tal como la conserje nocturna que está luchando para salir adelante como madre soltera con tres hijos y dos empleos de salario mínimo. En otras ocasiones el prójimo en necesidad pueden ser personas afectadas por el empleador del *tsaddiq* (tales como las familias que viven cerca de la fábrica de una compañía que está contaminando el ambiente o personas pobres del mundo en desarrollo a las que la compañía contrata por salarios injustos). Y aun otros prójimos son simplemente los indigentes de nuestra ciudad que no tienen interacción con el empleador.

En cualquiera de estos casos, el punto es que los justos se informan acerca de las condiciones de los vulnerables. Hacen preguntas acerca de las actividades de la empresa en el extranjero; están informados acerca de las noticias de su comunidad local; se preocupan de conocer el nombre de los auxiliares de servicios generales en sus compañías. Ellos conceden algún espacio mental y emocional para las realidades de su prójimo. Dan cabida en su corazón a las luchas de su prójimo; permiten que parte del dolor de su prójimo haga allí su residencia.

En un momento veremos qué es la justicia social y cómo podemos hacer justicia en y a través de nuestro trabajo a favor de los necesitados. La obra interior de cultivar un corazón tierno y compasivo precede y hace posible tales acciones concretas[350].

EXTERIOR

Hasta aquí hemos analizado los aspectos vertical e interno/personal de la justicia. Para los *tsaddiqim* también es imperativo lo que podríamos llamar justicia social. Creach describe con elocuencia este aspecto social de la justicia:

> Los justos actúan en armonía con la voluntad de Dios por la *shalom* de la comunidad… La actividad de los justos muestra que ellos se conforman al deseo de Dios de crear bienestar comunitario,

350 Este es un mensaje central en el perceptivo libro de Mark Labberton *The Dangerous Act of Loving Your Neighbor* (Downers Grove, Ill.: InterVarsity Press, 2010).

y la actividad de ellos forma parte de los creativos esfuerzos de Dios por implantar la justicia[351].

La justicia social atañe a cómo tratamos a nuestro prójimo cercano y lejano. Se trata de cómo se expresa el amor vertical hacia Dios en un amor horizontal hacia el mundo que él ha hecho y la gente que él ha creado. En suma, la justicia de los *tsaddiqim* implica tanto pureza moral personal como "el intento de hacer realidad la justicia de Dios en el lugar donde viven"[352].

Tanto la literatura sapiencial como la literatura profética nos dicen mucho acerca de los contornos de la justicia social. Los justos no difaman ni defraudan a los demás (Sal 15:3). No se aprovechan de los demás en tiempos económicamente difíciles prestando con interés (Ez 18:8). Más bien dan generosamente (Sal 112:9). A diferencia de los malvados, ellos evitan la violencia (Sal 11:5). Rehúsan aceptar sobornos contra el inocente (Sal 15:5). Ellos "hacen justicia" (Mi 6:8) y defienden la causa de la viuda (Is 1:17). Incluso "arrebatan" valientemente a las víctimas de opresión de las mismísimas fauces de sus opresores (Job 29:17). En contraste con los malvados, los justos rehúyen la avaricia y la vida derrochadora que es indiferente a los aprietos del pobre.

Como vimos en el capítulo anterior, los *tsaddiqim* promueven la justicia y la *shalom*. Ellos entretejen sus vidas en aquellos lugares dolorosos donde la trama social se está deshilando. Como argumenta Tim Keller:

> Esto significa entonces que uno no solo debe ser una hebra junto a las demás hebras. Cuando uno ve a otras personas desprendiéndose de la trama social, la gente que no tiene los bienes… a quienes se les dice que se valgan por sí mismos pero no tienen el poder para hacerlo, es nuestro trabajo, nuestra responsabilidad, involucrarnos con ellos. Y eso es lo que significa entretejerse. No queremos involucrarnos; estamos demasiado ocupados. Pero tenemos que hacerlo. Tenemos que entretejernos a nosotros mismos, nuestro tiempo, nuestro dinero, nuestro amor, nuestro esfuerzo, en la vida de las personas más débiles que nosotros[353].

---

351 Creach, *Destiny of the Righteous*, p. 29, 37. Nótese la similitud de las definiciones de Creach y Keller de la justicia.

352 *Ibíd.*, p. 38.

353 Tim Keller, "Cuidado de la creación y justicia", sermón entregado en la Iglesia

La justicia social se cultiva cuando miramos hacia "afuera" a nuestro prójimo cercano y lejano y deliberadamente consideramos la manera de promover su bien.

Aplicaciones a nuestra vida laboral. Parte del mirar hacia afuera incluye el considerar las necesidades de los que trabajan a nuestro alrededor. Primero, simplemente debemos verlos. Debemos hacer espacio en nuestro corazón para preocuparnos por los demás. De este corazón compasivo nace la acción tangible. Si hemos alcanzado una posición de autoridad, quizá tengamos la capacidad de usar nuestra influencia para mejorar las condiciones laborales de otros. O puede que estemos en posición de proveer empleo u oportunidades de aprendizaje para personas que estén fuera de la organización. (En el capítulo 9, analizaremos una gran variedad de formas adicionales de buscar el bien común de los compañeros de trabajo).

Mirar hacia "afuera" también implica considerar las necesidades de todos los que tienen intereses en nuestro trabajo, tales como vendedores, clientes, socios, inversionistas o vecinos (la gente que vive en las comunidades donde están las instalaciones de las compañías que nos emplean). El llamado a hacer justicia es aplicable a todas estas relaciones. En consecuencia, nuestra mayordomía vocacional puede incluir aprovechar oportunidades de caminar una milla extra en beneficio de los clientes. O puede incluir el uso de nuestra voz dentro de la organización para mitigar posibles daños a la comunidad, tal como la contaminación ambiental.

Para el diseñador de sitios web Justin Kitch, mirar hacia afuera implicó pensar creativamente acerca de la manera en que su firma —Homestead, una compañía de informática que ayudaba a los clientes a crear sus propios sitios web y tiendas en línea— podía promover el bienestar de la comunidad. Kitch bendijo su comunidad de San Francisco permitiéndoles a sus empleados tomar dos horas a la semana, o un día completo al mes, para trabajar como voluntarios en una organización sin fines de lucro de su elección, y les pagaba por sus horas. Dado que la compañía tenía un número significativo de empleados, esta práctica proporcionó anualmente algunos trabajadores a tiempo completo gratis a las organizaciones no lucrativas[354].

Presbiteriana Redeemer, Nueva York, 16 de enero de 2005.

354 Justin Kitch, "The Fourth Priority," CEO Unplugged (September 20, 2006) <http://ceounplugged.homestead.com/philanthropy>. Nota: Kitch vendió Homestead.com en 2007 a Intuit, pero lo hizo luego de decir "no" a otras dieciocho ofertas. El sí a

Además, la fundación corporativa que estableció Kitch al momento de lanzar Homestead ha donado decenas de miles de dólares a instituciones de caridad locales.

Finalmente, mirar hacia afuera significa tomar en serio nuestro potencial rol en incentivar la transformación institucional. Esto comienza con nuestro propio lugar de trabajo. Considera, por ejemplo, las formas en que el corredor de seguros Bruce Copeland intentó vivir el llamado a la justicia social a lo largo de su carrera[355]. En 1963, Copeland era vicepresidente de una compañía de seguros con base en Filadelfia. Preocupado por el hecho de que la compañía estaba tan dominada por los varones y era tan jerárquica, usó su posición e influencia para incentivar el cambio institucional dentro de la empresa.

Copeland reunió a varios otros gerentes que compartían sus posturas. Este equipo comenzó a promover los derechos de las mujeres y las minorías dentro de la compañía. Patrocinó una reunión para todas las empleadas para preguntarles qué cosas necesitaban cambiar. Cincuenta mujeres asistieron a la sesión y presentaron cinco propuestas. Copeland pudo adoptar tres de ellas de inmediato y una más tarde. También trajo capacitadores que promovieron un estilo gerencial más participativo y menos jerárquico. Este nuevo enfoque a la gerencia luego fue implementado en todas las divisiones a cargo de Copeland.

Copeland también intentó influenciar las decisiones de su firma respecto a dónde esta invertía su dinero. Su rol como vicepresidente le permitía un puesto en la mesa con los superiores de la empresa. Él promovió enérgicamente la desinversión de las acciones de la compañía en Sudáfrica, que en ese entonces aún estaba bajo apartheid. También trató de conseguir que los líderes de la empresa destinaran cierto porcentaje de un contrato de construcción del gran edificio nuevo de oficinas de la compañía para que fuera provisto por empresas propiedad de minorías.

La transformación institucional incluye acciones que pueden mover a toda una industria a mayores estándares de calidad, o seguridad, o transparencia financiera, o eficiencia energética, o diversidad racial, u otros bienes

---

Intuit se debió a que Kitch confiaba que la fusión permitiría que permanecieran los valores y las prácticas de bendición a la comunidad de Homestead.

355 La historia de Copeland se cuenta en James E. Liebig's *Business Ethics: Profiles in Civic Virtue* (Golden, Colo.: Fulcrum Publishing, 1990), pp. 139-51.

sociales. Para un arquitecto, por ejemplo, esto puede implicar servir en una comisión que revisa los procedimientos de acreditación de los arquitectos y promover las reformas curriculares que permitan que más estudiantes de arquitectura sean formados en las prácticas de edificación verde. Para el ejecutivo de publicidad, podría significar establecer pautas internas en la compañía que protejan a las mujeres modelos de la explotación y luego concertar una reunión de pares de otras empresas para buscar nuevos protocolos similares para toda la industria.

Para la guionista Barbara Nicolosi, esto ha implicado comenzar una organización no lucrativa, Act One, con la misión de crear "una comunidad de profesionales cristianos para la industria del entretenimiento que estén comprometidos con lo artístico, el profesionalismo, el significado y la oración para que a través de sus vidas y su trabajo puedan ser testigos de Cristo y la Verdad para sus compañeros artistas y la cultura mundial"[356]. Act One ofrece cursos de dos semanas y programas de capacitación más extensos que ayudan a los cristianos a incrementar las habilidades de escritura de guiones y de producción. Alrededor de doscientos estudiantes han completado el programa y alrededor de la mitad están trabajando en la industria. En una entrevista con *Godspy*, Nicolosi explicó su visión para su creativo proyecto:

> Nuestra estrategia a largo plazo es enfatizar la capacitación de personas más bien que producir proyectos. Estamos tratando de establecer una alternativa a las principales escuelas de cine seculares. Ir a una de esas escuelas aún es una enorme ventaja, pero su cosmovisión subyacente es radicalmente nihilista. Como cristiano, uno puede adquirir la destreza en estos lugares pero los profesores ridiculizarán todo lo que uno cree. Con Act One, ellos ven que es posible vivir una vida santa y cristiana, dominar el arte y crear excelente contenido a la vez. Y ellos han desarrollado amistad y comunidad cristiana que puede sostenerlos al entrar en la industria[357].

356 "Quiénes somos", Act One <www.actoneprogram.com/about-us/who-we-are>.

357 John Romanowsky, "Christians Behind the Screen: An Interview with Barbara Nicolosi", *Godspy* (10 de noviembre de 2005) <http://oldarchive.godspy.com /reviews/Christians-Behind-the-Screen-An-Interview-with-Barbara-Nicolosi-by-John-Romanowsky.cfm.html>.

Los graduados de Act One ahora están mejor equipados para sembrar temas de creación, Caída y redención en la industria del entretenimiento.

O considera el ejemplo del cirujano ortopédico Barry Sorrells de Little Rock, Arkansas. Él ha usado su influencia, experiencia y redes para llevar a cabo un modesto pero significativo cambio en la preparación que reciben los estudiantes de medicina. "Me puse a pensar en mi profesión", explica Barry, "y todos los que salen de la escuela de medicina dicen: 'Me sentía bien preparado en medicina, pero no me sentía preparado para el mundo'"[358].

Con el apoyo de su pastor en la Iglesia Fellowship Bible, Barry diseñó un curso intensivo que ofrece una breve instrucción a los estudiantes de medicina en cuestiones prácticas tales como presupuestos, la compra de la primera casa, y el manejo de tarjetas de crédito. Él llevó su idea a los profesores de la escuela de medicina de la Universidad de Arkansas, y ellos la adoptaron "de todo corazón".

Lo más destacado del Instituto LifeSkills de Barry es un panel de discusión llamado "Sabiduría desde la práctica médica". Él explica que seis o siete "médicos de cabello gris, reconocidos y respetados en la comunidad" hablan con los alumnos sobre la vida durante algunas horas. El objetivo es ayudar a los futuros doctores a evitar cometer algunos errores que ellos cometieron. Los médicos mayores hablan abiertamente acerca de sus fracasos al equilibrar familia y trabajo y acerca de matrimonios perdidos a causa del exceso de trabajo o la infidelidad. Desde el 2001 al 2009, el Instituto LifeSkills de Barry, que dura una semana, era un requisito en el currículum de los alumnos de medicina de último año en la Universidad de Arkansas[359].

DOS OBJECIONES

La descripción bíblica de la justicia es intimidante. Puedo imaginar que el material presentado hasta aquí provoque al menos dos reacciones. La primera es suspicacia: que yo no debería exhortar a que nos convirtamos

358 Todas las citas de Barry Sorrells, cirujano ortopédico retirado, proceden de una entrevista telefónica con la autora, 14 de marzo de 2011.

359 En 2009, dos estudiantes en el curso objetaron una referencia que se hizo al cristianismo. Esto condujo a la cancelación del programa. Sin embargo, Sorrells se reunió con la Asociación Cristiana Médica y Dental, y esta decidió implementar el Instituto LifeSkills como parte de sus programas en el campus, que llegan al 80 por ciento de las escuelas de medicina en el país.

en *tsaddiqim*, porque ese es un llamado a la justicia por obras. La segunda es desesperación o escepticismo que surge al pensar que *este es un estándar inalcanzable. ¿Cómo puede alguien en el mundo de hoy acercarse a ese nivel?*

El llamado a la justicia en este libro de ningún modo reemplaza la doctrina de la plena confianza en Cristo y su justicia. En primer lugar, aquí no se exhorta a la perfección. Sin importar cuánto avancemos en volvernos justos como se describe en las páginas anteriores, aún necesitaremos desesperadamente a Jesús y el poder del Espíritu Santo morando en nosotros a diario. Por otra parte, el llamado aquí no se trata de alcanzar algún nivel de rectitud moral que nos deje en posición de merecer el favor de Dios. El don de Dios de la salvación por medio de la justicia de Cristo es gratuito, no merecido y totalmente por gracia.

Pero el propósito de esta doctrina del favor de Dios no merecido hacia nosotros no es llevarnos a una vida pasiva, una vida sin cambio, una vida que deseche el llamado a crecer en la santidad. Somos salvados para ser discípulos de Cristo. Y como dice Dallas Willard: "El discípulo es aquel que, teniendo el propósito de ser como Cristo y así habitar en su 'fe y práctica', reacomoda sistemática y progresivamente sus asuntos para ese fin"[360]. Estos términos, *sistemática* y *progresivamente*, suenan a trabajo arduo. Y lo son. Y eso es perfectamente legítimo y ortodoxo. ¿Por qué? Porque hay una gran diferencia entre *merecimiento* y *esfuerzo*. En la vida cristiana no hay lugar para lo primero. Pero con el segundo es otra historia. Willard dice: "Debemos actuar. La gracia se opone al merecimiento, no al esfuerzo"[361].

Respecto a la segunda objeción, por cierto yo admito que vivir hoy como *tsaddiq* es muy difícil. Pero no es una quimera. Lo sé porque me he encontrado con muchos *tsaddiqim* cara a cara. Quiero presentarte a uno.

UN *TSADDIQ* DE NUESTRO TIEMPO

Perry Bigelow, un constructor habitacional de Chicago, no es perfecto. Es humilde y conoce su necesidad de confiar diariamente en la misericordia de Cristo. Pero yo creo que él es un *tsaddiq* (aunque él se siente incómodo cuando se lo digo). Él era el empresario con orientación hacia el reino que

360 Dallas Willard, *The Great Omission: Reclaiming Jesus's Essential Teachings on Discipleship* (Nueva York: HarperOne, 2006), p. 7.
361 *Ibíd.*, p. 24.

yo esperaba encontrar en el libro *Faith in the Halls of Power* de Lindsay, pero no estaba. La búsqueda de la justicia de Perry en las tres dimensiones que hemos analizado —arriba, interior y exterior— configura su mayordomía vocacional.

Perry es el fundador de Bigelow Homes, una compañía suburbana de construcción habitacional en las afueras de Chicago. (Ahora su hijo Jamie dirige la firma). La integración de fe y trabajo de Perry comenzó con la profunda convicción de que él es el administrador, no el dueño de su empresa. La orientación de toda su vida, incluida la esfera profesional, está dirigida hacia Dios. A lo largo de muchos años, Perry ha orado, ha estudiado la Escritura y ha leído a eruditos cristianos reflexivos a fin de desarrollar un enfoque a su administración de todos los dones y bienes recibidos que honre a Dios.

Basado en su deseo fundamental de agradar y honrar a Dios en y a través de su trabajo, Perry procura obedecer los estándares bíblicos de moralidad e imitar el carácter de Cristo. Este compromiso con la justicia personal se expresa concretamente en la estricta ética que espera la firma Bigelow Homes de sí misma y de sus empleados. La política de la empresa es directa: "Jamás mentiremos a sabiendas unos a otros, a un comprador, a un proveedor o a un subcontratista, o a un funcionario de gobierno. Le damos un alto valor a la integridad personal"[362].

La rectitud personal también se expresa a través del deseo de Perry de imitar el liderazgo servicial de Jesús. Durante los años en que dirigió activamente la firma, ese corazón de siervo se expresó en su estilo gerencial. Reconociendo humildemente los límites de su propia destreza y conocimiento, contrataba deliberadamente a colegas que poseyeran fortalezas que a él le faltaban. Luego ponía a esas personas sobre distintas áreas funcionales del negocio. Él buscaba un estilo gerencial consensual y enfatizaba la interdependencia y la colaboración, dando a los líderes el espacio para ejercer sus dones.

Además de modelar el servicio de Cristo, Perry ha tratado compasivamente a sus empleados. La industria de la construcción habitacional es notoria por sus altos y bajos cíclicos. Eso significa que para la mayoría de los obreros de la construcción el empleo estable les resulta una quimera.

---

362 Perry Bigelow, "The Builder-Developer As Steward of God's Resources: Bringing God's Kingdom to the Marketplace and the Inner City", en *Faith Goes to Work*, ed. Robert Banks (Washington, D.C.: The Alban Institute, 1993), p. 61.

Bigelow Homes toma en serio la responsabilidad de mantener su fuerza laboral en el trabajo. Lo hace rehusando abarcar demasiado en los buenos tiempos y evitando las tentaciones de crecer solo por crecer. "Apuntamos a un crecimiento cuidadoso, sustentable", dice Perry[363]. Esto ha permitido que la firma haya pasado todos los innumerables ciclos inmobiliarios de Chicago, excepto dos, sin despedir a nadie, mientras que la competencia se deshacía de hasta el 50 por ciento de su fuerza laboral[364].

Perry y su equipo también han pensado de manera crítica y creativa acerca del producto que ofrece su empresa. Ellos han promovido dos virtudes del reino a través de la forma en que están diseñadas las casas de Bigelow. La primera es la comunidad. Perry está consciente de la tendencia en la cultura estadounidense hacia el hiper-individualismo. Su amor por el valor bíblico de la *koinonia* (comunión y co-participación) se imprime en el diseño de las comunidades que construye Bigelow Homes. Estos diseños aspiran a "un equilibrio entre privacidad y vecindad"[365]. Por ejemplo, Bigelow construye veredas extra-anchas y múltiples espacios "comunes" para la interacción espontánea y deja grandes porches frontales en cada casa.

Perry también ha promovido la virtud del reino de la sustentabilidad a través de su trabajo. Mediante innovaciones de producto y diseño, las casas de Bigelow son extremadamente eficientes en cuanto a energía. De hecho, la compañía garantiza que los propietarios no tendrán que gastar más de cuatrocientos dólares al año en cuentas de calefacción, ¡en Chicago! "Nuestra innovación en la eficiencia de la energía es un directo resultado de nuestro gran respeto por la creación de Dios", explica Perry, "y una creencia de que deberíamos preservar lo más posible de ella para los hijos de nuestros hijos"[366].

Perry y su equipo han pensado sabiamente no solo acerca del diseño de su producto, sino también acerca de las formas en que los bienes de su compañía —redes, experiencia, destreza técnica, talento gerencial y recursos financieros— pueden desplegarse para apoyar los ministerios de vivienda

363 Perry Bigelow, entrevista con la autora, 28 de junio de 2010.
364 *Ibíd.* La actual recesión ha golpeado de tal manera al sector inmobiliario que Bigelow Homes ha tenido que hacer algunos recortes. Perry llama a este clima actual "la Gran Depresión" inmobiliaria.
365 Bigelow, "The Builder-Developer", p. 61.
366 *Ibíd.*, pp. 61-62.

de barrios vulnerables. Así que, durante varios años, Bigelow Homes se ha asociado con organizaciones no lucrativas a medida que trabajan para proveer viviendas de calidad y eficiencia energética para los obreros de bajos ingresos de Chicago[367].

Perry también ha intentado diseñar y construir vecindarios que bendigan a la comunidad local de maneras prácticas y tangibles. Por ejemplo, conociendo las dificultades que a veces enfrentan los profesionales con una remuneración vital pero modesta, tales como maestros, oficiales de policía y bomberos, para encontrar casas asequibles en el lugar donde sirven, Bigelow Homes construye deliberadamente "vivienda para la fuerza laboral". Se trata de hogares amigables con la familia a precios asequibles por metro cuadrado.

Bigelow también sigue un modelo no convencional de planificación de barrios: está marcado por una deliberada diversidad de producto y lo que Perry llama "desarrollo compacto". Este enfoque bendice el distrito escolar y el municipio local. Así es cómo lo hace: al ofrecer diversos estilos de casa con precios que varían desde USD150.000 a USD350.000, las subdivisiones de Bigelow crean diversidad demográfica. Solteros, jubilados y familias viven juntos en una comunidad. Esta diversidad demográfica genera un flujo de caja positivo para el distrito escolar local porque el número total de estudiantes de la subdivisión es menor al que sería si se siguieran prácticas de construcción convencionales que expanden descontroladamente los suburbios[368]. Además, el desarrollo compacto de Bigelow conduce a un "alto avalúo por hectárea y menos infraestructura". Como explica Perry, esta es la receta para que los municipios generen ingresos a partir del impuesto a la propiedad[369].

En suma, las prácticas de diseño de construcción de Bigelow Homes desafían el conocimiento convencional de la industria de construcción ha-

367 Bigelow Homes también patrocina el proyecto anual "House for Hope". Este dona terreno donde construir una casa y luego incentiva a los miembros de su red profesional de socios del gremio a donar el trabajo y los materiales necesarios para la construcción. Luego Bigelow vende la casa y dona las ganancias a Hope International, una organización cristiana no lucrativa, que usa el dinero para apoyar préstamos para micro-emprendimiento en países en desarrollo.

368 Perry Bigelow, "Think Differently, Think Creatively" (discurso ante el Metropolitan Mayors Caucus Housing Task Force, 8 de febrero de 2006), Bigelow Homes <www.bigelowhomes.com/Why_Bigelow/Think_Differently>.

369 *Ibíd.* "El avalúo por acre en la subdivisión de Bigelow Home Town Aurora (HTA) es 2,25 veces más alto que el de los desarrollos de otras áreas". Esta es una función de la relativamente alta densidad de la subdivisión HTA combinada con el alto precio por metro cuadrado de las casas pequeñas de calidad superior.

bitacional suburbana. La compañía de Perry le ha mostrado a la industria que es posible tener éxito haciendo el bien. Ha demostrado que es posible construir hogares atractivos, eficientes en cuanto a energía, y no obstante asequibles. Ha demostrado que el desarrollo compacto que fortalece la base impositiva de una comunidad puede diseñarse para producir un vecindario estéticamente atractivo y amigable. A través de los escritos y el trabajo de Perry con los funcionarios municipales, él está llevando este mensaje a las autoridades, promoviendo reformas en la industria hacia los enfoques más sustentables en los cuales Bigelow Homes ha sido pionero.

Perry Bigelow ha administrado su poder vocacional para alegrar la ciudad. Él ha bendecido a sus empleados a través de su compasivo y reflexivo modelo. Él ha llevado alegría a sus clientes —muchos de ellos compran por primera vez su casa, muchos de ellos son familias obreras que necesitan una comunidad segura, amigable, y asequible donde vivir. Él también ha bendecido la ciudad de Aurora al construir un barrio que contribuye con la base impositiva local, generando ingresos para las escuelas y servicios municipales. Y él ha bendecido a futuras generaciones tomando lo bastante en serio el valor bíblico de la sustentabilidad como para que configure el diseño de su producto.

Y mientras tanto, Perry ha sido humilde y accesible, un tipo normal. No es un "super-santo". Su vida demuestra que efectivamente es posible ser un *tsaddiq* en el Estados Unidos moderno.

CONCLUSIÓN: LOS *TSADDIQIM* Y LA EKKLESIA

En el antiguo Israel, los importantes negocios públicos eran realizados por la "asamblea a las puertas". Allí, en lo que hoy llamamos "la plaza pública", los líderes sociales supervisaban los procedimientos judiciales. Deuteronomio 21-22 da instrucciones a los israelitas acerca de acudir a los "ancianos del pueblo" a resolver asuntos familiares y legales. En Rut 4, leemos que Booz negocia a las puertas para convertirse en el pariente redentor de Rut. En 2 Samuel 15, leemos que los Israelitas vienen a las puertas "por justicia".

Idealmente, estos ancianos debían ser santos, de buena reputación, y fieles. Proverbios 24:7 nos dice que en la asamblea en las puertas no había lugar para un necio. El profeta Amós señaló la justicia de los ancianos describiendo a una persona malvada como alguien que odia "al reprensor en la puerta de la ciudad" (Am 5:10, RV95). Job, el personaje del Antiguo

Testamento a quien Dios mismo llamó justo, era uno de estos ancianos en la puerta (ver Job 29:7). En otras palabras, la asamblea en las puertas en el Antiguo Testamento era una asamblea de los *tsaddiqim*. Y eso hoy es importante para nosotros. La razón es la siguiente:

Cuando el apóstol Pablo buscó una palabra para "iglesia", escogió la palabra griega *ekklesia*. Esta es una selección notable porque había otras palabras griegas disponibles para denotar la idea de asambleas o reuniones. *Ekklesia* era la palabra específica usada en la Septuaginta (el Antiguo Testamento traducido al griego) para referirse a la asamblea en la puerta pública —es decir, la asamblea de los *tsaddiqim*[370]. Esto significa que la palabra de Pablo para "iglesia" denota una asamblea de las personas que deciden asuntos de bienestar común, la gente encargada de vigilar la comunidad.

Para Pablo, la iglesia no debía ser un cuerpo de personas preocupadas únicamente de su propia comunión. La iglesia nunca debía abstraerse de las preocupaciones de la comunidad en general para formar un "círculo santo". No. La iglesia —la *ekklesia*, la asamblea en la puerta— debe entregarse por la vida y la prosperidad de la comunidad. La iglesia es, por definición, misional.

De la iglesia se espera que sea una agrupación de los *tsaddiqim*, personas de profunda piedad personal y pasión intensa por el reino de Dios. La iglesia es una comunidad de los que están comprometidos con administrar su prosperidad para el bien común, de personas que piensan de manera creativa y estratégica sobre cómo aplicar sus talentos para promover anticipos del reino. Esta es una visión increíblemente emocionante e inspiradora.

Lamentablemente, nuestras iglesias a menudo están por debajo de ese nivel. En los siguientes capítulos, intentaremos entender por qué.

---

370 Debo esta información a Steve Hayner, presidente del Seminario Teológico Columbia.

3

Por qué no somos los *tsaddiqim*

Obtenemos lo que predicamos... nuestra forma de vivir revela el evangelio al que respondimos y el evangelio que creemos.

Scot McKnight

Durante más de cuarenta años, el creyente sudafricano Michael Cassidy ha liderado fiel y valientemente a los evangélicos en un contexto marcado frecuentemente por la confusión, la violencia, la injusticia y el temor. Él ha reflexionado larga y concienzudamente acerca de lo que significa ser un seguidor de Cristo en este mundo deshecho. En su libro sobre la lucha contra el apartheid, *This Passing Summer*, Cassidy escribió: "La conversión marca el nacimiento del movimiento *desde una existencia meramente privada a una conciencia pública*. La conversión es el comienzo de la solidaridad activa con los propósitos del reino de Dios en el mundo"[371].

Esta arrobadora visión de la conversión proporciona un rico fundamento para la vida como *tsaddiqim*. Lamentablemente, tal definición de lo que significa ser cristiano es desconocida para muchos evangélicos en América. Esto es porque muchas iglesias predican un evangelio individualista limitado a "tener una relación personal con Jesús". A veces incluso los líderes de la iglesia misional pueden ser débiles en este respecto. (Incluso

371 Michael Cassidy, *This Passing Summer: A South African's Response to White Fear, Black Anger, and the Politics of Love* (Oxnard, Calif.: Gospel Light Publications, 1990), p. 252, énfasis añadido.

cuando no lo son, tienen personas nuevas en la iglesia que provienen de congregaciones con un evangelio individualista).

Si queremos progresar en el discipulado de los seguidores de Cristo que vivirán como *tsaddiqim*, necesitamos entender los motivos por los que muchos no viven así. El predominio de una comprensión individualista del evangelio es la razón número uno. En muchas de nuestras iglesias, nuestro evangelio es demasiado pequeño[372]. Si bien está correctamente centrado en la vital obra expiatoria de Jesús en la cruz, no logra captar la significación global de su obra redentora. En consecuencia, no logra dirigir a los seguidores de Cristo hacia el estilo de vida justo de los *tsaddiqim*, quienes se unen con gozo a Jesús en su gran misión de restauración.

En este capítulo analizaremos este evangelio demasiado estrecho, observando cómo se expresa y se refuerza en la música y los libros populares del actual mundo evangélico de Estados Unidos. Luego pasaremos a la segunda razón, relacionada con la anterior, por la que la mayoría de los cristianos no son los *tsaddiqim*: nuestra inadecuada comprensión del cielo y la vida más allá. Veremos que la incapacidad de entender correctamente nuestra esperanza *última* como cristianos limita nuestra comprensión de nuestra correspondiente misión en *este* mundo. Finalmente, veremos otras dos razones que contribuyen a nuestro fracaso en vivir como *tsaddiqim*: el aislamiento social y falta de responsabilidad. Luego, en el siguiente capítulo, proseguiremos con la cuestión de qué hacer respecto a todo esto.

EL EVANGELIO DEMASIADO ESTRECHO

La presentación más común del evangelio en el evangelicalismo estadounidense contemporáneo se centra en la muerte y la resurrección de Jesús. Este evangelio comienza con la realidad más fundamental y desesperada de la humanidad: somos pecadores separados de Dios. Luego ofrece la muy buena noticia de que Dios, en su misericordia, quiere perdonarnos. Para llevarlo a efecto, él envió a su propio hijo amado a vivir la vida que nosotros debíamos haber vivido y a morir la muerte que nosotros merecía-

372 Esta fue la conclusión de algunos contribuyentes al Christian Vision Project, una iniciativa de Christianity Today International patrocinada por Pew Charitable Trust, de 2007 a 2009. El proyecto planteó tres preguntas fundamentales en un intento por evaluar el estado del evangelicalismo estadounidense. En 2008 la interrogante fue: "¿Es demasiado pequeño nuestro evangelio?".

mos. A través de la obra expiatoria de Jesús, podemos entrar en comunión con Dios nuestro Creador y Padre. Ponemos nuestra confianza en Jesús como Salvador, y le pedimos a Dios que acredite la justicia de Jesús a nuestra cuenta. Admitimos que no hemos vivido como deberíamos (a saber, para la gloria de Dios), y "aceptamos a Jesús como Señor y Salvador". Nuestra profesión de fe nos hace parte de la familia de Dios. A causa de la expiación de Dios, somos liberados del castigo del pecado (muerte eterna en el infierno). Recibimos de Jesús el don de la vida eterna. Mediante la fe en él, podemos tener confianza de que al morir iremos al cielo.

La ilustración del Puente, una vieja herramienta evangelística, retrata el evangelio de manera sucinta (ver figura 3.1). Esta surgió en 1981 a través de los Navegadores y ha sido incluida en el entrenamiento para evangelización que realizan gigantes tales como Campus Crusade y el movimiento Willow Creek, por no hablar de cientos de iglesias en forma individual. Ha sido

Figura 3.1. La ilustración del Puente.

usada en innumerables ocasiones, y por la providencia de Dios ha traído a muchas personas al conocimiento salvífico de Jesús.

La ilustración del Puente destaca la obra expiatoria de Jesucristo a favor de los pecadores. Muestra a una persona a un lado de un profundo desfiladero. Esto nos representa a nosotros en nuestro pecado. Dios y el cielo están en el lado opuestos del desfiladero. Ninguna medida de esfuerzo humano puede pasar al pecador de un lado del desfiladero al otro. Podemos tratar de saltarlo (es decir, ganarnos el paso a través de buenas obras), pero solo nos precipitaremos a nuestra muerte. La única forma en que un pecador puede obtener la vida eterna de Dios es por medio del regalo gratuito y por gracia de la cruz. La cruz de Jesús actúa como un puente que conecta los dos lados del desfiladero. Al apartarnos de nuestros propios esfuerzos y confiar plenamente en la sangre derramada de Jesús, podemos cruzar ese puente.

El evangelio que se describe en la ilustración del Puente es verdadero. Presenta correctamente el dilema fundamental de la humanidad (la separación de Dios a causa de nuestra pecaminosidad). Le da correctamente la gloria a Dios al mostrar tanto su santidad (él no pasa por alto el pecado) y su misericordia (ofrece a su Hijo para pagar el castigo que merecía nuestro pecado). Eleva correctamente la cruz de Cristo, con su poder absolutamente único. La ilustración pone al ser humano en el lugar que le corresponde, y a Dios en el suyo.

Pero este evangelio no está completo.

Las gloriosas verdades aclamadas en este evangelio demasiado estrecho por sí mismas no capturan el alcance total, magnífico y asombroso de la obra redentora de Jesús. Porque Jesús no solo vino predicando este evangelio de justificación personal sino el evangelio *del reino*. La obra de Jesús no se trata exclusivamente de nuestra salvación individual, sino de la redención cósmica y la renovación de *todas* las cosas. No se trata solo de nuestra reconciliación con un Dios santo —si bien ese es el hermoso centro del asunto. También se trata de nuestra reconciliación de unos con otros y con la creación misma. La obra expiatoria de Jesús es más grande y mejor que la que exhibe la ilustración del Puente[373].

---

373 En 2008, una encuesta de Leadership Journal a casi 700 pastores evangélicos sobre

MÚSICA DE ADORACIÓN PROBLEMÁTICA

Una de las formas en que el evangelio demasiado estrecho penetra en el mundo evangélico es a través de la música de adoración contemporánea. El evangelio incompleto no solo se predica desde los púlpitos sino que también lo cantan las bandas de adoración. Gran parte de la música contemporánea cultiva y refuerza una mentalidad de "yo y Jesús". Y eso es importante, porque las deficiencias teológicas en la música que escuchamos en la radio cristiana o cantamos el domingo en la mañana afecta nuestras creencias. Como dice el líder de adoración Keith Getty: "Aquello que cantamos se convierte en la gramática de lo que creemos"[374].

En 2005, Dick Staub, del Centro para la Fe y la Cultura, examinó las deficiencias de la música cristiana contemporánea (MCC) en un perceptivo ensayo en la revista *Christianity Today*. Él argumentó que la MCC tiende a promover la "fortificación" en lugar de un "verdadero involucramiento" en el mundo. Peor aún, a veces la MCC no logra comunicar las realidades en las que vivimos, realidades que cuando se toman en serio nos ayudan a enten-

---

la visión del evangelio y la misión sí ofreció noticias esperanzadores acerca de perspectivas que van cambiando lentamente. Se informó que un "tema constante que emerge de la encuesta es la convicción de que las descripciones previas del evangelio eran incompletas". Poco a poco los pastores están adoptando un evangelio del reino más pleno. El artículo citaba al pastor David Platt de Birmingham, Alabama como alguien representativo: "Para nuestro perjuicio, hemos enfatizado que uno hace una oración y ya es salvo". La encuesta informó que la justificación es cada vez más vista como el comienzo del viaje más bien que el mensaje completo del evangelio. En relación con esto, la encuesta mostró cambios en la comprensión de los pastores acerca del reino de Dios. Un tercio dijo que creían que el reino era una realidad presente como también futura. Si bien esto revela que esta visión aún no es la dominante, la evidencia de la encuesta revela que ha comenzado un cambio. Porque el 58 por ciento dijo que hace diez años creían que el reino era solo una realidad futura. (Ver Helen Lee, "Missional Shift or Drift?", *Leadership Journal*, 7 de noviembre de 2008 <www.christianitytoday.com/le/fall/7.23.html>.)

374 Joan Huyser-Honig, "Keith Getty on Writing Hymns for the Church Universal", Calvin Institute of Christian Worship (1 de septiembre de 2006) <www.calvin.edu/worship/stories/getty.php>. En efecto, en cierta forma la mala teología en nuestras canciones puede ser más perjudicial que la mala teología en nuestros sermones. Porque *participamos* en los cantos; nuestros sentidos y nuestros cuerpos están involucrados. Es más probable que las personas recuerden las palabras de las canciones de adoración que cantan que las palabras del pastor que escuchan. Como puede testificar cualquiera que haya tenido la experiencia de no poder "sacarse esa tonta canción de la cabeza", las letras de los estribillos se nos pegan. No obstante, las canciones que contienen una poderosa verdad también pueden unificarnos y sostenernos en la vida de la justicia. Considera el rol vital de la música en el movimiento estadounidense por los derechos civiles; la verdad en las canciones impulsó la valentía y la perseverancia.

der la necesidad de un evangelio profundamente potente que sea capaz de conquistar más que nuestro pecado personal. Staub escribió:

> La MCC evita asiduamente... contar *toda* la verdad acerca de la vida, la condición humana, nuestro estado caído... Si fallamos en decir la verdad acerca de nuestra condición humana, lo cual requiere cosas repulsivas y caóticas y no es nada inspirador, seremos incapaces de explorar las riquezas y la profundidad del evangelio, el cual se trata de la restauración de *todo* lo que se rebeló en la Caída[375].

Brian McLaren, un líder en el movimiento de la iglesia emergente, comparte las preocupaciones de Staub. En su "Carta abierta a los compositores de canciones de adoración", en *Worship Leader Magazine*, McLaren se quejaba de que muchas letras son "vergonzosamente personalistas":

> Escucha la próxima vez que estés cantando en la adoración. Se trata de cómo Jesús me perdona, me abraza, me hace sentir su presencia, me fortalece, se me acerca, me toca, me revive, etc. Todo esto está bien. Pero si un extraterrestre de Marte nos observara, yo creo que diría a) que todas estas personas son levemente disfuncionales y necesitan mucha terapia de abrazos... o bien b) que el resto del mundo les importa un comino, que su religión o espiritualidad los hace tan egoístas como cualquier persona no cristiana, pero solo en las cosas espirituales en lugar de las materiales[376].

Intrigados y desanimados con tales críticas, mis asistentes de investigación y yo realizamos un modesto análisis de contenido de las letras de las canciones de adoración actuales. Para identificar las más populares, nos

---

375 Dick Staub, "My Rant Against CCM", *Christianity Today*, 20 de diciembre de 2005. La postura de Staub hace eco de otros críticos de la MCC, incluido el cantautor y productor Charlie Peacock. Él fue uno de los primeros que desde el interior de la música cristiana izaron banderas rojas acerca de la industria. En 1998, lamentaba que "no es inusual que los compositores perpetúen en sus letras una visión truncada del reino. Y es a partir de esta imagen reducida e insuficiente de la realidad de la vida del reino que la música cristiana es categorizada, las buenas nuevas de Jesús se trivializan, y la auténtica fe en él es caricaturizada". Charlie Peacock, *At the Crossroads: Inside the Past, Present, and Future of Contemporary Christian Music*, ed. exp. (Colorado Springs: Shaw Books, 2004), p. 72.

376 Brian McLaren, "An Open Letter to Worship Songwriters", *Worship Leader Magazine*, marzo/abril de 2005, <www.brianmclaren.net/archives/ lettertosongwriters.pdf>.

apoyamos en dos recursos. El primero fue el libro de *CCM Magazine* de 2006 sobre "las principales 100 canciones cristianas de adoración de todos los tiempos"[377]. El segundo fue la información recabada de Christian Copyright Licensing International (CCLI). A partir de los informes de CCLI es posible identificar las canciones de adoración usadas con mayor frecuencia en las iglesias.

A partir de estos recursos, nos concentramos en 127 canciones de adoración altamente populares. Luego calificamos la letra de cada una de estas canciones en una escala de 1 a 4, donde 1 representa las letras que refuerzan la visión "yo y Jesús" respecto a la salvación y la vida cristiana, y 4 representa una perspectiva del evangelio del reino con una comprensión más amplia de la obra redentora de Cristo y nuestro llamado a seguirlo a él en su misión de *shalom*. Nuestro promedio para las canciones fue 1,57, inclinado hacia el evangelio demasiado estrecho[378].

DISCIPULADO INADECUADO

El evangelio "yo y Jesús" no solo se refuerza en muchas canciones de adoración populares, sino que también invade gran parte de los libros cristianos más populares. La Asociación de Librerías Cristianas y la Asociación de Editoriales Cristianas Evangélicas producen listas de los libros más vendidos cada mes. Aparte de estas listas están aquellas que producen las editoriales, los críticos de libros, y los comentaristas y revistas evangélicos

---

377 Tori Taff, *100 Greatest Songs in Christian Music* (Nashville: Integrity Publishers, 2006). La lista de las 100 principales canciones fue compilada mediante una encuesta. El cincuenta por ciento de los encuestados eran profesionales de la industria MCC y el 50 por ciento eran de una muestra aleatoria de 2.500 suscriptores de la revista. Esta lista incluía canciones de las últimas décadas, y así identificaba las canciones que han tenido "poder de permanencia". En 2007, *CCM Magazine* (Revista Música Cristiana Contemporánea) cambió su nombre a *Christ Community Music Magazine* (Revista Música de la Comunidad de Cristo).

378 Admitimos que nuestras valoraciones fueron subjetivas, y algunas canciones eran casi imposibles de valorar, pues se trataban de relaciones familiares (por ejemplo, "Besos de mariposa", de Bob Carlisle) o del matrimonio (por ejemplo, "I Will Be Here" de Steven Curtis Chapman). También reunimos todas las letras de las canciones en un solo gran documento y realizamos un conteo mecánico del número de veces que aparecían ciertas palabras en las canciones. Teníamos dos grupos de palabras. Un conjunto incluía *yo*, *mí*, *mí mismo*, *perdonar* (y *perdonado*, *perdón*), y *expiar* o *pagado*. El otro conjunto incluía *justicia*, *hambriento*, *pobre*, *oprimido*, *necesitado*, *servir*, *restaurar*, *sanar*, *compasión*, *comunidad*, y *prójimo*. Encontramos 1.623 casos de las palabras del primer grupo y solo 29 casos de las palabras del segundo grupo.

sobre los "mejores libros sobre discipulado cristiano". Con mis asistentes de investigación revisamos las listas mensuales de éxitos de venta durante estos últimos años. También reunimos una variedad de listas con los "mejores libros sobre discipulado" para identificar los textos de discipulado mencionados con mayor frecuencia. Encontramos trece libros que usualmente eran seleccionados, tales como *El costo del discipulado*, de Dietrich Bonhoeffer, y *La divina conspiración*, de Dallas Willard[379].

Destaca el hecho de que la lista de libros cristianos más vendidos y la lista de los mejores libros de discipulado no coincidieron mucho. Los mejores libros de *discipulado* a menudo estaban marcados por una teología del reino. Los libros cristianos más *populares* normalmente se enfocaban en la relación individual del cristiano con Dios[380]. En términos muy simples, los libros más fuertes en cuanto a una teología robusta que pudiera sostener la vida de un *tsaddiq* por lo general no son los libros elegidos por los mayores porcentajes de lectores cristianos. Tal como gran parte de la música de adoración hace poco por llevarnos más allá del evangelio individualista y estrecho, muchos libros sobre "vida cristiana" refuerzan la mentalidad "yo y Jesús".

Este no es un problema nuevo. Ya en 1983 el sociólogo James D. Hunter observaba el carácter extremadamente individualista del evangelicalismo. Su estudio de ocho prolíficas editoriales cristianas descubrió que un abultado 87 por ciento de los libros abordaban temas relacionados con el yo[381]. Alrededor de diez años más tarde, el libro *No Place for Truth* de David

379 Otras listas incluyen *Christ's Call to Discipleship*, de James Montgomery Boice; *La divina conspiración*, de Dallas Willard; *Spiritual Disciplines for the Christian Life*, de Donald S. Whitney; *El costo del discipulado*, de Dietrich Bonhoeffer; *Y ahora, ¿cómo viviremos?*, de Charles W. Colson; *A Long Obedience in the Same Direction: Discipleship in an Instant Society*, de Eugene H. Peterson; *Celebration of Discipline: The Path to Spiritual Growth*, de Richard J. Foster; *The Master's Plan for Making Disciples: Every Christian an Effective Witness Through an Enabling Church*, de Win Arn; *La razón de Dios*, de Timothy Keller; *Discipleship Essentials: A Guide to Building Your Life in Christ*, de Greg Ogden; *Taking Discipleship Seriously: A Radical Biblical Approach*, de Tom Sine; *La gran omisión*, de Dallas Willard; *The Kingdom That Turned the World Upside Down*, de David Bercot.

380 Hubo algunas importantes excepciones. Por ejemplo, *Una vida con propósito*, de Rick Warren, es un éxito de ventas histórico, y él predica un evangelio holístico. *La razón de Dios*, de Tim Keller, ha sido extremadamente popular, y él es uno de los mejores predicadores del evangelio del reino de nuestros días.

381 James Davison Hunter, *American Evangelicalism: Conservative Religion and the Quandary of Modernity* (New Brunswick, N.J.: Rutgers University Press, 1983), pp.

Wells lamentaba que a causa de la preponderancia del evangelio demasiado estrecho el mundo evangélico se caracterizaba por una falta de aplicación rigurosa del pensamiento bíblico a todos los aspectos de la vida:

> Ser evangélico ha llegado a significar simplemente que uno ha tenido cierto tipo de experiencia religiosa que colorea los aspectos privados de la vida cotidiana pero en los cuales pocos elementos teológicos específicos son distinguibles o resultan necesarios. La fe evangélica se busca como un asunto de fascinación interna, pero como un asunto de relevancia pública se abandona[382].

En 2005, el libro *The Scandal of the Evangelical Conscience*, de Ronald Sider, prosiguió la crítica. Este libro fue impulsado por varios informes de encuestas de Barna y Gallup que sugerían que la práctica evangélica en diversos asuntos morales (por ejemplo, el divorcio, el materialismo y el racismo) no se distingue de la conducta de las personas seculares. En el capítulo 3, Sider argumentó que la razón es que los evangélicos han cambiado el "evangelio integral" por la "gracia barata":

> Una de las ironías más sorprendentes del Evangelicalismo contemporáneo ¡es que la mayoría de los evangélicos ni siquiera definen el evangelio cómo lo hizo Jesús!... Jesús no definió el evangelio como el perdón de pecados, si bien ofreció una y otra vez el perdón gratuito e inmerecido. La gran mayoría de los estudiosos del Nuevo Testamento de hoy, ya sean evangélicos o liberales, concuerdan en que el aspecto central de la enseñanza de Jesús era el evangelio del reino de Dios... El perdón de pecados está en el centro de la proclamación de Jesús del evangelio del reino. Pero solo es una parte de ella[383].

142-43. Las ocho editoriales fueron Bethany, Gospel Light, Moody, Revell/Spire, Scripture, Tyndale, Word, y Zondervan. Cinco años más tarde, Hunter publicó un estudio de estudiantes universitarios evangélicos llamado *Evangelicalism: The Coming Generation* (University of Chicago, 1987), donde observaba que entre esta población había una "acentuación de la subjetividad y prácticamente la veneración del yo, lo que se manifestaba en los esfuerzos deliberados por lograr la auto-comprensión, la superación personal y la auto-realización" (p. 65).

382 David Wells, *No Place for Truth, or Whatever Happened to Evangelical Theology?* (Grand Rapids: Eerdmans, 1993), pp. 130-31.

383 Ronald J. Sider, *The Scandal of the Evangelical Conscience* (Grand Rapids: Baker, 2005), pp. 59-61.

Con una comprensión reduccionista de las buenas nuevas, escribió Sider, demasiados creyentes piensan que simplemente pueden aceptar el evangelio y luego "seguir viviendo la misma vida adúltera, materialista y racista" que vivieron antes[384].

Las críticas de Sider se repiten en la obra de otro informado observador del evangelicalismo, Dallas Willard. Su libro de 2006, *La gran omisión* se basa en la afirmación de que, dado que el evangelio estrecho predomina en el evangelicalismo, ganamos *convertidos* pero no *seguidores* de Jesús. Willard dice que en las últimas décadas "las iglesias del mundo occidental no han hecho del discipulado una condición de ser cristiano"[385]. A partir de sus años de estudio de la predicación y la enseñanza predominantes dentro del evangelicalismo, él concluye que el evangelio se presenta típicamente como nada más que el perdón de pecados —punto. "Por el contrario", afirma Willard, "me atrevo a decir que el evangelio de todo el Nuevo Testamento se trata de que uno puede tener una vida nueva ahora en el reino de Dios si uno confía en Jesucristo". Su conclusión acerca de los trágicos resultados del predominio del evangelio estrecho es esencialmente la misma que la de Sider: "Si algo deberíamos saber ya, es que un evangelio de la sola justificación no genera discípulos"[386].

IMPLICACIONES DEL EVANGELIO DEMASIADO ESTRECHO

Un contexto en el que gran parte de la predicación, la música y los libros cristianos enfatizan una comprensión altamente individualista del evangelio no provee un suelo fértil para el crecimiento de los creyentes que quieran vivir como *tsaddiqim*. Este evangelio demasiado estrecho solo enfoca misionalmente a los creyentes en la tarea de "ganar almas". Tiene poco que decir acerca del ministerio holístico de Jesús o la naturaleza abarcadora de su obra de restauración. Solo se enfoca en el problema del pecado personal, sugiriendo con ello que la santificación solo es un asunto de moralidad personal (en lugar de eso más la justicia social). Enfoca a los creyentes en conseguir un pasaje al cielo, pero no dice mucho acerca de cómo debería ser su vida en este

384 *Ibíd.*, p. 58.
385 Dallas Willard, *The Great Omission: Reclaiming Jesus's Essential Teaching on Discipleship* (Nueva York: HarperOne, 2006), p. 4. (Versión española: *La gran omisión: recuperando las enseñanzas esenciales de Jesús en el discipulado*).
386 *Ibíd.*, p. 62.

mundo. Dicho de otro modo, solo se enfoca en aquello *de lo cual* hemos sido salvados, en lugar de decirnos además *para qué* hemos sido salvados.

UNA INADECUADA VISIÓN DEL CIELO

Si el evangelio demasiado estrecho es la primera razón por la que no somos *tsaddiqim*, la segunda razón muy relacionada es nuestra inadecuada visión del cielo. En el libro *Sorprendidos por la esperanza: Repensando el cielo, la resurrección y la vida eterna*, el teólogo N. T. Wright asevera que la mayoría de los cristianos "se mantienen satisfechos con lo que en el mejor de los casos es una versión truncada y distorsionada de la gran esperanza bíblica"[387]. Basado en encuestas del público británico, Wright dice que la visión predominante de la esperanza cristiana última es "ir al cielo"[388]. Esto implica un vago sentido de que nuestras almas estén para siempre con Dios en algún lugar "arriba". Esta "imagen popular" del cielo, lamenta Wright, se "refuerza una y otra vez en himnos, oraciones, monumentos, e incluso en obras de teología e historia bastante serias"[389].

En Estados Unidos, el autor Randy Alcorn ha observado un problema similar. Él dice que aunque los principales credos cristianos afirman la resurrección del cuerpo, muchos creyentes estadounidenses "espiritualizan" este concepto. "No lo rechazan como doctrina, pero niegan su significado esencial: un retorno permanente a una existencia física en un universo físico. De los estadounidenses que creen en una resurrección de los muertos, dos tercios creen que tras la resurrección no tendrán cuerpos"[390].

Contraria a la visión popular del cielo como una existencia etérea en

---

387 N. T. Wright, *Surprised by Hope: Rethinking Heaven, the Resurrection, and the Mission of the Church* (Nueva York: HarperOne, 2008), p. 19. (Versión en español: *Sorprendidos por la esperanza: Repensando el cielo, la resurrección y la vida eterna*).

388 *Ibíd.*, p. 5.

389 *Ibíd.*, p. 10. Himnos como "Sun of My Soul, Thou Saviour Dear", de John Keble, por ejemplo, nos enseña acerca de "perderse en el alto cielo", una idea mucho más propia del budismo que del cristianismo ortodoxo. En otros himnos, cantamos que Jesús viene a *sacarnos* de la tierra para llevarnos a casa al cielo. En contraste con esto, un himno como "Hail to the Lord's Anointed", de James Montgomery, dirige la atención al reinado eterno de Cristo y el florecimiento que se manifestará en la Nueva Jerusalén.

390 Randy Alcorn, "Bodily Resurrection: Don't Settle for Less", Eternal Perspective Ministries (4 de marzo, 2010) <www.epm.org/resources/2010/ Mar/4/bodily-resurrection-dont-settle-less>. Alcorn es el autor del extenso libro *Heaven*, con 560 páginas acerca de la otra vida. (Tyndale House, 2004).

las nubes, la visión bíblica es que Dios recreará tanto el cielo como la tierra y los unirá para siempre. La imagen del fin "no es una de almas rescatadas que se dirigen a un cielo incorpóreo sino más bien la Nueva Jerusalén que desciende del cielo a la tierra y los une a ambos en un abrazo perpetuo"[391]. La Biblia nos enseña que lo que nos espera en la vida después de la muerte es una vida corporal en un universo material recreado que se denomina la tierra nueva. El espacio, el tiempo y la materia serán redimidos[392].

Las perspectivas distorsionadas del cielo y la otra vida tienen un efecto corrosivo en el pensamiento de los cristianos sobre cómo vivir *esta* vida en nuestro mundo corriente y cotidiano. Si creemos (erradamente) que al final la tierra será completamente destruida[393] y que solo nuestras almas vivirán para siempre, cuesta un poco imaginar ser *tsaddiqim* apasionados por cosas tales como la mayordomía ambiental y la reforma cultural. Cuesta mantenerse comprometido con tales labores supuestamente no espirituales si al final todas ellas desaparecerán por completo. Si todo se va a quemar, ¿no es nuestra labor aquí en la tierra en vano?

La Biblia responde esta interrogante con un rotundo "¡no!". En 1 Corintios 15:58, el apóstol Pablo exhorta a los creyentes a "mantenerse firmes" y a progresar "en la obra del Señor, conscientes de que su trabajo en el Señor no es en vano". Wright explica que este verso viene a renglón seguido tras la celebración de Pablo de la resurrección. La exhortación tiene perfecto sentido cuando relaciona la futura resurrección con "ponerse a trabajar en el presente", dice Wright. "El punto de la resurrección, como ha estado argumentando Pablo a través de la carta, es que *la vida corporal presente no carece de valor solo porque va a morir*. Dios la levantará a una nueva vida. Lo que uno hace con el cuerpo en el presente importa porque Dios tiene un gran futuro guardado para él"[394].

Esta verdad tiene una enorme significación para nuestra vida voca-

---

391 Wright, *Surprised by Hope*, p. 19.

392 *Ibíd.*, p. 211.

393 Aquí puede ser necesaria una palabra acerca de 2 Pedro 3:10-12. Allí el apóstol dice que el mundo será consumido por el fuego. Necesitamos recordar que en la Escritura el fuego típicamente significa un fuego de refinamiento. Con mayor frecuencia se trata de purificación, no de aniquilación. Más puntualmente, el propio Pedro habla en 2 Pedro 3:13 acerca de "un cielo nuevo y una tierra nueva". Aquí la palabra "nuevo" es *kainos* (nuevo en naturaleza o cualidad), no *neo* (nuevo en el tiempo o en origen). Por lo tanto, Pedro quiere decir "nuevo" en el sentido de *renovado*, no absolutamente nuevo.

394 Wright, *Surprised by Hope*, p. 193, énfasis original.

cional. Lo que hacemos en el presente —"pintar predicar, cantar, sembrar, orar, enseñar, construir hospitales, cavar pozos, promover la justicia, escribir poemas, cuidar de los necesitados, amar al prójimo como a uno mismo— *se prolongará hasta el futuro de Dios*", dice Wright. Todas estas actividades son parte de "lo que podemos llamar *construir para el reino de Dios*"[395]. Nuestra labor no es en vano, porque estamos "realizando algo que a su debido tiempo se volverá parte del nuevo mundo de Dios"[396].

Todo esto aplicado a la misión de la iglesia significa que "trabajaremos en el presente para anticipar señales del estado final de cosas cuando Dios sea 'todo en todos', cuando su reino haya venido y su voluntad se haga 'en la tierra como en el cielo'"[397].

NO ES TAN FÁCIL SER LOS *TSADDIQIM*

La interrogante de este capítulo es ¿por qué no hay más de nosotros actuando como *tsaddiqim*? Lo que hemos visto hasta aquí es que con una teología inadecuada —un evangelio truncado— no tenemos una visión para vivir en conformidad con los propósitos del reino de Dios. Y ese es un gran problema, pues tal conformidad está en el centro de la verdadera justicia. No es de sorprender que, en tanto que los evangélicos han predicado un evangelio que es fundamentalmente individual —y esto ha sido reforzado a través de las canciones que cantamos y los libros que leemos—, nuestra concepción de la justicia se ha desequilibrado. Esta tiende fuertemente hacia la piedad personal a expensas de la justicia social.

Además, con una teología que solo consiste en conseguir un pasaje al cielo cuando uno muere, no es de sorprender que muchos cristianos no muestren gran interés por la cuestión de cómo vivir la vida *ahora*, en *este* mundo. Cuando nuestras iglesias enseñan una salvación que solo se enfoca en el *de* qué (del pecado y la muerte), no cuesta entender por qué tantos creyentes al parecer no saben *para* qué es la salvación. Y si predicamos un

395 *Ibíd.*, énfasis original.
396 *Ibíd.*, p 208.
397 Ibíd., p. 211. Wright continúa: "Esto desde luego será radicalmente distinto al tipo de trabajo en el que nos ocuparíamos si nuestra única tarea fuera salvar almas para un cielo incorpóreo o simplemente para ayudar a la gente a disfrutar de una satisfactoria relación con Dios como si ese fuera el fin del asunto. También será significativamente distinto al tipo de trabajo que podríamos emprender si nuestra única tarea fuera olvidar cualquier dimensión divina y simplemente tratar de mejorar la vida dentro de la continuación del mundo tal como es".

evangelio que solo, o principalmente, se trata de "salvar almas", no debería impactarnos que acabemos con congregaciones que no se motivan mucho por cuidar de las necesidades corporales y materiales.

Pero estas no son las únicas razones por las que no somos *tsaddiqim*. Otra razón clave es que las mismas posiciones de prosperidad y poder que hacen posible la justa mayordomía que puede promover la justicia y la paz también actúan como encantos que nos alejan del sacrificio del reino.

Falta de rendición de cuentas. A través de las épocas los sabios han enseñado que el poder corrompe. Cualquiera que tenga experiencia siendo "el centro de atención" conoce la forma en que tal privilegio puede alentar aquella caída voz interior que nos susurra cerca de nuestra propia importancia. Cuando delante de uno se extiende la alfombra roja, cuando uno es invitado a reuniones exclusivas, se hace cada vez más difícil combatir un ego hinchado. Cuando uno es el mandamás, cuesta evitar el orgullo. A todo esto sumemos el peso de las riquezas —el poder del dinero para apartar los corazones de una humilde dependencia de Dios— y uno puede entender por qué a tantos evangélicos prósperos les resulta difícil ser al mismo tiempo los *tsaddiqim*.

A causa de los encantos de la prosperidad, es imperativo que los predicadores en congregaciones de clase media y más acomodadas insten a sus miembros a integrarse a pequeños grupos de rendición de cuentas. Allí pueden hacerse las preguntas difíciles acerca de cómo están manejando aquellas cualidades del privilegio, la riqueza y el poder que socavan la fe[398]. En su libro *Faith in the Halls of Power*, Michael Lindsay descubrió que muy pocos de los evangélicos que entrevistó participaban en ese tipo de fraternidades. Quizá esta falta de rendición de cuentas ayuda a explicar por qué descubrió que tan pocos de sus entrevistados veían la riqueza "como un recurso para beneficiar a la sociedad, no al individuo"[399].

El problema del aislamiento. Finalmente, más allá de este asunto de las preocupantes tentaciones, la investigación de Lindsay identificó otro problema: el aislamiento de los cristianos profesionales de las personas que no pertenecen a su clase socioeconómica. Consideremos esta serie de observa-

398 D. Michael Lindsay, comentarios en la conferencia Following Christ, Chicago, Ill., InterVarsity Christian Fellowship, 2008.

399 D. Michael Lindsay, *Faith in the Halls of Power: How Evangelicals Joined the American Elite* (Nueva York: Oxford University Press, 2008), p. 191.

ciones de Lindsay:

> Ellos tienden a interactuar con el mismo tipo de personas, ya sea que estén en Los Angeles, Londres o Lima. Puede que en efecto viajen con mayor frecuencia y se involucren en distintas culturas, pero la mayor parte del tiempo permanecen en un mundo de iguales en lo social, profesional y económico. De esta forma, los evangélicos cosmopolitas están protegidos del mundo de desigualdad económica tanto como lo están sus pares seculares[400].
>
> [Los evangélicos en Hollywood] difieren poco de los demás en la industria del entretenimiento. Conducen autos de lujo, viven en comunidades exclusivas, y les preocupa que su fama y talento se esfumen de un momento a otro[401].
>
> Los ejecutivos evangélicos tienden a aceptar los accesorios de un estilo de vida adinerado sin cuestionamientos[402].

Dentro de su mundo homogéneo de prosperidad y privilegio, muchos de los evangélicos que entrevistó Lindsay nunca han tenido contacto con los pobres (ni siquiera con la clase obrera). Sus amigos eran personas tal como ellos, de la misma elite.

Potencialmente, el aislamiento que encontró Lindsay entre los creyentes que encuestó podría haber sido moderado en alguna medida si estas personas fueran miembros de iglesias locales; pero muchos no lo eran. En un reflexivo artículo de opinión en *USA Today* en 2008, Lindsay informó: "Me impactó descubrir que más de la mitad —el 60%— tenía bajos niveles de compromiso con sus denominaciones y congregaciones. Algunos solo eran miembros nominales; otros se habían desconectado activamente de la vida de iglesia"[403].

Esto es problemático porque la exposición personal a las necesidades

---

400 *Ibíd.*, p. 221.
401 *Ibíd.*, p. 130.
402 *Ibíd.*, p. 192.
403 D. Michael Lindsay, "A Gated Community in the Evangelical World", *USA Today*, 11 de febrero de 2008. Disponible en <www.rev.org/article.asp?ID=2991>.

suele ser un prerrequisito para un estilo de vida de profunda generosidad sacrificial por el bien de los demás. El compromiso de dinero, tiempo y energías personales puede desarrollarse cuando los prósperos realmente ven el sufrimiento de los pobres y los débiles[404]. Esta exposición luego puede llevar a los creyentes a un verdadero crecimiento como *tsaddiqim*: personas que no solo *ayudan* al pobre sino que los *conocen* en relaciones reales.

CONCLUSIÓN

En la fragilidad de Sudáfrica antes de la caída del apartheid, Michael Cassidy trabajó incesantemente para formar a cristianos blancos que vivieran como *tsaddiqim*. En el centro de su labor había una sólida predicación acerca de la gran historia de Dios de la creación, la Caída, la redención y la consumación. Él desafió a los creyentes a evitar una fe privada que los excusara del arduo trabajo de vivir como discípulos de Cristo, imitando la vida sacrificial y centrada en los demás de Jesús. Cassidy trabajó incansablemente con los líderes para ayudar a la iglesia a lograr su "actuación conjunta donde los elementos verticales y horizontales del evangelio alcanzan un equilibrio"[405].

Cassidy también se esforzó para mostrar a los creyentes sudafricanos que el cristianismo no se trata simplemente de tener un pasaje al cielo. Se trata de trabajar para la renovación de la sociedad *ahora* en formas que "reflejen más verazmente el señorío de Cristo sobre todas las esferas de la vida del ser humano"[406]. Él enseñó que los creyentes eran residentes de dos ciudades —la celestial y la terrenal— y que "no se les permitía abandonar ninguna". Lo que se les encargaba era trabajar en este mundo material como "un afloramiento del reino de Dios en la tierra". Era "notificar" a un mundo expectante que "la realidad es más de lo que ven los ojos... Puesto

404 Este fue el hallazgo del académico sudafricano Charles Villa-Vicencio y la experiencia personal de Beyers Naude, uno de los cristianos conservadores blancos más prominentes que se unió al movimiento de resistencia. Con "encuentro real", Villa-Vicencio se refería a que los cristianos blancos se habían familiarizado personalmente con las condiciones de vida reales de los negros bajo el apartheid, y habían desarrollado relaciones igualitarias con los negros (crucial, porque en ese entonces la mayoría de los blancos trataban con los negros solo en relaciones amo-sirviente).Ver *Resistance and Hope: South African Essays in Honor of Beyers Naude*, ed. Charles Villa-Vicencio, Beyers Naude y John W. de Gruchy (Grand Rapids: Eerdmans, 1985).

405 Cassidy, *This Passing Summer*, p. 224.

406 *Ibíd.*, p. 227.

que amamos otra cosa más que este mundo, nosotros amamos este mundo de mejor forma que aquellos que no conocen ningún otro"[407]. Para él, el pensamiento correcto acerca de nuestra esperanza eterna configura el comportamiento correcto en esta vida.

Finalmente, Cassidy sabía que con todo lo crucial que es una teología precisa, también era necesario ayudar a los creyentes blancos a superar su aislamiento. Sin relaciones personales con las personas negras que sufrían bajo el apartheid, y sin exposición personal a las condiciones reales de vida de los negros, Cassidy sabía que la mayoría de los creyentes blancos no correrían los riesgos necesarios para la justicia y la *shalom*. En consecuencia, él organizó programas de intercambio a través de los cuales los evangélicos blancos iban y vivían durante una semana en las casas de los hermanos cristianos en los barrios para negros. A través de estos programas, Cassidy vio que sus amigos "abrieron los ojos", pues finalmente llegaron a entender su realidad social y el consiguiente llamado a un valiente involucramiento en aras de la justicia[408].

En la providencia divina, muchos de los lamentos de los oprimidos en Sudáfrica han sido abordados. Afortunadamente, esta nación eliminó la despiadada política del apartheid a comienzos de la década de 1990, y cristianos como Cassidy y sus seguidores desempeñaron un importante rol en ese milagro.

Hoy en día, en ciudades de Estados Unidos y otros países, muchos hijos de Dios siguen clamando por la justicia y la *shalom*. Las iglesias evangélicas en América tienen incontables oportunidades de alegrar sus comunidades. Esto sucederá cuando nuestras iglesias produzcan seguidores de Cristo que vivan como *tsaddiqim*.

---

407 *Ibíd.*, p. 473.
408 *Ibíd.*, p. 239.

4

De qué manera el evangelio del reino cultiva a los *tsaddiqim*

Jesús indujo a la gente a una misión del reino desde un comienzo.

James Choung

El evangelio demasiado estrecho que estudiamos en el capítulo anterior no provee un fundamento teológico adecuado para cultivar seguidores de Cristo justos que practiquen la mayordomía vocacional. Lo que se necesita es más bien una potente presentación del evangelio del reino de Jesús.

EL EVANGELIO DEL REINO

El evangelio de Jesús se centró en su anuncio de que el reino largamente esperado había irrumpido en la historia humana. Para entender qué significaba tal anuncio para sus oyentes originales es necesario examinar lo que algunos teólogos han denominado el Gran Relato de la historia de la redención.

El relato comienza con la creación. En el principio, nuestro amoroso y generoso Dios trajo a existencia un maravilloso paraíso. Él estableció a los seres humanos en ese paraíso, donde disfrutaban de perfecta *shalom*: paz con Dios, paz consigo mismos, paz con los demás y paz con el orden creado.

Trágicamente, los primeros humanos desobedecieron el único mandamiento de Dios: no comer del fruto del árbol del conocimiento del bien y el mal. En lugar de disfrutar de su posición de vice-regentes bajo la soberanía del Dios de gracia, ellos quisieron tomar el mando. Su pecado se conoce como la Caída, y eso lo cambió todo. Se rompió su relación con Dios, pues la sospecha y el temor ocuparon el lugar del gozo y la confianza. Su bienestar psicológico se dañó al experimentar desorientación y vergüenza. Su relación mutua se volvió conflictiva. Se apuntaron el uno al otro con un dedo acusador y se escondieron uno del otro. La paz entre los humanos y el orden creado también se desvaneció pues Dios expulsó a Adán y Eva del Huerto del Edén y maldijo la tierra misma. A consecuencia del pecado de los primeros seres humanos, el sufrimiento, el mal, la alienación, el dolor, el conflicto, el trabajo duro, la futilidad, la escasez y la muerte entraron al mundo.

No obstante, en medio de esta tragedia cósmica, era visible una línea de la asombrosa gracia de Dios. En Génesis 3 vemos a Dios en busca de sus hijos. Por misericordia él les hace ropa para cubrir su desnudez. Y lo que es más importante, les promete un salvador, un redentor que aplastará la cabeza del mal.

Desde Génesis 3 hasta el comienzo del Nuevo Testamento, la gracia de Dios continúa aun en presencia del pecado y la rebelión crónicos de su pueblo. Dios tiene que traer juicio frecuentemente, pero promete nunca abandonar su compromiso con la plena restauración. En efecto, él inspira a muchos profetas con visiones de esa futura restauración (incluidos los pasajes de avance que analizamos en el capítulo 1).

Y luego, como lo expresa el cantautor Michael Card, Dios dijo su "última palabra" en la encarnación de Jesús[409]. Jesús es el "sí" y el "amén" de Dios a todas las promesas de restauración y redención (2Co 1:20). Jesús llega anunciando que *en él* se cumplen las promesas de los pasajes de avance. Su salvación es integral, pues trata cada dimensión de la Caída. Por medio de su vida, muerte y resurrección él repara *todos* los efectos de la Caída. Él paga el precio por todos nuestros pecados y todo pecado, aceptando el castigo de Dios en la cruz. Su resurrección trae la renovada posibilidad de *shalom* entre los humanos y Dios, en el interior de los humanos, entre los humanos, y entre los humanos y el orden creado.

No obstante, si bien Jesús nos dice que su obra del reino ha comenzado en el mundo, explica que aún no está completa, ni lo estará hasta que él venga nuevamente a consumarlo. Su invitación evangelística es a venir y entrar en

409 Ver la canción de Michael Card "The Promise," *The Promise* (Brentwood, Tenn.: Sparrow, 1991).

su reino ahora, a recibirlo a él ahora como el único verdadero Rey a quien un día reconocerá todo el universo. En el evangelio de Jesús, la salvación ciertamente implica la vital y gloriosa obra de redención individual. Aquellos que confían en Cristo para su salvación reciben perdón de su pecado y una relación restaurada con Dios. Ellos entran en la promesa de vida eterna. Sin embargo, al cotejar la obra redentora de Jesús con el relato de la creación/Caída/redención/consumación, aquella demuestra que va *más allá* de la salvación de almas individuales. Su redención ha realizado nada menos que la promesa de un paraíso restaurado donde reinará la *shalom* en todas sus dimensiones.

En 2008, el líder de InterVarsity James Choung le hizo un invaluable favor al mundo cuando publicó un nuevo y simple diagrama para explicar el evangelio del reino[410]. La ilustración de los Cuatro Círculos de Choung (ver figura 4.1) cuenta la historia cristiana de este paradigma de la creación/Caída/redención/consumación. A diferencia de la ilustración del Puente, la presentación de Choung centra el relato del evangelio directamente en Dios y la misión de Dios en el mundo, más bien que en los humanos y su pecaminosidad.

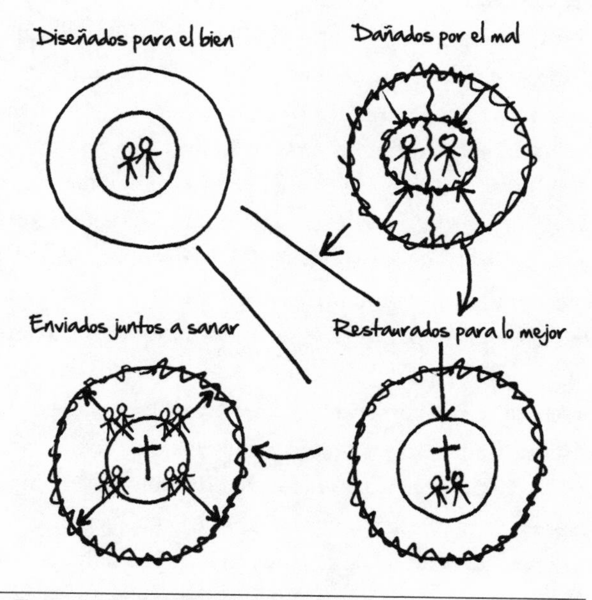

Figura 4.1. Los cuatro círculos de Choung.

410 James Choung, *True Story: A Christianity Worth Believing In* (Downers Grove, Ill.: InterVarsity Press, 2009).

La presentación de Choung comienza pidiendo a los no creyentes su opinión sobre el estado del mundo, y cómo se sienten ellos al respecto. La mayoría reconoce que el mundo está profundamente deshecho, marcado por el sufrimiento, la injusticia y la alienación. La mayoría admite además que se sienten molestos por ello, y desearían que fuera distinto. Luego Choung dibuja un primer círculo que representa al mundo dañado.

Luego Choung se apoya en esa hambre universal por un mundo mejor. Siguiendo el clásico enfoque apologético de C. S. Lewis, él argumenta que así como la sensación universal de hambre sugiere la realidad de la comida, así también el anhelo universal de un mundo mejor, más justo, pacífico y saludable sugiere que o un día hubo uno, o bien un día habrá uno. Luego anuncia que esto es exactamente lo que enseña el cristianismo.

Ahora traza otro círculo. Este representa el buen orden creado de Génesis 1. Él explica que originalmente Dios hizo un mundo de *shalom*, marcado por la belleza, la bondad y la armonía. Había paz entre los humanos y Dios, entre las personas, y entre las personas y el medio ambiente creado. Luego etiqueta este segundo círculo como "Diseñados para el bien".

Con la adusta escena de los dos primeros círculos frente a él, ahora resulta fácil para Choung plantear la pregunta obvia: ¿cómo llegamos desde el mundo perfecto que existió originalmente al caótico mundo que habitamos ahora? En este punto, Choung introduce el concepto de maldad y pecado. El pecado es fundamentalmente el hecho de que la humanidad se aparta de Dios y sus caminos para sentar el ego en el trono. Una vez que las personas hicieron esto, comenzaron a usar el mundo natural y las relaciones humanas para beneficios egoístas. Esto malogró todo: el medio ambiente, las personas mismas, nuestras relaciones humanas y nuestra relación con Dios. Pensando que el camino del ego conduciría a la vida, los humanos pecadores más bien descubrieron que estaban totalmente alienados. Al apartarse del camino de vida de Dios, encontraron corrupción y muerte. Quedaron bajo la ira de Dios.

Luego Choung añade más líneas irregulares al primer círculo para representar todas estas relaciones rotas, y lo etiqueta como "Dañados por el mal". Su dibujo captura la naturaleza invasiva del pecado. A diferencia de la ilustración del puente, que subraya la separación individual del pecador de Dios, esta imagen muestra que el pecado afecta las cuatro relaciones fundamentales creadas originalmente para la *shalom*. Esto destaca que todo está manchado por el pecado; subraya que solo una redención integral será suficiente.

Luego Choung le explica al oyente que Dios no nos quiere dejar solos en nuestro pecado en este mundo dañado. La buena noticia es que Dios ha regresado por misericordia a su planeta en su Hijo Jesús para sanarlo. Jesús entra en nuestro mundo deshecho, y ofrece el camino a la reconciliación, la oportunidad de regresar a Dios a través de él. Jesús se deja infectar por la enfermedad del pecado (lo carga en nuestro lugar) y él mismo paga valiente y sacrificialmente el castigo por el pecado en la cruz.

Ahora Choung dibuja un tercer círculo con una gran flecha vertical que representa la entrada de Jesús en nuestro mundo devastado por el pecado. Explica que Jesús vino a iniciar un movimiento de resistencia contra todo mal. A través de su ministerio de dar vida, comienza a hacer retroceder la maldición y a ofrecer a la gente anticipos del nuevo reino que él trae. Él muere en la cruz, y así paga en su totalidad el castigo de la ira de Dios contra el pecado. Y luego es levantado victorioso sobre la muerte, dispuesto a exhalar su vida espiritual en aquellos que le dicen "sí".

Aquellos que responden a la invitación de Jesús a entrar en su reino reciben el perdón de su pecado y sanidad para su quebranto. Él les concede el don de la vida eterna y los integra a la familia de Dios. Luego Jesús nos muestra una nueva forma de vivir. Él nos manda que confiemos en él y le obedezcamos, y pone su Espíritu en nosotros para que nos potencie para crecer y ser más semejantes a él. A medida que madura nuestra relación con él, experimentamos una profunda sanidad interior. Obtenemos motivación para buscar relaciones sanadas, reconciliadas y justas con los demás. Y ante nosotros se abre el camino para asumir nuevamente nuestra comisión como sabios mayordomos de la tierra. Ahora Choung etiqueta este tercer círculo como "Restaurados para lo mejor".

Luego Choun dibuja un cuarto círculo. La historia del evangelio no concluye con el sacrificio de Cristo y nuestro rescate (el "recibir nuestro pasaje al cielo"). No, ahora él traza una flecha horizontal desde el círculo "Restaurados para lo mejor" hacia un cuarto título etiquetado como "Enviados para sanar". Ahora la conversación acerca de la salvación se vincula —apropiadamente— con una conversación sobre discipulado. Choung explica que Jesús nos ofrece un rescate de nuestro pecado y sus consecuencias (es decir, muerte eterna) *y además* que él nos llama a unirnos a él en su movimiento de resistencia contra el mal. En la descripción de Choung del evangelio, escuchamos a Jesús decir: "Vengan, síganme".

El evangelio demasiado estrecho presentado en la ilustración del Puente carece de este componente del discipulado. Crea el peligro de producir cristianos que esencialmente se estancan en el tercer círculo. Se quedan allí con su pasaje personal al cielo, en el "círculo santo", gozando de comunión con Dios y otros creyentes, pero desligados de la misión de Dios. Esto es en gran medida lo que motivó a Choung a diseñar un modo alternativo de presentar el evangelio. Él explica:

> En las actuales explicaciones del evangelio, la vida después de la muerte toma prioridad sobre la vida misionera. Estas implican que el evangelio es algo que ocurre después de la muerte en lugar de ahora. Aun si mencionan una relación con Dios en el presente, suelen enfatizar lo que las personas obtienen de ella: gozo, paz, sanidad, prosperidad. A consecuencia de esto, invitamos a la gente a una relación con Jesús sin mencionar la *missio Dei*, con la esperanza de tocar el tema más tarde... Pero Jesús indujo a la gente a una misión del reino desde un comienzo[411].

IMPLICACIONES DE NUESTRA FORMA DE ENTENDER EL EVANGELIO

El evangelio que se predica en nuestras congregaciones marca una gran diferencia en el tipo de personas en que se convierten nuestros miembros. Específicamente, la comprensión del evangelio de los feligreses afecta su visión de tres ámbitos cruciales para vivir como *tsaddiqim*: santificación, evangelización y misión. Es por ello que resulta clave que los líderes misionales prediquen el "gran" evangelio del reino.

Santificación. El gran evangelio nos ayuda a entender que la santificación es un asunto de conformidad no solo con el carácter de Cristo, sino también con sus pasiones y su identidad. Los líderes misionales desde luego deberían estar prestos a afirmar que es absolutamente esencial buscar la conformidad con el carácter santo de Jesús. La moralidad personal y el crecimiento en el fruto del Espíritu es una parte crucial de la justicia, pero también está incompleta. Llegar a ser como Jesús también significa verse a

411 *Ibíd.*, p. 198.

uno mismo como él se vio a sí mismo, como "enviado", y apasionarse por las cosas que a él lo apasionan. Veamos brevemente cada una.

A Jesús lo apasiona la justicia y la *shalom*. Lo vemos cuando vuelca las mesas de los codiciosos cambistas en el templo (Jn 2:14-16), cuando llama a los fariseos a cuentas por sus prácticas injustas (Mr 7:9-13) y cuando llega deliberadamente a aquellos que han sido marginados por la sociedad: los pobres, los discapacitados, los leprosos. A Jesús también lo apasiona la reconciliación entre las distintas personas. Él traspasa barreras de género, étnicas y religiosas para ministrar a la mujer samaritana junto al pozo (Jn 4) y los diez leprosos de Lucas 17. La unidad es también un valor fundamental para Jesús; considera, por ejemplo, su ferviente oración en Juan 17. Y al igual que su Padre, a Jesús lo apasionan los pobres, los vulnerables, los enfermos y los extranjeros. Volverse como él es apropiarse de todas estas pasiones.

Además, la santificación genuina significa que nos identificamos intencionalmente con la *identidad* de Jesús. Escucha nuevamente Juan 20:21: "Como el Padre me envió a mí, así yo los envío a ustedes". La santificación significa profundizar cada vez más en nuestra identidad como enviados: aquellos a quienes Dios ha designado para llevar fruto, como dijo Jesús (Jn 15:16). No solo los misioneros de nuestras congregaciones son enviados; *todos* somos enviados.

Para enseñar este punto, los líderes misionales quizá quieran considerar el uso de un ejercicio de llamado de atención del misionero Darrow Miller. Miller observa lo precioso que es Juan 3:16 para muchos cristianos ("Porque tanto amó Dios al mundo, que dio a su Hijo unigénito, para que todo el que cree en él no se pierda, sino que tenga vida eterna"). En algunas iglesias evangélicas, señala Miller, para ayudar a los que aún no son cristianos a entender el asombroso significado de este gran amor y a personalizarlo, los evangelistas instan a las personas a insertar su propio nombre en el verso en lugar de "el mundo". En consecuencia, Juan 3:16 ahora dice: "Porque tanto amó Dios a [Nombre], que dio a su Hijo unigénito, para que yo no me pierda, sino que tenga vida eterna".

Reconociendo la validez de lo anterior, Miller luego sugiere que los seguidores de Cristo se tomen otra libertad con el texto que lo vincula con Juan 20:21. Esto ayuda a entender mejor nuestra propia calidad de enviados. Él sugiero que personalicemos Juan 3:16 para que diga: "Porque tanto amó Dios al mundo, que me envió a mí al mundo"[412].

Ahora bien, es preciso enfatizar de inmediato que la calidad de enviado de Jesús es absolutamente única. Solo él es el Mesías y el único verdadero redentor de Dios. Pero como deja claro Juan 20:21, el propósito de Dios es que los creyentes sigan a su Hijo al mundo como siervos sacrificiales. Dios muestra su amor por los perdidos y especialmente a través de su Hijo *y* a través de todos sus hijos que procuran, con el poder de su Espíritu Santo, ser sus manos y sus pies en el servicio compasivo. Dios y Jesús nos han enviado a *nosotros* al mundo[413]. La santificación significa seguir a Jesús en tanto que él nos envía a cada lugar y a cada esfera social, entregándonos a la obra de restauración de todas las cosas.

Evangelización. La forma en que entendemos el evangelio también configura nuestro enfoque a la evangelización. Nuestra presentación incluirá las buenas nuevas vitales de justificación personal por fe en la sangre expiatoria de Cristo. Pero también hablaremos del poder de Jesús para redimir *todas* nuestras relaciones fundamentales (con Dios, con uno mismo, con los demás y con la tierra). Además, nuestra presentación del evangelio se regocijará en la victoria de Jesús sobre el castigo del pecado como *también* sobre la corrupción del pecado. Compartiremos las buenas nuevas de que a través de la obra redentora de Jesús podemos ser limpiados *y* sanados. Celebraremos la buena noticia de que él nos está haciendo nuevas criaturas y *también* que él promete la restauración de todas las cosas.

El evangelio del reino también debería remodelar el lenguaje que usamos en la evangelización. Comúnmente se entrena a los cristianos para que animen a los oyentes a "pedirle a Jesús que entre en su corazón". Sin embargo, esto no refleja el lenguaje que usó el propio Jesús. Su invitación evangelística era: "Vengan, entren en mi reino". Por lo tanto, los evangelistas del evangelio del reino deberían animar a los oyentes a responder a la

412 Darrow L. Miller, *Servanthood: The Calling of Every Christian* (Phoenix: Disciple Nations Alliance, 2009), p. 95.

413 Michael Frost y Alan Hirsch enfatizan que nuestra calidad de enviados está ligada a nuestra calidad de discípulos de Jesús: "Jesús nos define completamente... Nuestra conexión con la Trinidad es a través de la Segunda Persona. Esto tiene muchas implicaciones, pero en primer lugar significa que nunca podemos escapar del hecho de que somos discípulos y por tanto personas directamente conectadas con los propósitos mesiánicos en el mundo". *The Shaping of Things to Come* (Peabody, Mass.: Hendrickson, 2003), p. 113.

invitación de Jesús a venir y unirse a su corazón. La comunión íntima con Jesús acontece cuando vamos a él. El teólogo alemán Dietrich Bonhoeffer lo expresa de esta forma: "El asunto no es que Dios observe y comparta nuestra presente existencia, por importante que esto sea, sino más bien que nosotros seamos los oidores reverentes y participantes en la actuación de Dios en la historia sagrada, la historia de Cristo en la tierra. *Y solo en la medida que nosotros estemos ahí, Dios también está hoy con nosotros*"[414].

El evangelio del reino también nos conduce a invertir más pensamiento y energía en la obra misional de *encarnar y demostrar* el corazón de Dios en el mundo. Reconocemos que nuestras vidas así como nuestras palabras son mensajeras de Dios para el mundo expectante. Esto es lo que aprendió una iglesia de California al estudiar y meditar durante tres años sobre Lucas 10 y Mateo 10, acerca de que Jesús envía a sus discípulos. El pastor Ryan Bell escribe:

> Hemos aprendido acerca de nuestra necesidad de convertirnos de continuo al evangelio. El evangelio que Jesús dio a los discípulos para que lo compartieran, registrado en Mateo 10, poco a poco ha sido reemplazado por un evangelio incorpóreo, abstracto, acerca de ir al cielo después de morir. Pero observemos que en Mateo 10 Jesús no comisiona a los discípulos con nada similar a un evangelio de "ir al cielo". Él dice: "Prediquen este mensaje: 'El reino de los cielos está cerca'" (Mt 10:7). Si algo podemos decir de este evangelio es que se trata de que el cielo viene a la tierra, no de que nosotros vamos al cielo. Es obvio, además, que este evangelio se trata más de demostración que de presentación. Jesús efectivamente les dice que "prediquen" las buenas nuevas. ¿Pero cómo? "Sanen a los enfermos, resuciten a los muertos, limpien de su enfermedad a los que tienen lepra, expulsen a los demonios" (Mt 10:8). Hemos descubierto que para ser testigos de Dios necesitamos re-convertirnos al evangelio del reino "cercano" de Dios[415].

---

414 Dietrich Bonhoeffer, *Life Together: The Classic Exploration of Faith in Community* (New York: HarperCollins, 1954), pp. 43-44, énfasis añadido. (Versión en español: *Vida en comunidad*).

415 Ryan Bell, "Witnessing to God's Reign", *Spectrum*, 4 de agosto de 2008 <www.spectrummagazine.org/print/845>.

Misión. Nuestra comprensión del evangelio también influye en nuestra visión de la misión. Como ya hemos visto, el evangelio del reino enfatiza el llamado fundamental para la iglesia a unirse al Rey Jesús en su misión de ofrecer anticipos de justicia y *shalom*. Esto configura la comprensión de la misión de la iglesia en el mundo en cuatro formas adicionales.

Primero, el evangelio del reino ilumina las tres principales prioridades misionales de nuestro Señor. Como expresa en su discurso inaugural en Lucas 4, estas son la evangelización, la compasión y la justicia.

Segundo, el evangelio del reino nos conduce al ministerio holístico, a abordar las necesidades espirituales y materiales de las personas. Lo hace dirigiendo nuestra atención no solo hacia la muerte de Jesús, sino también a su vida. Un estudio atento de la vida de Jesús revela que él no trató a las personas como almas sin cuerpo. Su ministerio de sanidad era importante. Cuando envió a sus discípulos, fue para la tarea de la evangelización *y también* la tarea de sanidad (Mr 3:14-15; Lc 9:1-2).

Tercero, el evangelio del reino configura la misión pues nos incentiva a pensar acerca del mal de un modo más "cósmico" que como lo hace el evangelio demasiado estrecho. Este último se enfoca en el pecado individual y en la redención personal. El evangelio del reino se enfoca en ello *además* de los abarcadores estragos de la maldición cósmica. No solo proclama la redención de los pecadores individuales sino también la destrucción de la obra del diablo y la restauración de todas las cosas[416]. Por lo tanto, la gente del reino busca el poder de Jesús para "atar al hombre fuerte" y "saquear su casa" (Mr 3:27). Ellos reconocen que la misión implica hacer retroceder la maldición, combatir el mal y la injusticia[417].

Finalmente, el evangelio del reino configura la dirección de nuestra misión. Al enfocarnos en la vida y el ministerio de Jesús como nuestro modelo, logramos ver que si bien él amó a todas las personas, sus pasos tendían a llevarle hasta los pobres. En esto Jesús simplemente está siguiendo los pasos de su Padre. La Biblia enseña que Dios "no actúa con parcialidad" (Dt 10:17). Pero también dibuja una imagen muy coherente de Dios actuando

---

416 El apóstol Juan escribió: "El Hijo de Dios fue enviado precisamente para destruir las obras del diablo" (1Jn 3:8).

417 Jesús encargó tal labor a los discípulos originales: "Habiendo reunido a los doce, Jesús les dio poder y autoridad para expulsar a todos los demonios y para sanar enfermedades. Entonces los envió a predicar el reino de Dios y a sanar a los enfermos" (Lc 9:1-2).

enérgicamente a favor de los pobres, los huérfanos, la viuda y el extranjero; él manifiesta regularmente una preocupación especial por ellos. Lo mismo debería hacer nuestra obra misionera.

LA *MISSIO DEI*: NOSOTROS TENEMOS UN ROL

El gran evangelio presentado a través de herramientas como los Cuatro Círculos de James Choung sitúa la *missio Dei*, la misión de Dios, en el centro de atención. Vemos que Dios está actuando, realizando su obra de restaurar todas las cosas. Tal visión debería suscitar nuestro asombro y adoración: ¡qué maravilloso salvador es nuestro Dios, quien está conquistando todo el mal y llevando a cabo la obra de recrear el paraíso! Pero también debería suscitar otra reacción; a saber, debería impulsarnos a una sorprendida aceptación, humilde pero confiada, de nuestro propio rol personal en la construcción del reino.

Los misioneros australianos Michael Frost y Alan Hirsch expresan este punto de un modo tan potente en su libro *The Shaping of Things to Come* que vale la pena citarlos extensamente:

> Los protestantes generalmente hemos luchado por afirmar nuestro lugar en el plan de redención de Dios por temor a desarrollar una salvación por obras. En nuestro esfuerzo por asegurar que la soberanía de Dios permanezca incólume, hemos tendido a quitarle importancia al rol vital que Dios ha establecido para la humanidad en la redención del mundo. Hemos tendido a hacer una fórmula de "todo es de Dios" y "no somos nada". Esto no solo es altamente cuestionable desde el punto de vista teológico, con su carga de odio dualista a uno mismo, sino que no necesariamente le ha dado alguna gloria a Dios. De hecho, en realidad puede que haya servido para aminorar el enorme precio de la inversión que él ha hecho en la libertad humana y el inmenso valor de su imagen que él ha puesto en el ser humano…
>
> Somos socios con Dios en la redención del mundo. *Esto no es solo un asunto de teología o espiritualidad, sino de una misionología que trae una completa reorientación. Esta le proveerá al pueblo de Dios un nuevo sentido de propósito, una conexión divina con las acciones coti-*

dianas. Necesitamos entender el hecho de que en la economía de Dios nuestras acciones sí tienen un impacto eterno. Efectivamente extendemos el reino de Dios en los asuntos y actividades diarios que se hacen en el nombre de Jesús. Vivimos en un mundo no redimido. Pero de cada vida humana entregada a Dios y comprometida con su creación cae al mundo una semilla de redención, ¡y la cosecha es de Dios![418]

Como dijo N. T. Wright, los cristianos "no solo deben ser una señal y un anticipo de la salvación última: *deben ser parte de los medios por los cuales Dios hace que esto ocurra tanto en el presente como en el futuro*"[419].

El plan de Dios es traer *shalom* a este mundo deshecho, pero quiere hacerlo asociado con nosotros. Esto puede sonar absolutamente impactante para los que estamos profundamente educados en las realidades de nuestro propio pecado. Yo asisto a una iglesia donde confesamos nuestro pecado cada domingo. Esto es correcto, pero puede correr el riesgo de comunicar a los creyentes que la historia cristiana comenzó en Génesis 3 y no en Génesis 1. Fuimos creados con gloria original; todos los seres humanos poseen la dignidad de estar hechos a imagen de Dios mismo. El pecado ha arruinado enormemente esa imagen pero no la ha borrado.

Además, a través del Nuevo Testamento a los creyentes redimidos por Jesús se les llama santos. Una comprensión adecuada de nosotros mismos (en la nueva creación) es que somos santos que pecan. Como le gustaba decir a un antiguo pastor mío, somos varas torcidas, pero Dios puede dar golpes rectos a través de nosotros. Si solo nos consideramos gusanos inútiles que pecan constantemente y nada tienen que ofrecer, no creeremos que seamos capaces de cumplir nuestro llamado como colaboradores de Dios que han sido creados por él para buenas obras (Ef 2:10).

Ahora bien, Dios no nos *necesita*; eso que quede claro. Él es omnipotente. Si él nos ve como socios no es porque tenga alguna carencia. No, somos sus socios porque él ha decidido actuar con nosotros. Somos sus socios debido a su invitación. Así es sencillamente como el sapientísimo Creador del universo ha determinado que sea[420].

---

418 Frost y Hirsch, *The Shaping of Things*, p. 115, énfasis añadido.

419 N. T. Wright, *Surprised by Hope: Rethinking Heaven, the Resurrection, and the Mission of the Church* (Nueva York: HarperOne, 2008), p. 200, énfasis añadido.

420 "En el Talmud hay un acertijo que dice: 'Si Dios pretendía que el hombre viviera del pan, ¿por qué no creó un árbol de pan?'... La respuesta es que, de hecho, Dios...

Mientras tanto, si bien tenemos este llamado de unirnos a él en su obra del reino, somos absolutamente incapaces de hacerlo sin una total dependencia de él. Así que Dios aún recibe toda la gloria. En vano trabajan los obreros si él no edifica la casa. Solo hacemos las "obras mayores" que predijo Jesús en Juan 14 si permanecemos en la vid. "Separados de mí", nos advierte él, "no pueden ustedes hacer nada" (Jn 15:5). Afirmar la extraña y maravillosa asociación que Dios ha planificado entre él y nosotros, frágiles humanos, para llevar a cabo su obra en el mundo no disminuye su gloria; más bien la acentúa, pues cuán amoroso es nuestro Padre al invitarnos a semejante colaboración.

La historia de la vida cristiana que se cuenta en el evangelio demasiado estrecho no captura esta asombrosa realidad y privilegio de que nosotros, pecadores salvados, seamos parte del plan de Dios para sanar el mundo. El evangelio demasiado estrecho nos dice *de* qué hemos sido salvados: el pecado, el infierno, la muerte. Y esa es una muy buena noticia, en efecto. Pero el evangelio del reino nos dice no solo de qué hemos sido salvados, sino también *para* qué hemos sido salvados. Tenemos un propósito, un llamamiento sagrado, una vocación divina: asociarnos con Dios en su obra de restaurar todas las cosas.

¿Qué podría ser más estimulante que eso?

---

prefiere ofrecernos el grano e invitarnos a comprar un campo y sembrar la semilla. Él prefiere que cultivemos la tierra mientras él envía la lluvia. Él prefiere que cosechemos el cultivo mientras él envía los días de sol… ¿Por qué? Porque él prefiere que participemos con él en la creación. Desde luego, Dios simplemente podría suplir nuestras necesidades diarias y resolver todos nuestros problemas. Pero nuestro Dios nos invita a una asociación creativa con él. Él provee la tierra, el aire, el agua, el sol, y nuestra fuerza, y luego nos pide que trabajemos con él". Frost y Hirsch, *The Shaping of Things*, p. 159.

PARTE 2

Discipulado para la mayordomía vocacional

5

Integración de la fe y el trabajo

EL *STATU QUO* ES INADECUADO

En nada ha perdido tanto la iglesia su percepción de la realidad como en su incapacidad de entender y respetar la vocación secular.

Dorothy Sayers

En los próximos capítulos, encontraremos arquitectos, ingenieros, empresarios, historiadores, artistas, fotógrafos, químicos, bailarines, agentes comerciales, abogados y corredores de propiedades cristianos. Sus historias de mayordomía vocacional son emocionantes e iluminadoras. No obstante, a menudo ellos comenzaron con una triste nota. Muchos de estos seguidores de Cristo no recibieron casi ninguna enseñanza en sus iglesias sobre cómo integrar su fe y su trabajo. En consecuencia, muchos de ellos al comienzo de su vida cristiana se preguntaban si su compromiso con Jesús significaba que debían dejar su profesión "secular" para tomar un "ministerio cristiano a tiempo completo".

Sus historias —y los tres años de investigación que sustentan este libro— me han convencido de que hoy miles de profesionales cristianos se sientan en los bancos de la iglesia preguntándose *¿puedo* yo *participar en la misión de Jesús, y hacerlo usando los dones y habilidades que Dios me ha dado?* La respuesta es un sí rotundo; pero trágicamente esa palabra es inusual en muchas congregaciones cristianas[421].

421 Doug Sherman y William Hendricks, *Your Work Matters to God* (Colorado Springs: NavPress, 1987), p. 16. La organización de Sherman encuestó a dos mil cristianos.

David Miller, quien dirige la Iniciativa Fe y Trabajo en la Universidad de Princeton, ha realizado años de investigación sobre esta materia. Él señala:

> La Iglesia generalmente rehúye el tema [del trabajo], y nuestras escuelas y seminarios de teología no lo hacen mejor. *Menos del 10 por ciento de los que asisten a la iglesia pueden recordar la última vez que su pastor predicó sobre el tema del trabajo, según las encuestas.* Cuando él o ella predicó acerca del trabajo, el tono inevitablemente era crítico —si no hostil— y retrataba a toda la gente de negocios como codiciosos e insensibles. Rara vez los pastores honran el mundo del trabajo como un lugar donde los miembros pueden vivir su elevado llamamiento. Ya seas una secretaria o un director ejecutivo, las personas en los bancos de la iglesia rara vez escucharán decir desde el púlpito que Dios tiene un plan que incluye nuestro trabajo y que nuestra fe puede influenciar nuestra forma de abordar nuestro trabajo[422].

Además, los periódicos dirigidos principalmente a los ministros y líderes de la iglesia no suelen cubrir asuntos de integración de fe y trabajo. Mis asistentes de investigación y yo recopilamos varios años de ediciones anteriores de *Leadership Journal*, *The Christian Century*, y *Discipleship Journal* en busca de tales artículos. Las búsquedas por palabras clave en línea arrojó 152 coincidencias de la palabra "vocación" en *Leadership Journal*, pero más del 95 por ciento eran acerca de la vocación pastoral. Al buscar "vocación" en *The Christian Century* solo encontramos nueve resultados, y tres de ellos tenían relación con el llamado pastoral. *Discipleship Journal* nos entregó cuarenta y una coincidencias, pero solo una tenía que ver con la integración de la fe y el trabajo de los laicos.

Si bien muchos cristianos no están recibiendo ayuda de sus iglesias, puede que estén escuchando acerca de la integración de fe y trabajo de fuentes

---

El noventa por ciento *nunca* había escuchado un sermón que relacionara principios bíblicos con su vida laboral.

422 Nancy Lovell, "An Interview with David Miller," Faith In The Workplace.com <www.christianitytoday.com/workplace/articles/interviews/davidmiller.html>, énfasis añadido.

para-eclesiásticas. Se han escrito cientos de libros sobre este tema[423]. También hay muchos ministerios relativos al mundo laboral disponibles para que los empresarios cristianos se integren. Según Steven Rundell y C. Neal Johnson, de Calvin College, "se estima que hoy existen al menos 1.200 organizaciones que promueven, de diversas formas, la integración de la fe y el trabajo, sin mencionar las decenas de eventos que se celebran anualmente alrededor del mundo para incentivar a los empresarios a 'llevar su fe al trabajo'"[424].

Y otros creyentes participan en una sociedad profesional cristiana. Existen alrededor de cuarenta de estas asociaciones[425]. Estas varían desde la Afiliación de Geólogos cristianos a la Sociedad Veterinaria Cristiana. Los artistas, actores, chefs, doctores, dentistas, economistas, guardabosques, periodistas, bibliotecarios, enfermeras, farmaceutas, cientistas políticos, sociólogos —y otros— cristianos, todos ellos tienen fraternidades profesionales a su disposición.

En suma, aunque los cristianos no están escuchando mucho acerca de cómo integrar fe y trabajo en la iglesia, existe una significativa cantidad de recursos y organizaciones en la comunidad cristiana más amplia a los que pueden acudir. Para discipular adecuadamente a sus miembros en la mayordomía vocacional, los líderes de las congregaciones tienen que entender lo que sus miembros pudieran haber aprendido de estas fuentes acerca de la integración de la fe y el trabajo.

PENSAMIENTO CRISTIANO SOBRE LA INTEGRACIÓN DE LA FE Y EL TRABAJO

El libro del erudito David Miller sobre la historia del movimiento Fe en el Trabajo comienza observando: "Esta moderna búsqueda de la integración

---

423 Pete Hammond, R. Paul Stevens y Todd Svanoe, ed., *The Marketplace Annotated Bibliography: A Christian Guide to Books on Work, Business, and Vocation* (Downers Grove, Ill.: InterVarsity Press, 2002). Esta extensa revisión de literatura incluye varios cientos de libros, pero un número significativo de ellos no aborda específicamente la cuestión de la integración de fe y trabajo.

424 Seminarios sobre academia cristiana, "Business as Ministry: Exploring the Issues, Patterns, and Challenges," Calvin College, 16-17 de Julio de 2007 <www.calvin.edu/scs/2007/seminars/business>.

425 La Fellowship of Christian Graduate Students enumera treinta y ocho de estas asociaciones profesionales en su sitio web. Ver <www.bgsu.edu/studentlife/organizations/fcgs/christprof.html>.

tiene antiguas raíces teológicas"[426]. A lo largo de la historia cristiana, explica Miller, los fieles han reflexionado sobre la cuestión de cómo expresar su fe en y a través de sus labores. Los teólogos de la Reforma, por ejemplo, estaban profundamente interesados en la "vocación en la vida y el trabajo diarios"[427].

Miller se enfoca en la historia más reciente y examina tres olas del movimiento Fe en el Trabajo (FAW en inglés): la era del evangelio social (c. 1890-1945), la era del ministerio laico (c. 1946-1980), y la era moderna de FAW (1980 al presente). Él analiza los actores, organizaciones, sucesos e ideas de cada ola. Hacia el cierre de su libro, Miller describe los principales temas en el movimiento y los distribuye en cuatro principales categorías o cuadrantes: ética, evangelización, enriquecimiento y experiencia. A continuación analizamos cada una de estas formas de expresar la fe a través del trabajo.

Cuadrante uno: Ética. Las personas y organizaciones en el cuadrante de la ética fundamentalmente han integrado la fe en el trabajo "poniendo atención a la virtud personal, la ética de los negocios, y a cuestiones más amplias de justicia social y económica", explica Miller[428]. Las actividades en este cuadrante son variadas, desde seminarios de ética a fraternidades empresariales cristianas que brindan a sus miembros la oportunidad de discutir dilemas morales y rendir cuentas unos a otros. Los cristianos en este cuadrante se preocupan por equilibrar adecuadamente las exigencias del trabajo y la familia. Ellos desean adquirir sabiduría para lidiar con las tentaciones del éxito secular así como las actividades sociales inmorales permitidas o incluso incentivadas dentro de las organizaciones que les dan empleo. Los asuntos aquí afrontados podrían incluir el hacer trampa en los informes de gastos, poner los intereses corporativos por encima de las relaciones humanas, o manejar los daños que causan en el matrimonio los largos periodos de viajes de negocios.

Por lo general, las discusiones sobre ética se limitan a la moralidad personal. Sin embargo, unos pocos miembros de este cuadrante sí van más allá de esto a asuntos relacionados con la "justicia social". Como explica Miller:

---

426 David W. Miller, *God at Work: The History and Promise of the Faith at Work Movement* (Nueva York: Oxford University Press, 2007), p. 6.

427 *Ibíd.*, p. 5. El libro de Douglas J. Schuurman *Vocation: Discerning Our Callings in Life* (Grand Rapids: Eerdmans, 2004), ofrece un accessible resumen del pensamiento de Lutero y Calvino.

428 *Ibíd.*, p. 129.

Otros participantes de FAW en la categoría ética, si bien no son indiferentes a la ética personal, se enfocan más en la ética de los negocios y temas que afectan el nivel medio más amplio de la corporación. Los participantes en FAW con este acento abordan cuestiones tales como selección de producto, calidad, seguridad, denuncia de irregularidades, lealtad, y publicidad. Otros se enfocan en cuestiones éticas "macro" que incluyen la responsabilidad corporativa con la sociedad en general y la justicia económica en lo que concierne a todos los que tienen intereses en la empresa y otros. Entre los asuntos empresariales típicos que abordan los grupos de orientación ética macro están los análisis ambientales de la manufactura y las decisiones en torno al producto, las condiciones laborales y los salarios en el extranjero, y la compensación a los ejecutivos[429].

Cuadrante dos: Evangelización. Como sugiere la denominación, las personas de fe de este cuadrante están interesadas fundamentalmente en integrar su fe y su trabajo a través de esfuerzos evangelísticos. Esto incluye el cultivo de la amistad con colegas de otras creencias (o ninguna); organizar estudios bíblicos en el trabajo; albergar eventos o conferencias que ofrezcan plataformas para que los creyentes compartan sus testimonios con los no creyentes dentro de sus organizaciones; o proveer consejeros espirituales o capellanes en la empresa. La Full Gospel Businessmen's Fellowship International y la Fellowship of Companies for Christ International son dos de los principales grupos en el cuadrante de la evangelización. Miller también pone en esta categoría al Center for FaithWalk Leadership, y también a Priority Associates (una división de Campus Crusade)[430].

Los esfuerzos y actividades de los grupos de este cuadrante han rendido mucho fruto. Según Os Hillman, director de la organización no lucrativa con base en Atlanta Marketplace Leaders, "ahora Estados Unidos alberga 10.000 grupos de estudio bíblico y oración en el trabajo, con nuevas iniciativas que están comenzando en compañías tales como Sears, Coca-Cola y American Airlines"[431].

---

429 *Ibíd.*, p. 131, énfasis añadido.
430 *Ibíd.*, p. 192, n. 18.
431 Ken Walker, "It's Time for Marketplace Ministry", *Charisma*, 31 de mayo de 2003 <www.charismamag.com/index.php/features2/234-unorganized/7624-its-time-formarketplace-ministry>.

Cuadrante tres: Enriquecimiento. El tercer tema en el movimiento FAW es la transformación personal y el crecimiento espiritual. Aquí las organizaciones (que, según observa Miller, suelen ser híbridos religiosos como "budistas cristianos" o Nueva Era) quieren que la experiencia de trabajo del individuo sea un medio de autorrealización y transformación. Están interesadas en la sanidad, la oración, la meditación, prácticas terapéuticas y contemplativas para apoyar a los trabajadores. Tales prácticas pueden ayudar a los trabajadores desmotivados o desvinculados, o pueden traer un nuevo nivel de paz a los ejecutivos corporativos extremadamente estresados. Maximizar el potencial propio es también un importante foco en este cuadrante.

Cuadrante cuatro: Experiencia. Este cuadrante está compuesto por los grupos de FAW que analizan cuestiones de "vocación, llamado, sentido y propósito en y a través de sus profesiones en el mundo laboral". Es importante que para este grupo, el trabajo "tiene sentido y propósito tanto intrínseco como extrínseco. Es decir, el trabajo específico que alguien realiza tiene valor teológico por mérito propio", dice Miller[432]. Los cristianos en este cuadrante lamentan la postura común de que en cierta forma el trabajo secular es de "segunda clase" o que solo a través de una "carrera ministerial" (como ser pastor o misionero) una persona puede vivir su fe. Estas organizaciones proveen consejería, libros y conferencias para ayudar a las personas a descubrir su llamado y a acomodar sus dones naturales y espirituales a carreras en las que esos talentos sean empleados adecuadamente.

EL MODELO INTEGRADOR EN TODO ÁMBITO

Miller afirma acertadamente las fortalezas de cada cuadrante a la vez que asevera que el enfoque más saludable es el que combina todos estos temas. Él encontró algunos ejemplos de grupos de FAW que encarnaban este modelo "Integrador en Todo Ámbito", entre ellos el Laity Lodge Leadership Forum y Campus Crusade's CEO Forum[433]. Estos escasos grupos se toman en serio todos los temas planteados en los cuatro cuadrantes.

El modelo Integrador en Todo Ámbito de Miller llega muy cerca del concepto de mayordomía vocacional para el bien común. Toma en serio las tres dimensiones de la justicia (vertical, interna y social). El mundo

432 Miller, *God at Work*, p. 135.
433 *Ibíd.*, p. 139.

evangélico podría formar a más creyentes que actúen como *tsaddiqim* en y a través de sus profesiones si sus ministerios empresariales, sociedades profesionales, y libros sobre integración de fe y trabajo ayudaran a llevar a las personas lo máximo posible hacia el modelo Integrador en Todo Ámbito que describe Miller. ¿Qué tan bien lo estamos haciendo?

MINISTERIOS LABORALES

Para responder esta pregunta, con mis asistentes de investigación examinamos la visión y las actividades de quince "ministerios laborales" evangélicos[434]. Concluimos que la mayoría se ajusta al cuadrante uno (ética) de Miller o al dos (evangelización). Doce de los quince grupos estaban enfocados principalmente en ganar personas para Cristo en el trabajo a través de estudios bíblicos, evangelización y oración, y/o alentando a sus miembros a ser buenos testigos. Estos ministerios tienden a ofrecer grupos pequeños, conferencias, eventos y encuentros en los cuales se comparten testimonios y se ofrece oración y consejo. Promueven el discipulado y la evangelización personales.

La misión de Fellowship of Companies for Christ International (FCCI), por ejemplo, dice: "En la búsqueda de los objetivos eternos de Cristo, nosotros capacitamos e incentivamos a los líderes empresariales a operar sus negocios y llevar su vida personal conforme a los principios bíblicos"[435]. Los principales objetivos de FCCI son facilitar la comunión entre los empresarios cristianos y "prepararlos mejor para que aborden las situaciones diarias de sus negocios de un modo que glorifique a Cristo en espíritu y en verdad"[436].

---

434 Estos quince fueron Blackaby Ministries International—Marketplace Ministries, Fellowship of Companies for Christ International, Kingdom Companies, Breakthrough Fellowship, Businessmen's Fellowship USA, International Fellowship of Christian Businessmen, Christians in Commerce, His Church at Work, C12 Group, Christian Businessmen Connection, Kiros, Life Chasers, Marketplace Network/Made to Matter, International Christian Chamber of Commerce, y Needle's Eye Ministries.

435 Fellowship of Companies for Christ International, "Visión y Misión" <www.fcci-online.org/about-us/vision-mission>.

436 *Ibíd.* Breakthrough Fellowship, la International Fellowship of Christian Businessmen y Christian Businessmen Connection también afirman como sus principales objetivos la evangelización y el discipulado personal. Businessmen's Fellowship USA incentiva a los empresarios a compartir a Cristo en su lugar de trabajo y ofrece una variedad de eventos donde los cristianos pueden contar sus testimonies públicamente. Todos

Además del énfasis en la moralidad personal, comunión/aliento y evangelización, algunas de las organizaciones que analizamos mostraban elementos del cuadrante tres (enriquecimiento). Estos grupos incentivan a los trabajadores a depender en forma práctica y a diario del Espíritu Santo en el interior para que potencie su labor. Ellos ofrecen un programa de estudio bíblico y pautas devocionales e incentivan a los cristianos en los negocios a formar grupos de oración. El estudio bíblico mensual de Henry Blackaby, "Dios en el trabajo", por ejemplo, "se enfoca en ayudar a las personas a aprender a caminar en forma práctica en una relación real y personal con Dios en su lugar de trabajo"[437]. Este ministerio también ofrece cursos en línea que ayudan a las personas a crecer espiritualmente y a reconocer la presencia de Dios en su vida diaria.

Ninguno de los ministerios laborales que analizamos se ajusta al cuadrante cuatro (experiencia), donde el trabajo *en sí mismo* es valorado y profundamente contemplado. Y ninguno reflejaba el modelo Integrador en Todo Ámbito.

Este desequilibrio probablemente explica por qué Michael Lindsay, al entrevistar a más de cien líderes empresariales evangélicos para su libro *Faith in the Halls of Power*, descubrió que pocos poseían una visión y práctica *avanzadas* de la integración de la fe y el trabajo[438]. Esta gente de negocios no está recibiendo un discipulado adecuado en sus iglesias, y muchos que

estos grupos tienden a limitar su atención a asuntos éticos a aquellos que atañen a la conducta individual, en oposición a los asuntos éticos del nivel medio y macro que describe Miller.

437 Ver la página web Marketplace Ministries, de Blackaby, para las fechas de estudios bíblicos actuales <www.blackaby.org/resources/bible_study>.

438 D. Michael Lindsay encontró que estos líderes empresariales estaban fuertemente comprometidos con la ética personal y que muchos patrocinaban estudios bíblicos en el trabajo o contrataban capellanes corporativos. Él también conoció a líderes empresariales que expresaban su preocupación por cuidar la presentación pública de su compañía. Algunos ejecutivos corporativos que entrevistó observaron que una forma en que su fe configuraba su trabajo tenía relación con sus decisiones acerca de los portavoces de la compañía. Ellos trabajaban para asegurar que tales portavoces, incluyendo celebridades, compartieran los valores de la fe que sostenían los ejecutivos evangélicos. La directora ejecutiva de Jockey, Debra Waller decidió que en la publicidad de la compañía de ropa interior que mostrara tanto a hombres como mujeres, los actores y actrices usarían anillo de matrimonio. De esta forma, Waller "vinculaba públicamente la fe evangélica con la toma de decisiones corporativa". *Faith in the Halls of Power: How Evangelicals Joined the American Elite* (Nueva York: Oxford University Press, 2008), p. 179.

participan en ministerios laborales tampoco están siendo impulsados a ir creativamente muy lejos.

Quiero apresurarme a decir que los ministerios laborales han desempeñado un importante y valioso rol en el reino. Ellos han fortalecido el discipulado de los creyentes en medio de la selva del lugar de trabajo moderno. Han ayudado a los ejecutivos honestos a seguir adelante frente a tentaciones personales y corporativas muy difíciles. Han contribuido a la estabilidad marital y han ayudado a los ejecutivos cristianos a evitar convertir su carrera en un ídolo. Y han presentado a Jesús a los no cristianos en el trabajo de formas encantadoras, amistosas y relevantes. Todo esto es muy bueno y loable. Es solo que hay espacio para una integración de fe y trabajo más profunda, rica y creativa[439].

SOCIEDADES PROFESIONALES CRISTIANAS

¿Qué hay con los trabajadores evangélicos fuera de la comunidad empresarial? ¿Qué tan robusta y creativa es su integración de fe y trabajo? Para comenzar a abordar esta pregunta, con mi equipo analizamos la visión, la misión y los programas de veintitrés sociedades profesionales cristianas[440]. Descubrimos que la mayoría de las asociaciones estaban más enfocadas al interior que al exterior. Es decir, sus principales objetivos tenían que ver con el apoyo a los miembros, comunión y aprendizaje entre pares.

Alrededor de la mitad de las sociedades profesionales tenían un enfoque significativo en la evangelización. No muchas tenían un enfoque explícito en la ética. Aparentemente, más que dilemas éticos, lo que enfrentaban

439 El movimiento Negocios como Misión (BAM en inglés) ofrece esperanza para una integración más robusta de fe y trabajo que promueva anticipos del reino. Los lectores que quieran saber más acerca de este importante y alentador desarrollo pueden leer una mirada general de BAM en <www.vocationalstewardship.org>.

440 Las veintitrés eran: Christian Engineering Society, Christian Dance Fellowship, Christian Educators Association International, Christian Medical and Dental Associations, Affiliation of Christian Geologists, Artisan, Gegrapha, Christians in the Visual Arts, Christian Legal Society, Association of Christian Economists, Christians in Political Science, American Scientific Affiliation, Christian Pharmacists Fellowship International, Association of Christians in the Mathematical Sciences, Association of Christian Librarians, Christian Sociology Society, Christian Association for Psychological Studies, Christian Veterinary Mission, Christians in the Theater Arts, Affiliation of Christian Biologists, North American Association of Christians in Social Work, Christian Foresters Fellowship, y Nurses Christian Fellowship.

sus miembros eran desafíos intelectuales a su fe. En varios de los grupos, gran parte de la discusión se enfocaba en entender la disciplina profesional desde una cosmovisión bíblica. El objetivo principal de la Asociación para Cristianos en las Ciencias Matemáticas (ACMS en inglés), por ejemplo, es ayudar a los miembros a "explorar la relación de su fe con su disciplina"[441]. Esto se realiza mediante conferencias y un periódico.

ACMS y otros grupos académicos buscan primordialmente ser un apoyo y formar redes con asociaciones con particular énfasis en el aprendizaje entre pares y la discusión de asuntos relativos a la disciplina. La Sociedad Cristiana de Neurociencias, por ejemplo, se describe a sí misma como "un grupo de cristianos interesados en promover el diálogo entre las neurociencias y la verdad de la fe cristiana"[442].

Un número menor de las asociaciones estaban involucradas en actividades enfocadas hacia el exterior. Grupos como la Asociación de Bibliotecarios Cristianos y la Sociedad Legal Cristiana, por ejemplo, involucraban a sus miembros en labores misioneras prácticas empleando sus habilidades profesionales. Los bibliotecarios apoyan a sus pares en el extranjero, ayudando a escuelas a implementar bibliotecas. Los abogados donan su tiempo para servir a los pobres mediante consultas de asesoría legal.

La Sociedad Cristiana de Ingeniería (CES en inglés) es una interesante combinación de enfoque interno y externo. Los miembros se reúnen anualmente para conferencias muy robustas, con expositores que abordan una amplia variedad de asuntos. Estos eventos fomentan la comunión, la creación de redes, la oración y el aprendizaje entre pares. Al mismo tiempo, los temas de los discursos están fuertemente inclinados hacia la acción práctica en el mundo. Como dijo un expositor:

> Los ingenieros desempeñan un lugar especial dentro del Mandato de la Creación de Dios. Existen pocas profesiones cuyo propósito esté más directamente involucrado en someter la creación para beneficio de la humanidad que la ingeniería. La profesión de la ingeniería está preocupada en todo lugar por hacer el mundo un poco mejor para la humanidad al tiempo que extrae y hace uso de

441 "Propósitos de ACMS", ACMS en línea <www.acmsonline. org/beliefs/index.html>.
442 Sociedad Cristiana de Neurociencias. <http://cneuroscience.org>.

sus recursos para producir grandes beneficios para las personas en todas partes[443].

CES promueve el involucramiento de los miembros en oportunidades concretas para la mayordomía vocacional a través de organizaciones no lucrativas tales como Engineers Without Borders, Engineering Ministries International, Water Missions International, y TechServe International.

Solo alrededor de un tercio de las asociaciones profesionales, especialmente las relacionadas con el arte (Christians in Theatre Arts, Christians in the Visual Arts, Christian Dance Fellowship), se enfocan en gran medida en promover la excelencia en sus obras. En marzo de 2010, el sitio web de Cristianos en las Artes Visuales (CIVA), por ejemplo, describió su propósito como "incentivar a los cristianos en las artes visuales a desarrollar su llamado específico al máximo nivel profesional posible"[444]. En las asociaciones académicas tales como Christians in Political Science, Christian Association for Psychological Studies and the Christian Sociological Society, se incentiva a los miembros a la excelencia en la enseñanza, la investigación y la publicación.

Algunas de las organizaciones, muy especialmente Sociedad Médica y Dental Cristiana (CMDA en inglés), se ajustan a la categoría de Miller del modelo Integrador en Todo Ámbito:

> CMDA promueve cargos y aborda políticas sobre asuntos de salud; realiza proyectos médicos de evangelización en el extranjero a través de su brazo misionero, Global Health Outreach; coordina una red de doctores cristianos para comunión y crecimiento profesional; patrocina ministerios de estudiantes en escuelas médicas y dentales; distribuye recursos educacionales e inspiradores; alberga conferencias sobre matrimonio y familia; provee recursos de educa-

443 Timothy R. Tuinstra, "Applying the Reformational Doctrine of Christian Vocation to our Understanding of Engineering as a Sacred Calling," presentado en la Christian Engineering Education Conference, 22 de junio de 2006. Ver <http://people.cedarville.edu/employee/tuinstra/bio_.htm>.

444 CIVA ha actualizado su misión desde entonces, y dice estar llamada al trabajo creativo, dedicada a la iglesia, y presente en la cultura. Ver "Misión", Cristianos en las Artes Visuales <www.civa.org/about/mission>.

ción continua a doctores misioneros en el Tercer Mundo; y realiza programas de intercambio académico en el extranjero[445].

CMDA está involucrado en la evangelización en varios frentes (en las escuelas de medicina en Estados Unidos y a través de las misiones médicas en el extranjero). Aborda complicadas cuestiones de bioética. Intenta ayudar a sus miembros a encontrar sentido en su trabajo así como equilibrio en las exigencias de ese trabajo frente a las demandas que compiten por el tiempo de los miembros. Y facilita numerosas oportunidades para que los miembros practiquen sus habilidades profesionales en beneficio de las poblaciones vulnerables.

LO QUE FALTA (EN GRAN MEDIDA): UNA VISIÓN DE TRANSFORMACIÓN INSTITUCIONAL

Una parte crucial de la mayordomía vocacional para el bien común es que los creyentes se enfoquen en transformar las instituciones en las que trabajan. Como argumenta James Hunter en *To Change the World*:

> La iglesia, en tanto que existe dentro del amplio rango de vocaciones individuales en cada esfera de la vida social (comercio, filantropía, educación, etc.), debe estar presente en el mundo en formas que trabajen por la *constructiva* subversión de todos los marcos de la vida social que son incompatibles con la *shalom* para la que fuimos hechos y a la cual estamos llamados. Como una expresión natural de su pasión por honrar a Dios en todas las cosas y amar al prójimo como a nosotros mismos, la iglesia y su gente interpelarán todas las estructuras que deshonren a Dios, deshumanicen a las personas, y descuiden o dañen la creación[446].

Mi análisis (impreciso, ciertamente) de los ministerios laborales no encontró evidencia de que estas comunidades de negocios estén discutiendo de qué manera los ejecutivos pueden reformar las prácticas dentro de sus in-

445 Sociedad Médica y Dental Cristiana, "About Our Organization" <www. cmda.org/ WCM/CMDA/Navigation/About/About_CMDA.aspx>.

446 James Davidson Hunter, *To Change the World* (Nueva York: Oxford University Press, 2010), p. 235, énfasis original.

dustrias específicas que pudieran ser problemáticas desde la perspectiva de la justicia y la *shalom*. Algunas de las sociedades profesionales cristianas han dado algunos pasos en esta dirección. Por ejemplo, algunos están tratando de expandir los temas considerados por los miembros de su gremio publicando sus propios periódicos. Otros incentivan a sus miembros a participar en los diálogos clave que ocurren en su campo, tal como cuando la CMDA incentiva a sus miembros a publicar en los principales periódicos del gremio sobre cuestiones de bioética. Y el ya señalado énfasis en la excelencia dentro de las sociedades artísticas con el tiempo podría influenciar su ámbito. Si los artistas cristianos crean obras de refinada calidad, existe mayor probabilidad de que las instituciones culturales de elite adviertan su arte (por ejemplo, siendo exhibidas en las galerías más influyentes o criticados en las páginas de arte de los principales diarios). En general, no obstante, nuestro somero examen de las sociedades cristianas profesionales no mostró que las discusiones sobre reformar su disciplina fueran un rasgo común, central e impulsor de estas asociaciones.

CONCLUSIÓN

El profesional cristiano promedio que se sienta en la iglesia escucha poco, desde el púlpito o en la escuela dominical, acerca de la manera en que su vida con Dios se relaciona con su vida laboral. Puede que reciba una orientación general acerca de ser sal y luz en todas las esferas de su vida, incluido su lugar de trabajo. No obstante, en general su iglesia ofrece poca orientación específica acerca de por qué su trabajo importa, cómo Dios puede usarlo y efectivamente lo hace, o cómo se puede administrar su poder vocacional para extender el reino.

Al no tener esta orientación, algunos cristianos sencillamente "apagan" su fe en el trabajo; operan como "ateos prácticos" en su empleo[447]. No tienen visión para lo que significa asociarse con Dios en el trabajo, para darle sentido a su trabajo, o realizar propósitos del reino en y a través de su trabajo. Otros buscan orientación fuera de su congregación local, y se unen a un ministerio laboral o a una sociedad profesional cristiana. Estas

447 Doug Spada, fundador, WorkLife, Inc., entrevista telefónica con la autora, 9 de noviembre de 2010.

personas reciben cierta buena consejería y apoyo personal, y, dependiendo de la comunidad a la que pertenezcan, también pueden escuchar una visión bastante robusta de la mayordomía vocacional.

Más a menudo, sin embargo, simplemente son instruidos para ser personas de una firme integridad y tratar de ganar a los colegas para Cristo. Estos énfasis en la ética y la evangelización son necesarios y valiosos, pero son insuficientes para capacitar a los cristianos para que administren su poder vocacional a fin de ofrecer anticipos del reino. Necesitamos ir más allá del *status quo*.

6

Inspiración

La vocación es esencial, no incidental, para la misión de Dios en el mundo.

Steve Garber

Doug Spada, líder de WorkLife, Inc., ofrece a los pastores una vívida metáfora acerca de la adecuada identidad de una iglesia:

> Desde hoy en adelante, quisiera que pensaras en tu iglesia local como un portaaviones. A menos que nuestras iglesias asuman la posición correcta y bíblica en las batallas que enfrentamos en el mundo laboral, no podemos avanzar plenamente. Es solo en la medida que el barco provee armas, equipa, informa el plan de batalla, carga el avión con combustible y luego lanza a los pilotos a su misión, que asume su máximo dominio... Lamentablemente, muchas de nuestras iglesias operan como cruceros. Piensa, ¿qué se hace en un crucero? Uno va a divertirse, se come mucho, hay muy poca responsabilidad. Y piensa en un crucero: zarpa, visita algunos lugares, y vuelve al mismo lugar; rara vez avanza hacia un nuevo territorio. Si el enemigo de nuestra alma puede quitar las armas al portaaviones, confundir a los pilotos, romper los sistemas de catapulta, entonces esencialmente seguimos funcionando como un crucero... Bien

> puede ser que Dios te esté pidiendo que seas el impulsor de una reforma de la vida laboral en tu iglesia. La iglesia no es un crucero sino un portaaviones[448].

Las iglesias cuya identidad es la de portaaviones le dan un gran valor a fortalecer y equipar a los laicos para sus ministerios en el mundo cotidiano exterior. Le enseñan a la gente cuán importante es su labor diaria. Como el pastor Tom Nelson de la Iglesia Christ Community en Leawood, Kansas, ellos inspiran a sus miembros recordándoles que su trabajo es "crucial para la historia redentora [de Dios] y su propósito redentor en el mundo, no solo ahora sino también en el cielo nuevo y la tierra nueva"[449].

Los líderes de la iglesia misional saben que la iglesia está formada tanto por "reunidos" como por "esparcidos". Ellos afirman que el ministerio no solamente se trata de lo que sucede dentro de las cuatro paredes de la iglesia; de hecho, normalmente se trata mucho más de lo que sucede fuera de ellas. Ellos no cometen el error de definir el ministerio como "trabajo eclesiástico". Por lo tanto, ellos reafirman a los laicos en los ministerios que tienen en y a través de sus empleos "seculares".

Es a partir de esta elevada visión del trabajo diario de los miembros que los pastores están posicionados para ofrecer inspiración a su rebaño. El cumplimiento de esta tarea de inspiración implica enseñar una teología bíblica del trabajo y proveer consejos prácticos a los miembros acerca del "punto óptimo de la vocación".

NOCIONES BÁSICAS DE UNA TEOLOGÍA BÍBLICA DEL TRABAJO

Para inspirar a su rebaño acerca de su trabajo diario, los líderes de las congregaciones necesitan comenzar por la verdad crucial de que el trabajo precedió a la Caída. Esta verdad es fundamental para una fiel mayordomía vocacional. El trabajo no es el resultado de la caída en pecado de la humanidad. El trabajo es central en Génesis 1 y 2. Ahí está, en el centro mismo del paraíso, en la imagen misma de la intención de Dios respecto a cómo

---

448 Doug Spada, "Founder's WorkLife Vision," YouTube <www.youtube.com/watch?v=r-tDaFcsVdo>.

449 Todas las citas de Tom Nelson, pastor principal, Iglesia Christ Community, Leawood, Kansas, proceden de una entrevista telefónica con la autora, 21 de octubre de 2010.

deben ser las cosas. El trabajo es un don de Dios. *El trabajo es algo para lo cual fuimos hechos, algo que el amoroso Creador diseña para nuestro bien.* El trabajo no es un mal, ni es un efecto colateral del pecado. A los cristianos puede resultarles difícil confiar en esta verdad cuando se sienten frustrados en sus empleos o insatisfechos en sus carreras. Por cierto, es verdad que la maldición de Génesis 3 introdujo arduo esfuerzo y futilidad al trabajo. Desde entonces, nuestra experiencia del trabajo implica tanto dolor como placer. Pero el trabajo en sí mismo es bueno; tiene un valor intrínseco.

El valor intrínseco del trabajo: cómo participamos en el propio trabajo de Dios. Los seres humanos están hechos a imagen de Dios, y Dios es un trabajador. La labor humana tiene valor intrínseco porque en ella reflejamos la imagen de nuestro Creador. En el libro *Faith Goes to Work*, el autor Robert Banks analiza a Dios como nuestro "modelo vocacional", y describe los diversos tipos de trabajos que él hace y de qué manera las múltiples vocaciones humanas dan expresión a estos aspectos del trabajo de Dios[450]. El modelo de Banks es muy útil para enseñar a los creyentes el valor intrínseco del trabajo. Los pastores pueden explicar las distintas formas en que Dios es un trabajador, y luego incentivar a los miembros a identificar dónde encaja su propia labor. Entre las labores de Dios están las siguientes:

- *Trabajo redentor* (los actos salvíficos y redentores de Dios). Los humanos participan en este tipo de trabajo, por ejemplo, como evangelistas, pastores, consejeros y pacificadores. También lo hacen los escritores, artistas, productores, compositores, poetas y actores que incorporan elementos redentores en sus historias, novelas, canciones, películas, actuaciones y otras obras.

- *Trabajo creativo* (Dios modela el mundo físico y humano). Dios les da creatividad a los humanos. Las personas en las artes (escultores, actores, pintores, músicos, poetas, etc.) exhiben este aspecto, así como lo hacen una amplia variedad de artesanos como los alfareros, tejedores y modistas; así también los diseñadores de interiores, los que trabajan metales, carpinteros, constructores, diseñadores de moda, arquitectos, novelistas y planificadores urbanos (y más).

---

450 Robert J. Banks, ed., *Faith Goes to Work: Reflections from the Marketplace* (Eugene, Ore.: Wipf & Stock, 1999), pp. 22-26.

- *Trabajo providencial* (la provisión y sustento de Dios para los humanos y la creación). "El trabajo de la providencia divina incluye todo lo que hace Dios para mantener el universo y la vida humana en una forma ordenada y beneficiosa", escribe Banks. "Esto incluye conservar, sostener, y reponer, además de crear y redimir el mundo"[451]. En consecuencia, incontables personas: burócratas, trabajadores de servicios públicos, creadores de políticas públicas, dueños de tiendas, consejeros vocacionales, constructores de naves, agricultores, bomberos, reparadores, impresores, transportistas, informáticos, empresarios, banqueros e inversores, meteorólogos, técnicos de investigación, servidores civiles, profesores de escuelas de negocios, mecánicos, ingenieros, inspectores de construcción, maquinistas, estadísticos, fontaneros, soldadores, guardias, y todos los que ayudan a mantener el orden económico y político operando adecuadamente, reflejan este aspecto de la labor de Dios.

- *Trabajo de justicia* (Dios mantiene la justicia). Jueces, abogados, asistentes jurídicos, reguladores del gobierno, secretarios jurídicos, administradores municipales, guardias de prisión, investigadores policiales y defensores, profesores de derecho, diplomáticos, supervisores, administradores y personal policial participan en la obra de Dios de mantener la justicia.

- *Trabajo compasivo* (el involucramiento de Dios en consolar, sanar, guiar y pastorear). Doctores, enfermeras, paramédicos, psicólogos, terapeutas, trabajadores sociales, farmaceutas, trabajadores comunitarios, directores de organizaciones no lucrativas, técnicos médicos de emergencia, consejeros y agentes de bienestar, todos ellos reflejan este aspecto de la labor de Dios.

- *Trabajo revelacional* (la labor de Dios para iluminar con la verdad). Predicadores, científicos, educadores, periodistas, académicos y escritores, todos ellos están involucrados en este tipo de labor.

En todas estas diversas formas, Dios el Padre continúa su labor creativa, sustentadora y redentora a través del trabajo humano. Esto le confiere gran dignidad y propósito a nuestra labor. La mayordomía vocacional co-

451 *Ibíd.*, p. 24.

mienza por *celebrar* el trabajo mismo y reconocer que a Dios le importa y él está realizando sus propósitos a través de este.

Vale la pena ahondar en este punto porque gran parte de la enseñanza sobre la integración de la fe y el trabajo descuida el valor inherente del trabajo. Los líderes de la iglesia ciertamente deberían enseñar y predicar acerca de convertirse en cierto tipo de trabajador: honesto, ético, preocupado, fiel, y un trabajador que es sal y luz. Pero tal enseñanza no es lo bastante bíblica si nunca se menciona el valor inherente del trabajo mismo. Como le gusta decir a mi brillante amigo Ken Myers, deberíamos intentar ser más que "cristianos adverbiales".

Nuestro trabajo perdura. Anteriormente vimos que otra razón por la que nuestro trabajo realmente importa es que este perdura. El trabajo —placentero, fructífero, significativo— será una realidad eterna. Los pasajes que nos dan avances de la vida en el reino consumado, tales como Isaías 60, retratan a los humanos llevando todo tipo de producción cultural, artística y económica a la nueva era. Apocalipsis 21:24 describe que "los reyes de la tierra le entregarán sus espléndidas riquezas" a la Nueva Jerusalén. Es bueno que los pastores les recuerden esta gran verdad a sus miembros, porque a veces los creyentes se desaniman por la aparente futilidad de sus esfuerzos. Consideremos la profunda percepción de Lesslie Newbigin:

> Cada acto de servicio fiel, cada labor honesta para hacer del mundo un lugar mejor, que pareciera haber quedado perdida y olvidada bajo los escombros de la historia, en aquel día [en la resurrección final] se verá que contribuyó a la perfecta comunión del reino… A todos los que comprometieron su trabajo en fidelidad a Dios él los levantará para que participen de la nueva era, y descubrirán que su labor no se perdió, sino que ha encontrado su lugar en el reino consumado[452].

REFUTACIÓN DE FALSAS IDEAS ACERCA DEL TRABAJO

Los pastores también necesitan tener presente que el pecado y nuestra cultura caída han torcido la visión del trabajo de muchos cristianos. Cuando

---

452 Lesslie Newbigin, *Signs Amid the Rubble: The Purposes of God in Human History* (Grand Rapids: Eerdmans, 2003), p. 47.

los líderes de la iglesia enseñan acerca de la bondad del trabajo, también deben desenmascarar y rechazar las falsas perspectivas del trabajo de nuestra cultura.

Puesto que somos criaturas caídas, a veces actuamos como si el éxito en el trabajo se igualara a una vida exitosa. No es así. A veces convertimos nuestras carreras en un ídolo. Debemos arrepentirnos. A veces tomamos decisiones acerca de empleos como si el propósito último del trabajo fuera la autorrealización. No lo es. Deberíamos buscar el perdón de Dios. A veces permitimos que el trabajo —que es solo una dimensión de nuestras vidas— desplace a la familia, o la adoración, o las relaciones, o el juego, o el día de reposo. Debemos resistir.

Las ideas falsas acerca del trabajo no solo emergen de la cultura secular sino también de una teología deficiente. Por lo tanto, los líderes de la iglesia deben protegerse celosamente del dualismo sagrado/secular que puede producir una exaltación del alma sobre el cuerpo (y por tanto de lo que se denomina espiritual sobre lo material) y/o de una jerarquía que favorezca el trabajo de los ministros por sobre el de los laicos. El pastor Tom Nelson de la Iglesia Christ Community —quien ha estado enseñando a sus miembros acerca del valor redentor del trabajo durante diez años— se toma esto muy en serio. "Aquí somos policías del lenguaje", dice él. "Como equipo ponemos mucho empeño en ayudarnos mutuamente a evitar el pensamiento y el lenguaje dicotómicos".

Los líderes de la iglesia también necesitan abordar las confusas ideas que pueden tener los miembros respecto a la satisfacción laboral. Hemos visto que para los seguidores de Cristo, la motivación primordial para trabajar *no* es la realización, el enriquecimiento o la promoción personales. Eso transgrede de plano las pretensiones de nuestra cultura secular. El cristianismo insiste en que nuestras vidas —incluido nuestro trabajo— se centran totalmente en Dios y su obra, su misión. Esto debería ser inspirador, porque le confiere un profundo sentido a nuestra labor.

Los pastores que comienzan a enseñar más acerca del trabajo pueden descubrir que sus miembros tienen algunos temores infundados: ¿el hecho de que su trabajo "no se trate solo de ellos" significa que Dios pretende que la labor no sea más que un fastidio? ¿Es él indiferente a nuestro gozo? ¿Nos llama a un trabajo que detestamos? ¿Estaremos en el centro de su llamado vocacional solo si nuestro trabajo es desagradable, doloroso e insatisfactorio? No, no, no, ¡y otra vez no!

Los líderes de la iglesia deben ayudar a su gente a reconocer que Satanás se deleita en distorsionar nuestra comprensión del Padre y sus benignos propósitos. El enemigo de nuestras almas incluso puede atar a creyentes que han caminado por años con Dios, quienes se sienten culpables cuando se ocupan en un trabajo que les encanta, como si eso fuera una señal de que el trabajo debe ser egoísta. No lo es.

Morir a uno mismo en el contexto de nuestro trabajo no significa que debamos buscar y tomar el empleo que nos parezca que más nos va a desagradar. Dios nos crea a cada uno con pasiones y talentos. Luego dota a sus seguidores con dones espirituales. Él dispone soberanamente nuestras circunstancias y experiencias. Nos forma con personalidades y propósitos únicos. Él pone en nosotros la capacidad de hallar un profundo gozo y propósito al servirle a través del trabajo que hace uso de nuestra combinación única de dones naturales y espirituales dados por Dios. Lo servimos a él cuando servimos a los demás a través de nuestro trabajo, porque él nos ha llamado a ser sus manos y sus pies en medio de nuestro bello pero maltrecho planeta. Ese trabajo suele ser difícil y puede ser extenuante, pero también puede brindar gran satisfacción y gratificación. Como dice el autor Frederick Buechner en su concisa definición de la vocación: "El lugar al que Dios te llama es el lugar donde tu profunda alegría se encuentra con la profunda hambre del mundo"[453].

ALENTADOR AVANCE HACIA EL PUNTO ÓPTIMO DE LA VOCACIÓN

La definición de Buechner proporciona una útil orientación que es necesaria cuando se descartan las cadenas de una visión dualista del trabajo. Los pastores deberían celebrar cuando sus miembros se liberan de la confusa idea de que algunos trabajos son sagrados mientras que otros son seculares. Pero decir que no existe una división de lo sagrado y lo secular no es lo mismo que decir que todas las metas seculares son igualmente meritorias.

Sabemos que algunos empleos traspasan los límites morales. Ningún predicador que se precie va a incentivar a sus miembros a abrir un burdel, tomar un empleo en una tienda para "adultos" o enrolarse como soldado

---

453 Frederick Buechner, *Wishful Thinking: A Seeker's ABC* (Nueva York: HarperOne, 1993), p. 119.

mercenario. Es de esperar que no muchos cristianos necesiten instrucciones específicas para evitar tales carreras, pero puede que algunos necesiten ser desafiados en cuanto a los grados de bien; ser incentivados a preguntar si la forma en que están invirtiendo su tiempo laboral (normalmente cuarenta horas o más a la semana) refleja lo que realmente *importa* a la luz de las prioridades de Dios y las necesidades del mundo[454].

Los líderes de la iglesia deberían inspirar a sus feligreses a escoger empleos que, en la mayor medida posible, les ofrezcan las mejores oportunidades para encaminar sus talentos creativos hacia la finalidad de promover *shalom* para el bien común. Algunas organizaciones y compañías seculares están ocupadas en poner a trabajar la creatividad en direcciones que contribuyen sustantivamente al florecimiento humano; por ejemplo, en las innovaciones que promueven la salud o la mayordomía ambiental. Sin embargo, otras compañías seculares invierten sus energías creativas en formas que simplemente producen más cosas innecesarias y nuevos desechos del consumidor. Una vez más, en algunas compañías, el talento creativo está encaminado hacia la finalidad de hallar respuestas a los problemas críticos de nuestro mundo deshecho. En otras, el talento creativo está encaminado hacia proveer respuestas a "problemas" que en realidad no son problemas (considera los esfuerzos empleados en cambios cosméticos en los envases o para la creación de nuevos colores de lápices labiales).

Trabajar para una compañía que conduce la mayor parte de su energía creativa en ese tipo de direcciones no es moralmente malo. Pero los pastores deberían preguntar a los miembros: "¿Por qué, como seguidor de Cristo, escogerías dedicar tus talentos creativos a este tipo de ejercicios, cuando podrías emplearlos más bien en negocios y organizaciones que

---

454 Los estudiosos evangélicos John Bernbaum y Simno Steer asumen una postura tajante en este asunto. Ellos argumentan que "no todos los trabajos tienen igual valor a los ojos de Dios. Una perspectiva bíblica del trabajo sugiere que el trabajo es una actividad ordenada por Dios y la labor tiene valor en tanto que servimos como mayordomos y co-creadores en el mundo de Dios. Pero el valor cultural es otro criterio de la enseñanza cristiana acerca del trabajo. Si estamos llamados a ser siervos, el trabajo que hacemos debe beneficiar a los demás con provechos significativos. No solo deberíamos evitar los trabajos que por definición son dañinos (por ejemplo, las apuestas y la prostitución), sino también el trabajo que no produce un servicio útil. Usar nuestras habilidades para desarrollar, hacer o vender a la gente objetos de lujo o artículos que pueden ser dañinos no es una elección bíblicamente sabia de una carrera. Ese no es el deseo de Dios para nosotros". *Why Work?* (Grand Rapids: Baker, 1986), p. 87.

suplen necesidades genuinas?". En un mundo tan deshecho y necesitado como el nuestro —y con todo el talento, privilegios y oportunidades que Dios nos ha concedido a los estadounidenses de clase media y alta— los líderes de la iglesia deberían cuestionar la validez de que los creyentes entreguen cincuenta años de su vida laboral a la creación de nuevos sabores de comida para perros, o latas para pelotas de tenis de plata pura de 1.500 dólares, o grapas enchapadas en oro. Es tiempo de admitir que algunas cosas son simplemente triviales, y si podemos evitarlas, deberíamos hacerlo.

A diferencia de los mil millones de personas más pobres del mundo, quienes hacen los trabajos que hicieron sus ancestros antes que ellos simplemente para sobrevivir, muchos creyentes de clase media y alta en Estados Unidos han recibido el preciado don de las opciones vocacionales. Es necesario incentivarlos a escoger sabiamente cuando tienen más de una opción. Algunos creyentes en la desacelerada economía de hoy quizá no tengan tantas opciones ocupacionales como las que podrían haber tenido en tiempos más prósperos. Otros creyentes siguen privilegiados con múltiples opciones laborales. Estos últimos harán bien en recordar que "a todo el que se le ha dado mucho, se le exigirá mucho" (Lc 12:48).

El siguiente diagrama ilustra lo que yo denomino el "punto óptimo de la vocación". El punto óptimo es el lugar donde nuestros dones y pasiones convergen con las prioridades de Dios y las necesidades del mundo. Los cristianos deberían intentar trabajar allí en la mayor medida posible.

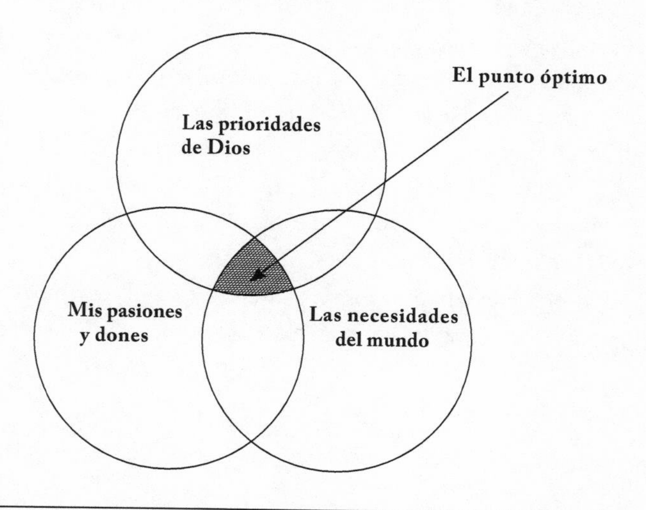

Figura 6.1. El punto óptimo de la vocación.

DESCUBRIMIENTO DEL PUNTO ÓPTIMO

Los líderes de la iglesia necesitan comunicar que el descubrimiento del punto óptimo normalmente es un viaje. Se requiere tiempo, y diferentes personas perciben el proceso en forma diferente. Considera los viajes que hicieron Jill y Cynthia.

Para Jill Sorenson, de veintinueve años, el proceso comenzó con un profundo deseo interior de ser arquitecto:

> Aún recuerdo el momento cuando, a los doce años, decidí ser arquitecto. Mi papá [un contratista] me había llevado a su oficina. Me senté en la sala de espera y miré las revistas. Una era una guía de planos con muchos diseños de distintos planos de casas. Recuerdo que pregunté si podía llevarla a la casa. Esa noche saqué el papel cuadriculado para bordado de mi mamá, tomé uno de los diseños [de casa] y lo rehíce totalmente. Cambié los muros del contorno, y decidí que esta iba a ser la casa de mis sueños algún día. Y si quería construirla, sabía que necesitaba ser arquitecto[455].

A diferencia de la mayoría de los estudiantes universitarios, Jill nunca cambió su carrera. "Mientras más me introducía en la profesión, más me enamoraba de la combinación de un lado analítico en mí —mi lado pensador— con el lado creativo, artístico", dice ella. "Me parece que la arquitectura llega a su máximo nivel cuando uno descubre dónde chocan esas dos cosas".

Pero como una cristiana en crecimiento, Jill luchaba con la validez de su profesión. La Unión de Estudiantes Bautistas a la que pertenecía al parecer no tenía una categoría pera considerar la arquitectura como un ministerio. "Yo realmente lidiaba con la manera en que se fundían mi fe y mi pasión por el diseño", recuerda Jill. "Sabía que [la arquitectura] era algo a lo que Dios me estaba llamando, y sabía que no podía estar en oposición a mi fe. Sabía que debía haber una respuesta, tenía que haber una forma en que estas cosas compatibilizaran".

Finalmente ella habló con su padre acerca de la forma en que la fe de él configuraba su trabajo de contratista. "Él me dijo: 'Mira, yo pensé en entrar

---

455 A menos que se indique algo distinto, todas las citas de Jill Sorenson, asesora de sustentabilidad, Rebuild Consulting, proceden de una entrevista telefónica con la autora, 20 de julio de 2010.

al ministerio, pero sabía que podía llegar e impactar a más personas a través de mi trabajo en el sitio de la obra que desde detrás del púlpito'". A Jill esta afirmación le pareció sincera. "Realmente aprecié su mentalidad misionera. Para él no había una separación entre lo 'sagrado' y lo 'secular'.

Después de un verano especial ministrando en un campamento donde el equipo intentaba mostrar amor a jóvenes de distintos trasfondos religiosos en formas que satisficieran las necesidades espirituales, físicas, intelectuales y emocionales, Jill volvió a la universidad con un renovado entusiasmo por llegar a sus compañeros en la escuela de arquitectura en el Estado de Kansas. Ella sentía que desarrollar relaciones sólidas con los incrédulos en su campo era una expresión de integración de fe y trabajo.

En sus últimos años en la universidad, su comprensión de la forma en que la fe afecta el trabajo se profundizó aún más. "Comenzaba a querer acotar aquello en lo que iba a enfocarme como arquitecto", dice Jill.

> Decidí que quería usar mi profesión de una forma que ayudara a las personas o fuera [ambientalmente] responsable. Estaba mirando a la salud o bien a la sustentabilidad, porque había trabajado en tantos proyectos de condominios de lujo que sentía que no causaba ningún impacto en la forma en que vivían las personas ni añadía valor a sus vidas, al menos valor como yo lo medía... Quería diseñar edificios para crear espacios sanadores. O podía promover la sustentabilidad. Solo quería ser un mejor mayordomo de los propósitos, recursos y materiales de construcción.

Para prepararse mejor, Jill se convirtió en la primera estudiante de arquitectura del Estado de Kansas en obtener la certificación Leadership in Energy and Environmental Design (LEED).

Hoy Jill opera un pequeño negocio de consultoría en San Francisco, donde ofrece ayuda a los clientes que desean construir de forma más sustentable. También dedicó sus habilidades de arquitectura como voluntaria en proyectos de desarrollo económico en el extranjero junto con Engineering Ministries International y es presidente del comité para Rebuild Sudan, que diseña y construye escuelas "verdes" en Sudán.

Para Jill, a pesar de su amor por su campo, resolver cuál era el punto óptimo de su vocación fue un proceso paulatino. Para la diseñadora de interiores Cynthia Leibrock, de sesenta y un años, el viaje al punto óptimo de la vocación comenzó con la insatisfacción.

Cynthia entró en el diseño porque quería hacer las cosas bellas. Alcanzó éxito, pero este se sentía superfluo. "Había logrado mi objetivo. Terminaba un proyecto y lo completaba, y no me sentía satisfecha con ello. Lo miraba y decía: 'Bueno, ¿qué sentido tiene?'. Es decir, todo me parecía vacío"[456].

Entonces Cynthia obtuvo un trabajo de diseño para la oficina de un doctor. Resultó "excepcionalmente bien" y causó que el cliente le pidiera que considerara un cargo de medio tiempo para supervisar el proyecto de construcción de un hogar para personas con discapacidad del desarrollo. Ella dice:

> Yo realmente no tenía experiencia alguna en el trabajo con discapacitados, y no sabía nada acerca de desarrollar casas... para discapacitados. Pero me ofrecieron este trabajo... No estaba muy satisfecha con el diseño de interiores, como dije antes, y de pronto ahí estaba este nuevo rumbo que podía tomar. Oré al respecto y realmente sentí que el Señor quería que me involucrara en esto. Así que acepté y trabajé durante dos años para desarrollar un hogar de 15 camas para personas con discapacidad del desarrollo.

El proyecto marcó un punto de inflexión en su carrera pues ella se dio cuenta de que el diseño podía contribuir a la independencia. Como le dijo a un reportero del *New York Times* en 2009: "Quiero que la gente sepa que independientemente de si tienen discapacidades metales o físicas... solo están discapacitados si no pueden hacer lo que quieren. La arquitectura puede eliminar la discapacidad mediante el diseño... Si alguien está en una casa donde puede hacer lo que quiere hacer, ya no está discapacitado"[457].

Cynthia ha ganado reconocimiento nacional en el campo del diseño universal, ha sido invitada a impartir cursos en Harvard y es impulsora del movimiento "envejecer en su sitio". Ella está contribuyendo a la transformación de la industria del diseño.

---

456 A menos que se indique algo distinto, todas las citas de Cynthia Leibrock proceden de "Los secretos de envejecer con belleza" (archivo de audio) <http://agingbeautifully.org/tape1.mp3>.

457 Joyce Wadler, "A Colorado Home Is Ready for Its Owners' Old Age," *New York Times*, 19 de febrero de 2009.

Ella y su esposo, apoyados por numerosas contribuciones corporativas, construyeron su hogar en Colorado, Green Mountain Ranch, a modo de "vitrina, laboratorio y centro de capacitación para los interesados en el diseño universal". La casa incluye diversos elementos con el diseño "envejecer en su sitio", como una bañera con elevador oculto y muebles de cocina con un cajón de 25 centímetros a nivel del piso que se puede quitar para bajar los mesones al nivel de una silla de ruedas si es necesario[458].

En los últimos años, Cynthia lanzó Rehabitat, una iniciativa para ayudar a las congregaciones a acercarse a los miembros discapacitados o ancianos que buscan formas de permanecer en sus hogares el mayor tiempo posible. A menudo basta con acomodaciones menores —tales como la instalación de barras para sujetarse, rampas y pasamanos— para permitir que las personas permanezcan en su hogar. Rehabitat reúne voluntarios de las iglesias que pueden donar trabajo para remodelar las casas. Su misión es "mostrar el amor de Dios en acción al ayudar a las familias a proporcionar modificaciones que aumentan la independencia y previenen accidentes que causen incapacidad"[459].

Jill y Cynthia encontraron el punto óptimo de su vocación, y están integrando su fe y su trabajo de formas profundamente reflexivas[460]. En el proceso, se profundizó su precepción del significado de su trabajo, maduró su comprensión de la mayordomía vocacional y aumentó su gozo. Como escribe Jill en su blog: "Veo el mundo a través de los ojos de una diseñadora, como alguien responsable del ambiente construido y el efecto que tiene el espacio en la vida. Jamás seré la misma; jamás dejaré esta pasión". Ella continúa:

> A cada paso se me hace más claro que estos dos caminos, como arquitecto y como discípulo, no están hechos para ser andados por separado e independientes uno del otro. Mientras más tiempo se

---

458 *Ibíd.*

459 "Rehabitat Fund: The Carpenter's Helpers," Aging Beautifully <http://agingbeautifully.org/volunteers.html>.

460 En la Parte 3, esbozo cuatro caminos para expresar la mayordomía vocacional. Jill y Cynthia demuestran que los creyentes pueden vivir en más de un camino a la vez. Ambas son ejemplo del camino 1 (florece donde estés plantado). Además, el trabajo voluntario de Jill en el extranjero es un ejemplo del camino 2 (donar las habilidades). La iniciativa Rehabitat de Cynthia es un ejemplo del camino 3 (inicia tu propio emprendimiento social).

superponen y convergen, mientras más se entrelazan y se corresponden, más viva me siento, y Dios recibe mayor gloria[461].

ENTENDER LAS ÉPOCAS

Yo incentivo a los líderes de la iglesia a invitar a las personas a descubrir y vivir en el punto óptimo de su vocación debido al gozo que esto causa al trabajador, la esperanza que trae a los que son servidos, y la gloria que le da a Dios. Al mismo tiempo, al incentivar a las personas, los líderes deberían emplear un lenguaje de "advertencia", y sugerirles que busquen *en la mayor medida posible* este punto óptimo. Este lenguaje es imperativo porque no todos los miembros pueden efectivamente trabajar en el punto óptimo de su vocación, y algunos que pueden hacerlo probablemente solo lo hagan durante épocas limitadas de su vida.

En este preciso momento, por ejemplo, no es difícil imaginar que algún padre cristiano esté trabajando en la industria de alimento para perros porque el salario y los beneficios son excelentes. Él necesita el empleo para cuidar adecuadamente a su familia, porque esta incluye a una hija gravemente discapacitada. La compañía de alimento para perros está en el mismo pueblo de su familia política, quienes le proveen a su esposa el tan necesario cuidado de relevo. La familia solo depende del salario del padre porque la madre está totalmente ocupada cuidando a su hija, así como a sus tres hijos sanos. Este matrimonio no sabe qué habría hecho sin la buena póliza de salud de la compañía de alimento para perros, la cual ha pagado la mayor parte de los gastos de las trece cirugías de su hija. Quizá el padre desearía poder encontrar trabajo en el punto óptimo de su vocación, pero ahora eso simplemente no es realista, dados sus otros compromisos.

O consideremos a Susana, otro personaje ficticio. Ella tiene los ojos decididamente puestos en el punto óptimo de su vocación: ser juez en un tribunal de familia. Es un objetivo profesional formidable desde la perspectiva del reino. Tales jueces tienen una enorme oportunidad de hacer el bien. Tienen significativa influencia en la vida de niños abusados, chicos en acogida transitoria, y similares. Las aspiraciones de Susana son loables;

---

461 Jill Sorenson, "Beyond the Walls," JILLM: *Searching for Beauty in the Everyday* (19 de febrero de 2007) <http://jillm.com/2007/02/19/beyond-the-walls-2>.

pero no va a pasar toda su carrera como juez de familia. Llegar allí le tomará algún tiempo. Probablemente pase una etapa como estudiante de derecho, luego como asistente jurídico y luego tal vez como abogada en una consulta relacionada con el derecho familiar. Puede que no alcance el punto óptimo de su vocación sino a los cuarenta y cinco o cincuenta años, o más tarde.

Es importante recordar que vivimos nuestras vidas en épocas, y que nuestras vidas no se tratan solo de trabajo. En este momento, algunas personas en tu congregación tal vez no estén trabajando en empleos o carreras que, en un mundo ideal, hagan un uso *óptimo* de los talentos que Dios les ha dado. Por ejemplo, tal vez el empleo funciona para la persona en el sentido de equilibrar familia y carrera. O quizá el empleo está donde la persona necesita estar para poder cuidar a sus padres ancianos. Quizá la salud física o emocional de la persona ha estado comprometida durante algún periodo, y este empleo es bastante apropiado. O quizá simplemente no ha podido encontrar el empleo que realmente quiere en la recesiva economía de hoy.

En situaciones como estas —y otras que podríamos imaginar—, trabajar en el punto óptimo de la vocación no se da por sentado. Así que los pastores deben tener cuidado de no hacer sentir culpables a los miembros cuando, por diversas razones legítimas, no pueden estar en el punto óptimo.

PRESTOS A EXHORTAR

No obstante, es posible que algunos miembros necesiten escuchar una palabra que los interpele para que se cuestionen si realmente están en el mejor lugar donde podrían estar para administrar adecuadamente los dones vocacionales que Dios les ha dado. Es un simple hecho que a veces vamos a la deriva en la vida en lugar de vivir *intencionalmente*. Ir a la deriva respecto al trabajo puede ocurrir aún más a menudo que en otros ámbitos, debido a la escasa enseñanza explícita acerca del trabajo que los cristianos escuchan desde el púlpito.

Por lo tanto, para inspirar a las personas con una robusta comprensión del trabajo, los líderes quizá necesiten exhortar a los feligreses a analizar si están en el lugar preciso vocacionalmente. Puede que algunos creyentes necesiten reevaluar *por qué* están en sus empleos. ¿Cuáles son los motivos? ¿Son buenos motivos, motivos del reino, motivos que honren a Dios? ¿Qué tan amplio es el rol de la comodidad, la conveniencia, el orgullo, el temor o el materialismo en la explicación de por qué permanecemos en nuestro actual empleo? ¿Está la persona en el empleo por motivaciones erróneas tales como "una servil necesidad de complacer a los padres", "ansias de prestigio y estatus", o un "deseo de justificarse alcanzando significación en el marco más amplio de las cosas"?[462]. Sin duda que es incómodo plantear estos asuntos. Pero para ayudar a los miembros a seguir fielmente a Jesús, los pastores deben estar dispuestos a hacer este tipo de preguntas penetrantes.

MODELOS DE EXHIBICIÓN DE MAYORDOMÍA VOCACIONAL

Un último aspecto para inspirar a la congregación implica buscar personas en la iglesia que estén ejemplificando la mayordomía vocacional y contar su historia. Un pastor puede predicar todo el día acerca del llamado a integrar la fe y el trabajo, y para que veamos nuestro trabajo de una forma centrada en Dios y en el servicio. Pero sin ejemplos vivos y concretos de esto, puede que a los miembros de la iglesia les cueste poner en práctica esa enseñanza.

La tercera parte de este libro está salpicada de historias de cristianos que viven la mayordomía vocacional de diversas formas. En cada iglesia existen muchos más ejemplos de la vida real como ellos. El equipo necesita encontrar a aquellas personas, conocer sus historias e invitarlas a testificar acerca de su viaje de mayordomía vocacional. Sus historias pueden ayudar a sus pares en la congregación a adquirir una visión de lo que es posible y viable. Ellos pueden ayudar a los miembros a visualizar formas nuevas y creativas en las que podrían aplicar sus propios dones y bienes vocacionales para los propósitos del reino.

CONCLUSIÓN: MODELO DE SERMÓN

Un sermón dado por el pastor Adam Hamilton, de la Iglesia de la Resurrección en Leawood, Kansas, es un excelente modelo de liderazgo inspirador en la vocación[463]. Sentado sobre el escenario en el auditorio de la adora-

---

462 Douglas J. Schuurman, *Vocation: Discerning Our Callings in Life* (Grand Rapids: Eerdmans, 2004), pp. 130-31.

463 A menos que se indique algo distinto, las siguientes citas son de Adam Hamilton, "@ Work", sermón entregado en la Iglesia de la Resurrección, Leawood, Kansas, 19 de julio de 2009.

ción detrás de un típico escritorio de oficina adornado con un teléfono, una engrapadora y un tazón de café, Hamilton comenzó observando que los creyentes comprometidos de veinticinco a sesenta y cinco años de edad que asistían regularmente a los servicios del domingo en su iglesia pasarían alrededor de 2.266 horas sentados en los bancos. En contraste, él estimaba que pasarían aproximadamente 96.000 horas en el trabajo durante esos cuarenta años. "El lugar de trabajo", concluyó Hamilton, "es el lugar primordial donde vivimos nuestra fe".

Él prosiguió para desmentir la división sagrado-secular: "Tu empleo de cinco días a la semana posee sacralidad; es valioso para Dios", afirmó. "Es inherentemente bueno". Con una exégesis de la lectura de la mañana de los primeros capítulos de Génesis, Hamilton subrayó los principios bíblicos fundamentales: que Dios es un trabajador; que nosotros, al estar hechos a su imagen, somos sus colaboradores; y que el trabajo es bueno. Ofreció consejos prácticos sobre ser el tipo de trabajador que reconoce que Dios es el verdadero jefe, cuyo carácter es intachable y que sirve humildemente y ama a sus colegas.

Luego Hamilton fue más allá de los conocidos temas de justicia "vertical" y "personal" al tema de cómo pueden los miembros promover la justicia a través de su trabajo. Mirando a los miles de reunidos, muchos de los cuales tenían significativa influencia en sus trabajos, él desafió a sus oyentes a preguntarse: "¿De qué manera lo que hacemos como compañía puede hacerse de modo que beneficie a los demás?". Él no se dedicó a vapulear a los empresarios de la congregación. En lugar de ello, expuso ejemplos de la vida real de mayordomía vocacional de entre los miembros.

Hamilton relató acerca de ejecutivos de GEAR for Sports, con base en Kansas City, quienes han trabajado diligentemente para asegurar condiciones laborales justas y equitativas en sus fábricas de textiles en Latinoamérica. Como dijo Sam Brown, director ejecutivo de Fair Labor Association, en una conferencia de prensa en el 2000: "GEAR for Sports ha asumido el rol de liderazgo en el tema de los derechos humanos durante muchos años. GEAR es un importante aliado en nuestra misión de mejorar los derechos de los trabajadores"[464].

Luego Hamilton habló acerca de un contratista de su iglesia cuyo compromiso con la reconciliación racial lo motivó a practicar políticas especia-

---

464 "GEAR for Sports® Joins Fair Labor Association," 19 de junio 2000, comunicado de prensa <www.gearnosweat.com>.

les de adquisición. Según Hamilton, este empresario garantizaba que "en cada contrato que dirigiera, iba a contratar proporcionalmente el mismo número de subcontratistas de minorías étnicas" como grupos étnicos hubiera en la población de Kansas City. Si la población de la ciudad era un 18 por ciento afroamericana, este contratista seguía políticas de contratación que aseguraban que el 18 por ciento de sus subcontratos fueran a empresas propiedad de personas negras.

Hamilton también contó acerca de una conversación que sostuvo con otro miembro de la iglesia, Irv Hockaday, el anterior director ejecutivo de Hallmark Cards. Irv, explicó Hamilton, dejó que su fe configurara las decisiones acerca de los ofrecimientos del producto en la compañía. Él relató que Irv dijo:

> Decidimos que haríamos tarjetas de saludo para personas que tuvieran a seres queridos en agonía. Eran para personas que estaban en hogares para enfermos terminales. Nos dimos cuenta de que esto no dejaría ninguna ganancia. No pudimos vender suficientes de estas tarjetas para obtener ganancias. Pero sentimos que era correcto ayudar a las personas a poder atender a sus seres queridos durante tiempos como estos.

Luego Hamilton ofreció algunos ejemplos prácticos para los miembros con otras vocaciones. Elogió a los maestros de Iglesia de la Resurrección que habían dejado empleos cómodos en los suburbios para enseñar en las desfavorecidas escuelas públicas de Kansas City. Agradeció a los meteorólogos de la congregación que habían hecho pública su fe en televisión. Celebró a un jefe que se hizo el hábito de visitar a cualquier empleado que estuviera en el hospital.

Hacia la conclusión, Hamilton luego desafió a cada oyente en su iglesia a entender que ellos eran "misioneros", independientemente del campo o la industria en que trabajaran. Él concluyó: "Si 12.000 de nosotros tomamos conciencia de que primero somos misioneros y salimos diariamente a nuestro mundo cotidiano con la misión de bendecir, amar, sanar, llevar justicia, servir a Dios en el trabajo, entonces finalmente cuando comencemos a hacerlo, les aseguro que el mundo será distinto".

Amén, pastor.

7

Descubrimiento

Soy más que mis dones espirituales. Soy mi historia,
soy mis heridas, soy mis éxitos.
El descubrimiento tiene que ser holístico.

Sue Mallory

Dios llama a los líderes de la iglesia a la labor de capacitar a los santos para el ministerio (Ef 4). No he conocido a ningún ministro que esté en desacuerdo con eso. Tampoco he estado jamás en una iglesia que no afirme la importancia de ayudar a las personas a ser mayordomos de su "tiempo, talento y posesiones" para Dios. Sin embargo, este tipo de charla no siempre va unida a la acción intencional.

Más allá de presentar a los miembros una visión inspiradora para que administren su vocación para la gloria de Dios y el bien de su prójimo, es necesario que los líderes de la iglesia provean un *sistema* que ayude a su gente a examinar sus dones, pasiones y "santas disconformidades", y las dimensiones de su poder vocacional. No podemos esperar que los feligreses administren correctamente aquello que ignoran que poseen. A medida que los miembros se dan el tiempo de explorar su diseño único dado por Dios, comienzan a descubrir sus nichos específicos para servir en el reino.

La Iglesia Bautista Pleasant Valley en el área metropolitana de Kansas City es un líder nacional en encaminar a sus miembros en el proceso de descubrimiento y capacitación para el servicio. Bill Hybels de Willow Creek ha elogiado su trabajo, y el veterano consultor eclesiástico Don Simmons la celebra como "la mejor iglesia del país en capacitación". Cada año los líderes de la congregación se unen para participar en el programa de orientación E^2 de Pleasant Valley para aprender a crear una vívida cultura de laicos comprometidos a servir dentro y fuera de la iglesia.

En la primera mitad de este capítulo observaremos el enfoque de Pleasant Valley. En la segunda mitad, veremos la manera en que los miembros de mi propia congregación han aportado ideas acerca de las dimensiones específicas del poder vocacional. Finalmente, veremos cómo una serie de sermones de la Iglesia The Well Community en Fresno, California, ayudó a los oyentes a identificar sus santas disconformidades.

ENFOQUE SISTEMÁTICO AL DESCUBRIMIENTO Y LA CAPACITACIÓN

El pastor Vernon Armitage ha liderado la Iglesia Pleasant Valley por más de cuarenta años y señala que ha estado hablando acerca de Efesios 4 desde el primer día[465]. No obstante, admite que la iglesia tuvo poco progreso concreto en lograr que florecieran los dones de los laicos hasta que deliberadamente sistematizó sus esfuerzos. Esto implicó establecer tanto nuevo personal como nuevas estructuras.

Una de esas personas del personal era su esposa, Charlene, directora de capacitación a tiempo completo. No todas las congregaciones necesitan contratar personal pagado. Pero cualquier iglesia seria acerca de la mayordomía vocacional necesita designar a una persona o equipo específico, pagado o no, que dedique tiempo y energía a la tarea de capacitar a los laicos.

El sistema de capacitación de Pleasant Valley consta de capacitación del personal, un concienzudo programa de educación de adultos, consejería personalizada y una herramienta de base de datos denominado Constructor de Comunidad Eclesiástica (CCB en inglés)[466].

465 El pastor Armitage se retiró de su rol como pastor principal en Pleasant Valley a fines de 2010.

466 El Constructor de Comunidad Eclesiástica (CCB) es un sofisticado programa que permite a las congregaciones construir y administrar perfiles del involucramiento de los miembros. La herramienta "Positions" de CCB, por ejemplo, ayuda a los líderes de la iglesia a vincular oportunidades de servicio con las personas más aptas para ocuparlas sobre la base de sus dones, pasiones, habilidades y estilo de liderazgo. El programa también permite a los miembros buscar en línea y postular a oportunidades de servicio compatibles con ellos.

Charlene instruye a los miembros del personal tanto en la teología de Efesios 4 como en la aplicación práctica. "Pasamos de hablar sobre Efesios 4 a vivir Efesios 4", dice ella[467]. Es necesaria una capacitación intencional, explica, porque normalmente al personal le resulta más fácil hacer las cosas por sí mismos que trabajar en capacitar a los miembros laicos. Puede que ellos entiendan que como líderes su llamado es capacitar a otros para la obra del ministerio, pero funcionalmente no actúan de esa forma. La experta en movilización de laicos Sue Mallory concuerda: "A los pastores no se les enseña a pensar así en el seminario"[468].

Charlene señala que el personal de la iglesia tiene que entender el imperativo bíblico de capacitar, así como los beneficios de largo plazo de este enfoque para el ministerio. Ella describe sus esfuerzos de capacitación como llevar al personal desde ser "hacedores de tareas a desarrolladores de personas".

Aparte de involucrar al personal en la filosofía de la movilización y capacitación de los laicos, los líderes congregacionales necesitan establecer procesos deliberados para ayudar a los miembros a descubrir y aplicar sus talentos. En Pleasant Valley, los primeros pasos en ese proceso se concretan a través de su curso de cuatro semanas "Descubre tu diseño". Este curso se basa fundamentalmente en la evaluación SHAPE de Saddleback Church, así como en instrumentos de evaluación y formación espiritual que ha elaborado Pleasant Valley. En la clase, los miembros aprenden a identificar sus dones espirituales, pasiones, habilidades, capacidades y rasgos de la personalidad, y las experiencias de vida clave que los han configurado.

En la última clase, se presenta el siguiente paso del proceso. Consejeros voluntarios capacitados se reúnen con participantes de la clase previamente asignados para conocerse. Luego estas parejas planifican una reunión personal para la semana siguiente para una entrevista que emplea el perfil de la evaluación SHAPE del participante. Esta reunión tiene el objetivo de analizar el proceso de autoevaluación que el miembro acaba de pasar en las cuatro semanas previas. El propósito de esta entrevista y orientación es clarificar y confirmar la percepción de los dones y el llamado del participante y

---

467 Todas las citas de Charlene Armitage, directora de capacitación, Iglesia Bautista Pleasant Valley, proceden de una entrevista telefónica con la autora, 24 de agosto de 2020. (Ella se retiró de este cargo en la iglesia a fines de 2010).

468 Las citas de Sue Mallory, secretaria asistente de la sesión, Iglesia Presbiteriana Brentwood, y autora de *The Equipping Church*, proceden de una entrevista telefónica con la autora, 11 de agosto de 2010.

ayudarlo a comenzar a reflexionar acerca de dónde podrían ser desplegados estratégicamente aquellos dones.

Pleasant Valley normalmente ofrece su curso "Descubre tu diseño" siete veces al año. Esto le otorga a la congregación en general múltiples oportunidades de participar en un tiempo conveniente. El curso es especialmente publicitado para los recién llegados, porque los líderes de la iglesia quieren que aquellos entiendan que la capacitación es una parte esencial del "ADN" de Pleasant Valley. Ellos quieren que los miembros entiendan que el personal no los ve como espectadores sino como aquellos que implementan la misión de la iglesia en el mundo.

Esta elevada visión del laicado se enfatiza en la predicación del pastor Vernon desde el púlpito. Luego esa predicación se refuerza con el fuerte énfasis que ponen los líderes en que todos los miembros tomen el curso "Descubre tu diseño". Charlene estima que el 60 por ciento o más de los recién llegados a la iglesia efectivamente completan el curso. Ella señala que han visto aumentos significativos en el número de miembros involucrados en el servicio tanto dentro como fuera de la iglesia desde que lanzaron este sistema.

EVALUACIÓN DE DONES ESPIRITUALES: IMPORTANTE, PERO INSUFICIENTE

Charlene y otros veteranos de la capacitación enfatizan que la tarea de descubrimiento incluye, *pero debe ir más allá*, del tradicional énfasis en la evaluación de los dones espirituales. Pasajes como Romanos 12 y 1 Corintios 12 enseñan que Dios confiere dones espirituales a todos los seguidores de Cristo. En consecuencia, muchas iglesias ofrecen cursos de educación para adultos que se enfocan en ayudar a los miembros a identificar sus dones espirituales. Este énfasis en el descubrimiento de los dones espirituales es necesario y valioso. Sin embargo, muchos líderes eclesiásticos equiparan erróneamente la capacitación con el empleo de una evaluación de los dones espirituales. Esto es problemático por al menos tres razones.

Primero, para que los miembros encuentren su mejor nicho en el servicio, es crucial una evaluación que vaya *más allá* de los dones espirituales. Como explica Don Simmons:

> En mí (o en cualquier persona) hay muchísimo más que mis dones espirituales. Si una iglesia me ayuda a descubrir mis dones

> espirituales, solo han descubierto una parte de mí. Pero pasarán por alto un cúmulo de experiencia que Dios me ha dado; pasarán por alto sucesos y actividades, y mi geografía, y mi viaje espiritual[469].

Lamentablemente, muy pocos instrumentos de descubrimiento a la venta en el mercado cristiano de hoy buscan ir más allá de los dones espirituales[470]. Pleasant Valley utiliza SHAPE porque han descubierto que los miembros sirven por más tiempo y con mayor gozo en roles que coinciden con sus pasiones, no solo sus dones espirituales. "Dedicamos bastante tiempo a asegurarles a las personas que queremos saber cuáles son sus pasiones", dice Charlene.

Un segundo problema con equiparar la capacitación con la mera aplicación de evaluaciones de dones espirituales es que cuando tales evaluaciones incluyen recomendaciones sobre la manera en que las personas pueden efectivamente aplicar sus dones específicos —no todas las evaluaciones llegan a eso siquiera—, sus recomendaciones normalmente se enfocan solamente en el servicio *dentro de la iglesia.* "El único siguiente paso en su lenguaje es servir a la iglesia", lamenta Sue Mallory[471]. En otras palabras, la gran mayoría de estas evaluaciones no ayudan a los feligreses a ver de qué

469 Todas las citas de Don Simmons, presidente, Creative Potential Consulting and Training, proceden de una entrevista telefónica con la autora, 5 de agosto de 2010.

470 No obstante, un dato más alentador es que estos pocos instrumentos están entre los más populares. Según Erik Rees, de Iglesia Saddleback Central, unas cincuenta mil iglesias han usado la evaluación SHAPE. Creada en Iglesia Saddleback en California, SHAPE ayuda a las personas a identificar no solo sus dones espirituales sino también las pasiones de su corazón y el tipo de personalidad, así como las experiencias que las han configurado. El instrumento Servants by Design, creado por la Iglesia Fellowship Bible en Little Rock, Arkansas, quizá sea la mejor herramienta de evaluación en cuanto a la amplitud de su cobertura. Combina un cuestionario sobre dones espirituales con una evaluación conductual y numerosas preguntas acerca de las competencias y habilidades. Halftime, un ministerio cristiano que ayuda a líderes exitosos del mundo laboral a hacer un cambio desde el "éxito a la significación" recomienda esta herramienta. Servants by Design también se usa en el currículum para el ministerio cristiano para-eclesiástico Men's Fraternity, "para que los hombres determinen cómo interactúan en la vocación y sirven fuera de su trabajo". Según Ann Blair, de la Iglesia Fellowship Bible, más de quince mil grupos de hombres asisten a una reunión semanal de Men's Fraternity en el mundo.

471 Don Simmons concuerda. Él dice que los publicadores de instrumentos de evaluación rara vez incluyen sugerencias para que las personas desplieguen sus dones fuera de las cuatro paredes de la iglesia. Él piensa que esto es porque dichos publicadores saben que este enfoque dirigido hacia el interior vende más. Muchos líderes de la iglesia, lamenta él, están más interesados en lograr que los miembros realicen una labor eclesiástica en lugar de una misión enfocada al exterior.

manera pueden aplicar sus dones espirituales en el contexto de su trabajo diario o en el servicio voluntario fuera de las cuatro paredes de la iglesia.

Lo que se necesita, dice Charlene y otros capacitadores, son más bien herramientas que guíen a los miembros a pensar de un modo más holístico acerca de la aplicación de sus dones. Por ejemplo, se podría incentivar a los miembros que descubren que tienen dones de liderazgo o administración a que consideren servir como ancianos de la iglesia *o bien* servir en la junta escolar de la ciudad.

Además, los miembros necesitan considerar lo que significa su proceso de descubrimiento de dones para sus quehaceres diarios. Aquellos que tienen el don de enseñanza podrían ser incentivados a buscar formas de utilizar esta habilidad más plenamente en su actual empleo, como ofrecerse para dirigir sesiones de entrenamiento. La entrevista que sigue a la clase de descubrimiento debería incluir reflexión sobre las formas en que los miembros ya están sirviendo a los propósitos del reino de Dios a través de su vocación diaria —y qué más podrían hacer allí. No debería enfocarse exclusivamente en la manera en que los miembros pueden usar sus talentos en roles voluntarios. "Tu *mayor* lugar de servicio podría ser tu lugar de trabajo", dice Charlene. "Consideramos que eso es de suma importancia".

Tercero, el uso de cualquier evaluación de los dones espirituales o de los instrumentos con un enfoque más amplio como SHAPE debe ir unido a un proceso intencional de enseñanza y entrevistas personales. Como dice Simmons: "Cualquiera puede hacer una evaluación. Lo que importa es lo que sucede después". Él incentiva a las iglesias a asegurarse de que los miembros tengan la oportunidad de discutir los resultados de sus evaluaciones. Al igual que Charlene, él cree que los miembros necesitan un diálogo reflexivo acerca de la manera en que sus evaluaciones otorgan información respecto a cómo integrar de mejor forma su fe y su trabajo en la labor diaria, y asimismo cómo podrían usar sus dones para el servicio voluntario.

La congregación en hogares de Simmons, la iglesia The Well, realiza sus conversaciones personales a través de un modelo de equipo pequeño. Él explica: "Creemos que el mejor lugar para el descubrimiento es en un grupo pequeño, en comunidad; definitivamente no por cuenta propia. Los dones se conceden para el uso *en* comunidad. Y los talentos se conceden con el fin de que sean *para* la comunidad. ¿Por qué, entonces, íbamos a descubrir nuestros talentos aisladamente y sin tener una comunidad que los verificara?".

DIMENSIONES DEL PODER VOCACIONAL

La iglesia Pleasant Valley ha madurado el proceso de descubrimiento y capacitación más que la mayoría de las congregaciones. Sin embargo, al conversar con Charlene sobre mayordomía vocacional, concordamos en que la iglesia necesita ir más profundo. Para promover la mayordomía vocacional específicamente, los líderes de las iglesias necesitan incluir en el proceso de descubrimiento una atención más deliberada a las diversas dimensiones del poder vocacional de los miembros. La evaluación SHAPE comienza este proceso concentrándose en las habilidades y capacidades de las personas, muchas de las cuales son habilidades vocacionales. Pero el poder vocacional es más amplio que solo las habilidades.

En las ocasiones en que he compartido ideas con grupos de cristianos acerca de las dimensiones del poder vocacional, casi siempre emergen siete categorías (ver figura 7.1). Los líderes de la iglesia deberían facilitar oportunidades para que sus miembros pasen por el proceso de identificar estos distintos elementos de su poder vocacional. Esto podría ocurrir en el contexto de una sala de clases, un grupo pequeño o a través de consejería personal. Este proceso intencional de "disección" puede esclarecer los elementos del poder vocacional que los miembros no habían reconocido o no habían considerado.

Yo he podido presenciar en mi propia iglesia la manera en que este proceso entusiasma a los miembros a medida que ellos adquieren una nueva apreciación de su potencial para servir en el reino de Dios y a través de su trabajo. También he facilitado algunas sesiones de discusión sobre este tema al impartir un curso en la escuela dominical para adultos sobre "alegrar la ciudad". No ha sido inusual que los participantes salgan de este proceso diciendo: "Vaya, tengo más poder vocacional de lo que pensaba".

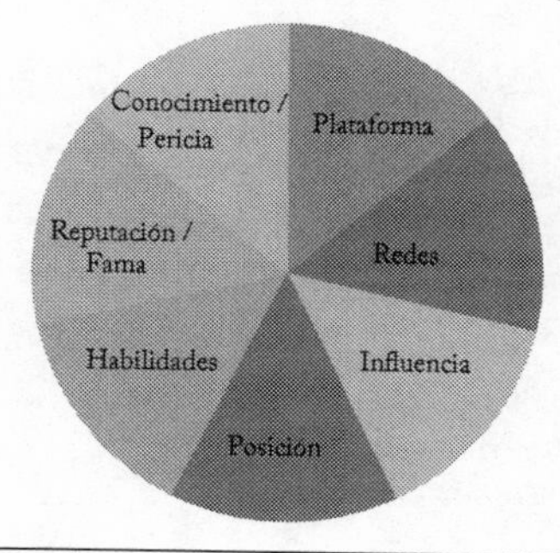

Figura 7.1 Dimensiones del poder vocacional

Las siete dimensiones del poder vocacional que hemos identificado con los miembros de mi iglesia son: conocimiento/pericia, plataforma, redes, influencia, posición, habilidades, y reputación/fama.

1. Conocimiento/pericia. Los trabajadores acumulan conocimiento específico para la industria o campo en el que están. Esto es el resultado de la preparación educacional así como de la experiencia en terreno. La primera forma en que un cristiano administra fielmente esta experiencia es aplicarla para alcanzar el máximo nivel de excelencia en su trabajo. Como escribió una vez Dorothy Sayers, dado que el trabajo es intrínsecamente importante, el trabajador tiene el deber de "servir al trabajo"[472]. Una implicación de esto es que los trabajadores cristianos deberían procurar, cuando sea posible, tomar oportunidades de desarrollo profesional que aumenten su conocimiento para que puedan hacer contribuciones aun mayores en su trabajo diario. Adicionalmente, los cristianos pueden descubrir que parte de su conocimiento y pericia es transferible a nuevos contextos. El discernimiento de cuáles son esos contextos puede facilitar expresiones adicionales de sabia mayordomía vocacional.

Después de graduarse de la escuela de cocina, el chef Tim Hammack trabajó de aprendiz en un restaurante de Berkeley, California, al que llama el "epicentro de la revolución en la comida gourmet estadounidense"[473]. Luego consiguió un empleo como chef asistente en el prestigioso Bouchon, un restaurante gourmet francés en Valle de Napa, California. Allí aprendió acerca de creaciones artísticas, combinaciones de ingredientes y trabajo en equipo de precisión en la cocina.

Un día, un viejo amigo de la escuela de Hammack, Dave Perez le pidió que se juntaran para un café. Perez quería compartir la visión de un programa de entrenamiento de artes culinarias... para hombres indigentes. Él le dijo a Hammack: "Quiero que operes la cocina y les enseñes a estos hombres. Tú serías perfecto. Definitivamente tienes las habilidades para la cocina"[474]. Así que hoy Hammack aprovecha esa pericia como el chef principal de Misión Rescate en Richmond, California.

---

472 Del ensayo de Dorothy Sayer "Why Work?", Creed or Chaos (Nueva York: Harcourt Brace, 1947), citado en Douglas J. Schuurman, *Vocation: Discerning Our Callings in Life* (Grand Rapids: Eerdmans, 2004), p. 134.

473 Tim Hammack, "Gourmet Giving," *Guideposts*, octubre de 2010, p. 61.

474 *Ibíd.*, p. 62.

Allí, además de realizar el programa de capacitación, coordina la alimentación de alrededor de 1.200 indigentes al día, con un presupuesto anual de alimentación de alrededor de diez mil dólares. La mayoría de los ingredientes son donados. "En realidad nunca sabemos qué vamos a recibir cada día", dice Hammack. "Así que es algo así como la priorización de pacientes en el hospital: separamos lo bueno, lo malo y lo feo y nos las arreglamos con lo que tenemos"[475]. Él recuerda que su abuela Nola, quien creció durante la Depresión, tenía esta habilidad. Ella siempre hacía un banquete con cualquier cosa que estuviera madura en su huerto. Hammack dice: "Tal como la abuela Nola, me he vuelto experto en sacar comida deliciosa de lo que parecen sobras"[476].

2. Plataforma. Algunas profesiones otorgan a los trabajadores una voz, una oportunidad de dar a conocer un mensaje o de poner un asunto, causa, persona, lugar, u organización en el centro de atención. Considera, por ejemplo, el rol que desempeñan en la sociedad los periodistas, fotógrafos, camarógrafos, columnistas del diario, productores de documentales y los invitados a programas de televisión. Como dijo el fotógrafo ganador del Premio Pulitzer Stan Grossfeld: "Es un honor ser periodista. Si algo me preocupa, puedo hacer que a medio millón de personas les preocupe"[477].

La posesión de una plataforma es una responsabilidad que puede resultar cegadora. Administrarla sabiamente supone un incesante compromiso con la verdad y la precisión. También requiere enorme sensibilidad con la dignidad humana. Por ejemplo, puede ser útil que los cristianos usen su plataforma para atraer la atención hacia historias de sufrimiento humano. Pero deben esforzarse para presentar aquellas adversidades sin sensacionalismo, invasión a la privacidad o fotografía deshumanizante.

Los cristianos en estos campos también pueden usar su plataforma para poner en el centro de atención aquellas historias que normalmente pasan inadvertidas. El periodista Russ Pulliam, por ejemplo, columnista de *The Indianapolis Star*, a veces atrae la atención hacia la buena labor que realizan las organizaciones de orientación religiosa no lucrativas de la ciudad.

---

475 John Blackstone, "Former High End Chef Now Feeds the Homeless," *CBS Evening News* (25 de noviembre de 2009) <www.cbsnews.com/stories/ 2009/11/25/ eveningnews/main5777661.shtml>.

476 Hammack, "Gourmet Giving", p. 64.

477 Stan Grossfeld, citado en "The Pulitzer Photographs: A Glimpse of Life", producido por el Newseum, Washington, D.C.

Él ha aprovechado oportunidades para contar historias positivas acerca de los barrios que normalmente reciben cobertura negativa de los medios. Él ha prestado atención a pequeñas asociaciones comunitarias que trabajan silenciosa pero fielmente para traer nueva vida y esperanza en algunas de las comunidades más golpeadas de la comunidad.

3. Redes. Para evaluar las redes vocacionales, los miembros pueden comenzar por hacer un listado de los actuales y antiguos colegas. Luego pueden identificar amigos y colegas de su época de formación vocacional (universidad, instituto, programas de capacitación); colegas que han conocido en conferencias profesionales; y clientes, vendedores, socios, asesores y funcionarios públicos con los que han interactuado en el trabajo. La mayoría de las personas quedan sorprendidas al ver lo amplia que es su red. Luego viene la tarea de considerar concienzuda y atentamente cómo administrar esa red para los propósitos de la *shalom*.

El radiólogo Simon Chiu de la Iglesia Cristo en Oak Brook (Illinois) ha sondeado su red para reclutar a muchos doctores y otros profesionales de la salud para servicio voluntario en la Clínica Lawndale Christian Health en el área vulnerable de Chicago. El propio Chiu es un participante entusiasta[478]. Asimismo, el desarrollador inmobiliario John Phillips, de la Iglesia Willow Creek North Shore Community en Northfield, Illinois, ha recurrido a sus redes para encontrar un espacio económico para arrendar para el ministerio juvenil del área vulnerable de la ciudad al que ha estado ayudando[479].

Los cristianos con redes fuertes dentro de su gremio profesional pueden convocar a sus pares para analizar los asuntos que afectan al gremio y la industria; o lanzar nuevas iniciativas que aborden los problemas que preocupan a los miembros del gremio. En otras palabras, uno de los medios para promover la transformación institucional dentro de un campo es usar la propia red para organizar grupos de interés, coaliciones, comisiones especiales para determinado asunto, y cosas similares.

Andy Macfarlan, el médico familiar que conocimos en el capítulo 1, expresó su preocupación por aquellos que no tenían seguro médico en su ciudad a sus colegas de la Sociedad Médica del Condado de Albermarle.

---

478 Ronald J. Sider et al., *Linking Arms, Linking Lives: How Urban-Suburban Partnerships Can Transform Communities* (Grand Rapids: Baker, 2008), p. 127.

479 John Philips, desarrollador inmobiliario, entrevista con la autora, Chicago, 28 de junio de 2010.

Allí presentó la visión de un sistema coordinado de atención gratuita para trabajadores adultos que no tuvieran seguro de salud. Los demás doctores se comprometieron con la visión, y Andy y estos socios recurrieron conjuntamente a sus redes para reunir a médicos de atención primaria, especialistas, farmacias y laboratorios médicos en el nuevo programa Red de Médicos Asociados.

4. Influencia. En el 2003, un libro titulado *The Influentials* (Los influyentes), de Ed Keller y Jon Berry argumentaron que el tipo de poder conocido como influencia —la capacidad de causar un efecto de maneras indirectas o intangibles— no es sinónimo de posición. Es decir, las personas pueden tener considerable influencia sin tener altos puestos. Todos los cristianos, independientemente de su posición dentro de una organización, deberían considerar qué grado de influencia poseen en su entorno de trabajo —y cómo se puede usar creativamente esa influencia para bien.

Helen Bach no es la directora ejecutiva ni presidente de la organización para la que trabaja, ni tiene una gran antigüedad. Pero encontró la forma de usar su influencia para promover anticipos de plenitud del reino en su lugar de trabajo, y más allá.

Helen ha servido durante seis años como supervisora administrativa en Olive Crest, en Santa Ana, California, una escuela alternativa para jóvenes con alteraciones emocionales. Sin embargo, durante más de dos décadas, ella ha criado y adiestrado perros, y ha ganado títulos del American Kennel Club en los niveles más altos de competencia de obediencia.

Hace varios años, Helen se enteró del uso de perros en contextos terapéuticos. Ella certificó a su propia mascota, Luther, como un perro terapéutico y luego prosiguió para recibir su propia certificación como evaluadora de potenciales perros terapéuticos. No tardó mucho tiempo en reconocer que probablemente Luther podría hacer mucho bien en el establecimiento Olive Crest.

Helen habló con sus supervisores acerca de llevar a Luther al trabajo. "Al principio, ellos no sabían qué hacer con esta idea", dice Helen[480]. Pero le permitieron intentarlo. Así que cada mañana Helen y Luther —que siempre llevaba algún tipo de sombrero gracioso y gafas— se plantaban en el

---

480 A menos que se indique algo distinto, todas las citas de Helen Bach, supervisora administrativa, Olive Crest, proceden de una entrevista telefónica con la autora, 23 de septiembre de 2010.

punto donde los adolescentes pasaban por una revisión de seguridad. Helen percibió de inmediato que Luther podía sacar una sonrisa del rostro de estos adolescentes endurecidos. "Ellos se acercaban y lo acariciaban. Se podía ver que ellos daban y recibían afecto de él de una forma que no podían con los adultos. Poco después, los profesores de Olive Crest comenzaron a usar "tiempo con Luther" como recompensa por el buen comportamiento. La influencia positiva era tan notoria que los administradores que visitaban desde hogares de acogida para estudiantes con dificultades comenzaron a pedirle a Helen que llevara al perro hasta sus centros. Desde entonces ella ha programado visitas terapéuticas con otros perros certificados en muchos de los hogares de acogida del área.

5. Posición. Algunos miembros de la congregación han alcanzado poderosas posiciones dentro de sus organizaciones o campos profesionales. La *posición* es una dimensión del poder vocacional que involucra el grado de autoridad que uno tiene dentro de una organización sobre la base de la antigüedad, el cargo o la reputación. También denota el estatus o credibilidad que posee una persona, lo cual surge del poder posicional de su afiliación organizacional (por ejemplo, un académico tiene más "poder de posición" si imparte clases en Harvard que si lo hace en un centro de formación superior).

Truett Cathy, fundador y director de Chick-fil-A, usó su posición como líder de la compañía para tomar una decisión contracultural: cerrar todos sus restaurantes el día domingo para honrar el día de reposo. La baronesa Caroline Cox ha administrado el poder posicional como miembro de la Cámara de los Lores de Gran Bretaña para atraer la atención del aprieto en que están los cristianos alrededor del mundo que son perseguidos por su fe. David Aikman, ex corresponsal sénior de la revista *Time*, ha aprovechado su posición para destacar el rol que han desempeñado líderes cristianos clave en el silo XX que han cambiado la historia, y ha puesto en el centro de atención las potenciales implicaciones del masivo avivamiento cristiano en China.

6. Habilidades. A veces las personas están tan acostumbradas a simplemente realizar sus trabajos que a menudo no se detienen a examinar las distintas habilidades que usan en el proceso. Los individuos en diversas vocaciones poseen una gama casi interminable de habilidades. En su útil colección de instrumentos de evaluación, *Live Your Calling* (Vive tu llamado), los autores Kevin y Jay Marie Brennfleck incluyen una evaluación con una lista de sesenta y dos habilidades específicas[481].

La mayordomía vocacional implica hacer un inventario de las propias habilidades y luego preguntarse: "*¿Para quién* podría emplearlas?". Pensar de manera creativa —y en oración— acerca de la respuesta a esa pregunta puede abrir nuevos caminos de servicio.

El cantautor profesional Craig Pitman, de Nashville, por ejemplo, decidió hace algunos años usar sus habilidades no solo para su propio crecimiento profesional en la industria de la música cristiana; también ofrece sus talentos musicales gratuitamente a su comunidad local. Craig dirige cantos corales de himnos una vez al mes en su iglesia; el precio de admisión es una bolsa de alimento no perecible para la despensa de la iglesia. Adicionalmente, luego de ser inspirado por la historia bíblica de David cuando toca el arpa para un Saúl atormentado, Craig decidió encontrar miembros de la iglesia que estuvieran "pasando por pruebas" con el propósito de ofrecer sus habilidades musicales a estos sufrientes. Craig escribió acerca de su ministración a una familia que había sufrido una tragedia:

> He tocado conciertos en todo el sureste por más de veinte años, y he grabado mis canciones y otros las han grabado. He dirigido servicios de adoración cuando pensé que la nube de gloria llenaba el santuario por la forma en que cantaba la congregación; pero esa noche, en la sala de estar de aquella querida familia, Dios me dio el privilegio de ver el verdadero ministerio musical, cuando en la privacidad del hogar, las lágrimas de tristeza se convirtieron en lágrimas de esperanza y los corazones se derramaron en los salmos, himnos y cantos espirituales que surgieron en aquella sala. Pude ver a Dios usar mi obra para fortalecer y consolar a mis hermanos y hermanas de una forma que nunca antes había experimentado. No cambiaría aquella noche por ningún contrato de grabación en el mundo ni escenario de concierto[482].

---

481 Kevin Brennfleck y Kay Marie Brennfleck, *Live Your Calling: A Practical Guide to Finding and Fulfilling Your Mission in Life* (San Francisco: Jossey-Bass, 2005), pp. 36-39.

482 Craig Pitman, "The Christian Artist in Ministry", ArtsReformation.com (12 de abril de 2006) <www.artsreformation.com/a001/cp-ministry.html>.

*7. **Reputación/fama.*** Algunos profesionales alcanzan un alto nivel de reconocimiento dentro de su campo vocacional, y a veces más allá. Esto puede ganarles acceso a personas influyentes, capacidades para movilizar a un gran grupo de seguidores, u oportunidades estratégicas para dirigir la atención a gran escala hacia un asunto o causa específica.

Bono, la estrella de rock internacional, quizá sea un excelente ejemplo de mayordomía de la fama. Él ha utilizado su reputación mundial para atraer la atención a la pandemia del SIDA y la pobreza mundial. Asimismo, el exitoso comediante Carlos Oscar ha utilizado su fama para reunir dinero y crear conciencia mediante espectáculos benéficos para la lucha contra la esclavitud sexual infantil. Y el pediatra neurocirujano de fama mundial Ben Carson aprovecha al máximo su reputación para incentivar inversiones en Carson Scholars Fund, que ha provisto becas académicas a más de 4.300 jóvenes desfavorecidos[483].

SANTA DISCONFORMIDAD

Finalmente, más allá de identificar dones espirituales y dimensiones del poder vocacional, la tarea de descubrimiento implica incentivar a los miembros a discernir su santa disconformidad. Esta no es un área en la que la iglesia Pleasant Valley se haya enfocado mucho, pero la Iglesia The Well Community sí lo ha hecho.

Una santa disconformidad es aquella pasión que "derrumba" a una persona; el asunto que "te quita el sueño; algo en el mundo que uno quiere componer", dice el pastor Brad Bell de The Well[484]. En septiembre de 2009, él predicó una serie de sermones acerca del tema, usando el libro de Nehemías como su texto. Sus palabras resultaron capaces de cambiar la vida de al menos un oyente, Tim Schulz, de treinta y tres años.

Tim había estado trabajando en construcción durante varios años con un desarrollador habitacional de Fresno. Por mucho tiempo él había tenido un interés en varias áreas clave: los indigentes, el cuidado de la creación, el desempleo y el diseño. Antes de escuchar los sermones de Bell, Tim había

483 "Our Impact," Carson Scholars Fund <http://carsonscholars.org/content/about-csf/our-impact>.

484 Brad Bell, "A Dislocated Heart," sermón entregado en Iglesia The Well Community, Fresno, Calif., 5 de septiembre de 2009 <http://thewellcommunity. org/podcast/the-feedsermon-podcast/1/dislocated-heart-nehemiah-11-4/220>.

estado lidiando con cómo integrar estos intereses en un nuevo emprendimiento social que pudiera aprovechar sus habilidades vocacionales, experiencia y redes. Los sermones de Nehemías, dice él, "realmente apretaron el gatillo" de sus ideas[485].

La primera vez que Bell usó la frase "santa disconformidad", algo se iluminó dentro de Tim. "Realmente le dio un nombre a lo que yo estaba experimentando", señala. "Finalmente podía decir: '¡Eso es! Eso es lo que me pasa'". A Tim lo angustiaba el desempleo y la indigencia y lo apasionaba el que se descubrieran mejores formas en la industria de la construcción para reducir los desechos que acaban en los vertederos. Siguiendo el ejemplo de Nehemías, Tim llevó a Dios su santa disconformidad en oración. Las diversas preocupaciones con las que había estado luchando fueron lentamente tomando una forma coherente.

En julio de 2010, Tim constituyó ReVive Industries con una visión multifacética. ReVive contratará a constructores para involucrarse en servicios de demolición. La firma va a rescatar los elementos y restos de materiales de construcción utilizables, luego los usará para hacer muebles a pedido. Tim pretende asociarse con Misión Rescate de Fresno empleando a hombres sin hogar en su programa de recuperación. Él va a capacitar a los hombres en la creación de muebles y los empleará en proyectos de demolición. La idea es rescatar vidas, no solo restos de materiales.

ReVive le da a Tim un vehículo para desplegar su diseño único y poder vocacional. Aprovecha todo lo que él es: un diseñador que ha estado dibujando y garabateando desde que era pequeño; un constructor con una sólida red de conexiones en la industria de la construcción; un ambientalista de quien su familia se ríe por ser "obsesivo" con el reciclaje; y un seguidor de Cristo cuyo corazón se ha quebrado por el aprieto en que viven las personas sin empleo ni hogar. Tim admite estar un tanto nervioso por emprender esta nueva aventura. Pero los sermones de Bell sobre la santa disconformidad le han enseñado que "si es Dios el que dirige, entonces uno solo obedece y camina".

---

485 Todas las citas de Tim Schulz, fundador, ReVive Industries, proceden de una entrevista telefónica con la autora, 2 de septiembre de 2010.

8

Formación

Jesús efectivamente está buscando personas a las que pueda confiarles su poder.

Dallas Willard

La mayordomía vocacional fiel no solo se trata de *hacer*, sino de *ser*. Para desplegar su poder vocacional para el bien común, los creyentes deben poseer un carácter que maneje este poder con humildad y evite su mal uso. Es por esto que el discipulado para la mayordomía vocacional implica no solo la tarea de la inspiración y descubrimiento sino también un énfasis en la formación. Este aspecto de la preparación de los creyentes para la mayordomía vocacional se trata menos de instrucciones prácticas y más del corazón. La capacitación no está completa sino cuando los líderes de la iglesia proveen la enseñanza, exhortación y cultivo necesarios para configurar apropiadamente el carácter de los miembros.

Un lector atento de los últimos capítulos podría concluir —acertadamente— que es imperativo que las personas eviten subestimar los talentos y el poder vocacional que poseen. Ahora quiero equilibrar esto subrayando lo crucial que es evitar el *sobre*estimar tales atributos. Aquí el peligro radica en que las personas reconozcan la posición, el conocimiento y las habilidades que poseen, pero luego los sobreestimen.

Muchos miembros de iglesias de clase media y media alta son exitosos y talentosos. Poseen un significativo poder vocacional. Muchos son líderes; muchos son individuos de alta capacidad, de personalidad tipo A, con significativas habilidades y competencias. A veces estos creyentes necesitan escuchar nuevamente las advertencias de Jesús de que algunas personas muy talentosas acabarán sorprendidos en el día final. Ellos le dirán: "Señor... en tu nombre expulsamos demonios". Y él responderá: "Jamás los conocí" (Mt 7:22-23). Aquí Jesús está hablando de personas con notables talentos. Estos talentos pueden ser una evidencia de la unción de Dios, pero al parecer también pueden existir en personas que ni siquiera conocen a Dios[486]. Claramente es muy importante no equiparar tal dotación con la madurez espiritual.

En este capítulo, observaremos los dos componentes del trabajo de formación: cultivar el carácter apropiado y e imitar la manera de Dios de administrar el poder. Los líderes de la congregación que invierten en este trabajo ayudan a asegurar que cuando lancen a los miembros desde el "portaaviones", que es la iglesia, ellos hagan el bien en lugar de causar daño.

CULTIVO DEL CARÁCTER NECESARIO PARA LA MAYORDOMÍA VOCACIONAL

La preparación de los creyentes para una sabia mayordomía vocacional comienza por cultivar al menos cuatro rasgos clave del carácter: servicio, responsabilidad, valentía y humildad.

Servicio. Los creyentes que administran adecuadamente el poder consideran que su identidad primordial es la de siervos. Para cultivar esta actitud entre su rebaño, los líderes de la iglesia pueden comenzar por enseñar la palabra hebrea *avodah*. Este término se usa para expresar tres nociones: adoración, trabajo y servicio. Es difícil pensar en un término más bello e idóneo para describir la mayordomía vocacional. Cuando trabajamos usando los talentos que Dios nos ha dado para participar con el Rey Jesús en su misión de llevar anticipos del reino consumado a nuestro prójimo, estamos viviendo la idea de *avodah*. Despertamos a la verdad de que nuestro trabajo puede ser un medio de adoración a Dios y de servicio al prójimo.

Avodah también incluye la oración dependiente de Dios mientras emprendemos nuestro trabajo, la atención centrada en Dios mientras realizamos el trabajo con él como nuestra audiencia, y un amor por los

486 Debo esta idea a Tim Keller.

demás guiado por Dios mientras consideramos el tipo de trabajo que deberíamos hacer. El Rabí Michael Strassfeld comenta la palabra *avodah* y dice: "El trabajo… es una forma de servicio al mundo, al resto de la humanidad, y a Dios… tiene el potencial de realizar *tikkun olam*, 'reparar el mundo'"[487].

Otra antigua palabra también puede ayudar a los líderes de la iglesia que procuran formar a su gente para la mayordomía vocacional. Se trata de *vocare*, término latino que significa "llamar". Es la raíz de nuestra palabra castellana "vocación". El llamado cristiano fundamental viene de la invitación de Jesús "ven, sígueme". Es un llamado a ser como Jesús, lo cual significa al menos dos cosas: ser enviado y ser siervo. En efecto, nuestra vocación (llamado) fundamental es a ser siervos. Es por esto que el apóstol Pablo comienza tantas de sus epístolas con una declaración de su identidad: "Yo, Pablo, siervo de Jesucristo".

Nuestro trabajo como siervos varía en tanto que toma expresión en decenas de ocupaciones distintas. El servicio es nuestra vocación común; las formas específicas en que servimos dependen de nuestros dones, pasiones y oportunidades individuales. El punto es este: nuestro trabajo se trata fundamentalmente de servir a otros. Los cristianos que captan esto profundamente están más preparados para la mayordomía vocacional que aquellos que no lo hacen.

Iglesia Mariners, una mega-iglesia en el Condado de Orange, California, está compuesta en gran medida por personas adineradas, exitosas, altamente competentes y poderosas. Kenton y Laurie Beshore han servido a la iglesia por cerca de tres décadas. Conocer la composición de su rebaño y conocer la Palabra de Dios los ha motivado a resaltar el servicio como un "pilar" de la iglesia. "El egocentrismo y el individualismo son las formas de vida de estos días", dice Kenton Beshore. "Jesús vino y puso todas las cosas al revés y les mostró a todos una forma de vida contracultural… Vino de una posición de poder, y no obstante sirvió con humildad"[488].

---

487 Rabbi Michael Strassfeld, "Avodah: Vocation, Calling, Service", My Jewish Learning <www.myjewishlearning.com/practices/Ethics/Business_Ethics/ Themes_and_Theology/Value_of_Work/Work_as_Calling.shtml>.

488 Kenton Beshore, *Rooted: Connect with God, the Church, Your Purpose* (Irvine, Calif.: Mariners Church, 2010), p. 108.

Como parte de su esfuerzo por liberar el tiempo, los talentos y las posesiones de sus feligreses en la comunidad local y el mundo, la iglesia Mariners incentiva a cada miembro a participar en un curso fundamental de diez semanas llamado "Arraigado". El curso se realiza en formato de grupo pequeño y enfatiza que el cristianismo se trata de ser como Cristo: y Cristo fue un servidor. "¿Cómo se supone que debemos vivir la nueva vida de fe?", pregunta Beshore. "Vivimos como lo hizo Jesús; necesitamos tener el corazón de Jesús. 'El Hijo del hombre no vino para que le sirvan, sino para servir y para dar su vida en rescate por muchos'"[489]. Dos de las semanas de estudio se enfocan en el carácter servicial de Jesús. El verso clave para memorizar es de las palabras de Pablo en Filipenses acerca de imitar la naturaleza de Cristo: "No sean egoístas; no traten de impresionar a nadie. Sean humildes, es decir, considerando a los demás como mejores que ustedes. No se ocupen solo de sus propios intereses, sino también procuren interesarse en los demás. Tengan la misma actitud que tuvo Cristo Jesús" (Fil 2:3-5, NTV).

Responsabilidad. En el capítulo dos, vimos que Jesús sintió una compasión como un golpe en el estómago por aquellos que sufrían, y esta profunda misericordia lo llevó a la acción sacrificial. Los *tsaddiqim* exhiben una compasión similar. Ellos la desarrollan creciendo intencionalmente como personas que ven. Se esfuerzan por poner atención en este mundo deshecho, con el fin de escuchar los lamentos de los demás. Y luego se dejan involucrar por aquello que ven. Ellos aceptan la responsabilidad voluntariamente.

En su libro *The Dangerous Act of Loving Your Neighbor*, Mark Labberton argumenta que la falta de acción de parte de los cristianos frente a la trágica injusticia y necesidad en nuestro mundo surge de nuestra incapacidad de ver lo que acontece y tomar la responsabilidad de actuar. No situamos la injusticia "clara, inequívoca y urgentemente en nuestro campo visual", dice Mark[490]. Esto se debe a la gran distancia entre nuestro mundo privilegiado y ese otro mundo "de allá", donde la tragedia, la enfermedad, la destitución y la opresión simplemente *existen*. Percibimos erradamente este sufrimiento como *su* problema, no el nuestro, dice el autor. Vivimos "con la conciencia tranquila, creyendo que no somos los perpetradores de la injusticia, y a la vez también creemos que cambiar la injusticia excede a nuestras fuerzas.

489 *Ibíd.*, p. 104.
490 Mark Labberton, *The Dangerous Act of Loving Your Neighbor: Seeing Others Through the Eyes of Jesus* (Downers Grove, Ill.: InterVarsity Press, 2010), p. 96.

Pensamos que sencillamente así es como son las cosas". Pero, nos recuerda Mark, el testimonio constante de la Escritura es que cada uno de nosotros, en todos los tiempos y lugares, está involucrado, profundamente involucrado, en el problema de la injusticia"[491].

Los *tsaddiqim* practican el ver y el percibir correctamente. Labberton, que anteriormente fue pastor, dice que los líderes de las congregaciones pueden ayudar a sus miembros a hacer esto implementando ejercicios corporativos prácticos. Por ejemplo, mientras dirigía la Primera Iglesia Presbiteriana de Berkeley, California, Labberton invitó a un obispo de Uganda a visitar y contar a la congregación acerca de los niños que están expuestos a ser capturados por los rebeldes del grupo Ejército de Resistencia del Señor (LRA en inglés). Esto condujo a acciones prácticas, pero solo porque el primer paso fue reformular la manera en que los miembros de la iglesia veían a estos chicos. "No sabrás qué hacer", explicó el Obispo Zac, "mientras no sean primero *tus* niños"[492].

Para cultivar esa mentalidad, los miembros pegaron fotografías de los niños ugandeses alrededor del templo. La adoración congregacional regularmente incluía oración por ellos. Siguiendo el ejemplo personal de Labberton, algunos miembros comenzaron a suscribirse a los diarios en línea de Uganda para mantenerse informados y escribieron cartas a los políticos para expresar su preocupación[493]. El corazón de un miembro fue traspasado por la tragedia de niñas capturadas y maltratadas sexualmente por el grupo LRA. Ella dirigió una iniciativa de elaborar colchas a mano para enviarlas a un hospital de rehabilitación que apoya la iglesia en Goma, Uganda. Antes de enviarlas, se cubrieron los bancos del templo con las colchas. Se invitó a los miembros a "envolverse en estas expresiones de la belleza y el amor de Dios", e imaginarse en silencio a los receptores envueltos en un dignificante abrazo de amor.

Valentía. Para aceptar la responsabilidad de actuar en un mundo de injusticia y quebrantamiento se necesita valentía. Y la valentía no es algo a lo que nuestra cultura nos llame regularmente. Nuestra cultura idolatra la comodidad, la felicidad y la seguridad. En respuesta a esto, como lo ha expresado el Rev. Tim Keller, de la Iglesia Presbiteriana Redeemer, los

491 *Ibíd.*, p. 67.
492 *Ibíd.*, p. 182.
493 *Ibíd.*, p. 184.

cristianos deben ser "una contracultura para el bien común"[494]. Esto implica tomar decisiones de ser valiente en lugar de estar seguro.

Algo importante es que esto *no* supone abandonar las cosas que hacemos bien, las fortalezas que poseemos o la experiencia vocacional que hemos acumulado. *Sí* significa emplear esos dones dados por Dios en aquello que el autor Gary Haugen llama los "ascensos más exigentes"[495]. En otras palabras, este coraje se trata de dedicar nuestros dones y talentos a los propósitos del reino de Dios, no a nuestros propios pequeños reinos. Significa procurar hacer cosas a la medida de Dios con nuestros talentos, tareas que no podemos realizar solos, sin su ayuda. Traemos todos nuestros poderes a Dios y admitimos que no son suficientes para realizar la obra de traer anticipos del reino. Al igual que los niños, miramos a nuestro Padre celestial con desesperada dependencia. Haugen escribe:

> Esta no es una resignación de nuestros dones o pasiones o formación, *sino un despliegue de estas dotaciones a un lugar más allá de la seguridad*, más allá de nuestra capacidad de controlar el resultado y más allá de nuestra propia capacidad de tener éxito. Es un lugar donde se necesita desesperadamente a Dios y una obra en la que a él le complace participar, porque es su propia obra[496].

El camino a este tipo de valentía pasa por la lucha por la justicia en este mundo[497]. Los líderes de la iglesia incentivan el desarrollo de una valentía piadosa en sus miembros cuando los llaman a participar en la obra que a Dios realmente le importa. Esa obra es su misión de hacer retroceder el reino de las tinieblas con nuevas expresiones del reino de la luz. Es la obra de llevar anticipos de justicia y *shalom* a personas deshechas y lugares deshechos. Para llamar a los miembros a esta obra se requiere valor de parte de los líderes de la iglesia. Se necesita valentía para señalar que algunas cosas a las que los cristianos dedicamos nuestra atención sencillamente son triviales y otras son expresiones de una falta de confianza en Jehová Jireh.

---

494 Tim Keller, "A New Kind of Urban Christian", The Christian Vision Project (15 de junio de 2006) <www.christianvisionproject.com/2006/06/a_new_ kind_of_urban_ christian.html>.

495 Gary Haugen, *Just Courage: God's Great Expedition for the Restless Christian* (Downers Grove, Ill.: InterVarsity Press, 2008), p. 18.

496 *Ibíd.*, p. 20, énfasis añadido.

497 *Ibíd.*, p. 38.

El unirse a Jesús en su misión de restaurar todas las cosas reordena nuestras prioridades. Nos obliga a dejar de ocupar todo nuestro tiempo en la construcción del reino del ego. Nos aparta del tiempo invertido en acumular más riqueza mundana o adquirir mayor estatus mundano. Requiere que efectivamente comencemos a confiar que Dios cuida de nosotros en lugar de tratar de asegurar ese cuidado construyendo un sinfín de redes de seguridad para nosotros y nuestros seres queridos. Exige que comencemos a actuar como si realmente creyéramos que si buscamos primero el reino de Dios y su justicia, él cumplirá su promesa de darnos todo lo que necesitamos (Mt 6:33). En suma, la valentía que necesitamos es tanto la fortaleza para ir con el Rey Jesús a los lugares de sufrimiento como el coraje de confiar en la promesa de Dios.

El pastor de servicio a la comunidad Brad Pellish, de Iglesia Bethany Bible en Phoenix, ha llamado a su iglesia a una mayor valentía frente a una injusticia específica en su ciudad. Esto ha requerido algo de agallas de su parte también. Hace dos años, Brad causó cierto asombro en la iglesia cuando invitó a la ex bailarina de clubes nocturnos Harmony Dust a dirigirse a la congregación. Brad había estado conociendo algunas duras verdades acerca de la industria del comercio sexual en Phoenix. Él pensó que su rebaño debía saber acerca de la desesperación que sienten las mujeres detrás de los letreros "Chicas desnudas". Él sospechaba que ellos quedarían aterrados al enterarse de que muchas prostitutas en Phoenix apenas tienen 13 años, y que hay crueles proxenetas que mantienen a muchas chicas en este estilo de vida por la fuerza. Brad quería que su iglesia se uniera a él en una nueva misión en algunos lugares sombríos y aterradores[498].

Por la gracia y el poder de Dios, lo hicieron.

La iglesia Bethany Bible decidió comenzar apoyando a los funcionarios de la brigada anti-vicios. Primero, los miembros de la iglesia compraron tres mil dólares en tarjetas para restaurantes de comida rápida abiertos las 24 horas para darlas a los funcionarios. Esto, porque cuando los funcionarios arrestaban a las chicas menores de edad deambulando por las calles, a menudo les conseguían comida con su propio dinero. (Aunque las chicas tenían hambre y quizá contaban con efectivo, no querían arriesgarse

498 Brad Pellish, pastor asociado, Iglesia Bethany Bible, entrevista con la autora, Phoenix, 3 de diciembre, 2009.

a enfrentar la ira de sus proxenetas gastando su dinero en comida). El funcionario anti-vicios Chris Bray, un veterano del Departamento de Policía de Phoenix, quedó impactado; ningún grupo eclesiástico había hecho algo así antes. La iglesia también lanzó una iniciativa de oración llamada "Anti-vicio encubierto" para "mantener a la brigada anti-vicio cubierta con la oración".

Varias mujeres de la iglesia Bethany visitaron el ministerio Treasures de Harmony Dust en Los Angeles para recibir capacitación sobre formas efectivas de comunicar el amor de Cristo a las bailarinas exóticas. A través del nuevo programa, los voluntarios de la iglesia entregan tarjetas y bolsas de regalo a las bailarinas las noches del fin de semana. Ellos intentan iniciar conversaciones y nuevas amistades que podrían ayudar a estas mujeres a encontrar una salida de la industria del comercio sexual.

Humildad. Muchos líderes de la iglesia están en congregaciones llenas de personas con un significativo poder vocacional. La adecuada administración de ese poder requiere una profunda humildad, un rasgo del carácter con el que a veces luchan las personas altamente exitosas y competentes.

Los líderes de la congregación pueden ayudar a sus miembros a evitar el error de sobreestimar sus talentos recordándoles que la evidencia predominante de la obra de Dios en nuestras vidas es el amor, no los dones. Inmediatamente antes del gran "capítulo del amor" de la Biblia, 1 Corintios 13, el apóstol Pablo incentiva a sus lectores a ambicionar los dones espirituales, pero luego dice que les va a mostrar el "camino más excelente" del amor (1Co 12:31). Los dones son buenos, enseña el apóstol, pero no están a la altura del amor. Lo mismo podríamos decir acerca de nuestras capacidades naturales o pericia vocacional.

Para administrar apropiadamente su poder, capacidades y dones, los creyentes deben procurar crecer en el amor, el cual se refleja en bondad, fidelidad, paciencia, humildad y autocontrol. El que ha aprendido a amar debidamente es el que emplea adecuadamente sus talentos. Jesús ha prometido conceder a sus seguidores el poder del Espíritu Santo para nuestra vida y trabajo. Pero, como lo expresa Dallas Willard, el Mesías está buscando a aquellos a quienes pueda confiarles su poder: "Solo los alumnos constantes de Jesús recibirán el poder adecuado para cumplir su llamado a ser personas de Dios para su tiempo y su lugar en este mundo. Ellos son los únicos que desarrollan el carácter necesario para que poseer dicho poder sea seguro"[499].

Willow Creek North Shore, en las afueras de Chicago, es una congregación con numerosas personas altamente talentosas y exitosas. El pastor Steve Gillen es franco respecto a lo que debe hacer con su equipo para pastorear correctamente este rebaño. Cuando un miembro se acerca al equipo con ideas sobre cómo usar su poder vocacional para el servicio, lo entrevista Loretta Jacobs, miembro del equipo. El propósito de esa reunión inicial es doble: conocer las habilidades y sueños de esa persona *y además* filtrar las actitudes o motivaciones inapropiadas. Gillen explica:

> Si tu iglesia está potenciando [la mayordomía vocacional de miembros altamente capacitados]... hay que tener cuidado con a quién se invita a participar. Esa es una razón por la que Loretta se sienta frente a frente con cada una de estas personas. Queremos estar seguros de que tienen el carácter adecuado antes de liberarlos... Sencillamente no hay cabida para [cuestiones de poder]. Lo que hablamos es que cuando uno se pone la toalla del servicio en el brazo en estas iniciativas, uno sirve a los demás, y si hay alguna duda acerca de la motivación, entonces vamos a tener una conversación y nuestro apoyo va a declinar si no muestran la actitud correcta[500].

COMPARTIR EL PODER: RECONOCER LOS DONES DE LOS DEMÁS

La primera parte de la labor de formación implica que los líderes de la iglesia procuren desarrollar en sus miembros el carácter de servidores compasivos, comprometidos y humildes. La segunda parte de esta labor implica educar a los feligreses en la forma correcta de desplegar el poder; a saber, hacerlo de una forma que esté acorde con la manera en que Dios administra su poder. En palabras simples, Dios administra su poder compartiéndolo, y nosotros debemos imitar este *modus operandi.*

---

499 Dallas Willard, *The Great Omission: Reclaiming Jesus's Essential Teachings on Discipleship* (Nueva York: HarperOne, 2006), pp. 16-17. (Versión en español: *La gran omisión: Recuperando las enseñanzas esenciales de Jesús en el discipulado*).

500 Steve Gillen, pastor delegado, Iglesia Willow Creek North Shore Community, entrevista telefónica con la autora, 7 de septiembre de 2010.

MODUS OPERANDI DE DIOS

Consideremos la historia de la creación. En Génesis 1 y 2, obtenemos una imagen de las intenciones normativas de Dios para el mundo. En este mundo ideal, vemos que Dios comparte el poder con el débil, porque lo comparte con los humanos. (Comparados con Dios, somos débiles). Dios comparte su poder con Adán y Eva y los designa sus vice-regentes. Pone a los seres humanos a cargo de su orden creado. Recordemos Génesis 1:28, donde Dios le dijo a Adán y Eva: "Sean fructíferos y multiplíquense; llenen la tierra y sométanla; dominen a los peces del mar y a las aves del cielo, y a todos los reptiles que se arrastran por el suelo". Al siguiente capítulo, este mandato cultural se repite: "Dios el Señor tomó al hombre y lo puso en el jardín del Edén para que lo cultivara y lo cuidara" (Gn 2:15)[501].

La familiaridad de esta historia es un poco peligrosa, porque puede causar que pasemos por alto algo crucial. Tenemos que advertir que Dios no tenía que compartir su poder de esta forma con los primeros seres humanos. Él podría haber puesto a los humanos en el huerto y haberles dicho: "Este es el paraíso. ¡No lo arruinen!"[502]. Pero no lo hizo. Ser el Creador fue un tiempo tan grandioso para Dios que quiso que nosotros, sus hijos hechos a su imagen, disfrutáramos de toda una vida de trabajo creador. Hechos a imagen de Dios, tenemos talentos suyos y la *autoridad* para usarlos. Tenemos poder vocacional. Y eso es un don de Dios.

Lo más notable es que esta delegación de poder continúa aun después de la Caída (Gn 3). Luego de haber arruinado completamente nuestra comisión de Dios de trabajar y cuidar el Huerto, uno esperaría que Dios decidiera que este plan de compartir poder no era una buena idea. Sin embargo, contra esa razonable expectativa, Dios nos sorprende. Dios efectivamente expulsa a Adán y Eva del paraíso, pero no les quita el poder y no revoca su mandato cultural.

De lo anterior podemos estar seguros por dos razones. Primero, Jesús como Hijo de Dios continúa actuando según el *modus operandi* del Padre, es decir, compartiendo el poder. Cuando observamos a Jesús con sus discípulos, vemos que se comparte el poder. El majestuoso Rey comparte su poder con plebeyos, discípulos que, al igual que nosotros, se caracterizan

---

501 Como vice-regentes, nuestra responsabilidad administrativa es *desarrollar* la creación (esa es la palabra hebrea *abad* en Génesis 2:15, donde dice que Adán debía cultivar el huerto) y *protegerla* (esa es la palabra hebrea *shamar* en Génesis 2:15, traducida como "cuidar").

502 Debo esta idea a Andy Crouch.

por la necedad, el orgullo, la debilidad y la cobardía. Jesús les dio a los doce el poder para expulsar demonios y sanar a los enfermos, y luego los envió a hacerlo. Más tarde hizo lo mismo con el grupo de setenta y dos. Ellos salieron de dos en dos y se alegraron grandemente al ministrar y bendecir a la gente, sanándolos en el nombre de Jesús, usando su poder para llevar anticipos de *shalom* a su prójimo. Entonces Jesús, hacia el final de su vida, prometió aun más poder a través del Espíritu Santo a sus futuros discípulos y predijo que ellos harían obras aun mayores (Jn 14:12).

Segundo, consideremos la imagen del reino consumado de Dios que se presenta en el libro de Apocalipsis. En el paraíso restaurado, reconstruido en la tierra nueva y el cielo nuevo, ¿qué es lo que vemos? Vemos poder compartido, pues los humanos seguimos siendo vice-regentes de Dios, sentados en tronos con Jesús y gobernando la tierra nueva (Ap 3:21; 5:10).

El *modus operandi* de Dios es compartir poder con los humanos, quienes son débiles, frágiles y a menudo pecadores. Él nos dio creatividad, talento, potencial y recursos, y él quiere que despleguemos todo eso. Dios reconoce al mismo tiempo nuestras flaquezas *y* su divina estampa en nosotros, y nos da potencial.

Esta es la aplicación de todo esto para hoy. En este mundo hay disparidades de poder. Algunas personas poseen más poder que otras. Es un simple hecho. Otro hecho es que los cristianos estadounidenses de clase media y alta están entre los poderosos del mundo. Desde nuestra posición de relativo poder, estamos llamados a evitar menospreciar a aquellos que, a ojos del mundo, no son poderosos. Estamos llamados a ver a los pobres y desposeídos como algo *más* que solo pobres y desposeídos. Estamos llamados a ver su potencial, su dignidad, sus capacidades latentes. Estamos llamados a trabajar *con* ellos. No imponemos nuestro poder vocacional *sobre* ellos ni aun lo usamos *para* ellos. Estamos llamados a ponerlo *junto* a ellos.

Lo que dice Andy Crouch acerca de la mayordomía del poder cultural en su perceptivo libro *Culture Making* debería aplicarse a la mayordomía de nuestro poder vocacional:

> Cuando Dios actúa en la historia, lo hace mediante la asociación entre poderosos e impotentes por igual. *Lo básico que estamos llamados a hacer con nuestro poder cultural es emplearlo junto a los que tienen menos poder que nosotros.* La frase más usual sería emplearlo en beneficio

de los que no tienen poder, pero no es así como opera el poder en la economía de Dios. La forma de emplear el poder cultural es abrir la oportunidad para que los demás creen nuevos bienes culturales, sumando nuestros recursos a los de ellos para aumentar su opción de correr los horizontes de posibilidad para alguna comunidad... No nos aproximamos a los que tienen relativamente poco poder como receptores de nuestra caridad sino como fuentes de un poder que nosotros, que somos relativamente poderosos, tal vez ni siquiera conocemos. Cuando ponemos nuestro poder a su servicio, desatamos su capacidad creativa sin disminuir la nuestra en absoluto[503].

HACERLO TRIDIMENSIONAL

La comerciante de antigüedades Martha Rollins, de Richmond, Virginia, nos brinda un instructivo ejemplo precisamente de este tipo de humilde mayordomía del poder vocacional. Durante años, su tienda fue elegida como la Mejor Tienda de Antigüedades de Richmond. Su trabajo era aclamado en revistas de la industria. Ella poseía una amplia red profesional y social y disfrutaba de un saludable ingreso de su negocio. En suma, Martha estaba prosperando como se describe en Proverbios 11:10.

Martha dice que comenzó a tomar su fe en serio cuando alcanzó la mediana edad. Aunque brevemente consideró la idea de irse al seminario con el fin de "servir a Dios", su pastor le aconsejó sabiamente que encontrara formas de desplegar su conocimiento sobre negocios, habilidades, experiencia, riqueza y redes sociales —es decir, su poder vocacional— para el reino de Dios. Así que ella comenzó a orar y a buscar ideas de sus amigos acerca de la manera en que ella podía usar sus talentos empresariales para combatir la pobreza en Richmond.

Pronto comenzó a brotar una idea. ¿Qué tal comenzar una tienda de productos usados en algún lugar del área más vulnerable que necesitara una inversión en el negocio minorista? Una tienda como esta podía dar empleo, vender productos con poco uso a precios razonables que pudieran ayudar a estirar los ajustados presupuestos de las familias y tal vez infundir algo de

503 Andy Crouch, *Culture Making: Recovering Our Creative Calling* (Downers Grove, Ill.: InterVarsity Press, 2008), p. 230, énfasis añadido.

nueva vida en un barrio económicamente decaído. La idea tenía sentido, pero ella no sabía qué comunidad en Richmond sería una buena opción para la inversión. Como Marta siempre había tenido una personalidad activista, decidió simplemente subir a su vehículo y comenzar a observar. Pronto su camioneta blanca se convirtió en una vista típica viajando lentamente por los barrios más precarios del lado este.

A medida que conducía y observaba, ella también oraba persistentemente, pidiendo la dirección de Dios. En 2001, Dios puso en su camino a Rosa Jiggets. Rosa es una mujer afroamericana de mediana edad del barrio Highland Park de Richmond, una comunidad con dificultades económicas. Ella creció en una familia emprendedora: su padre había operado un "mini-mercado rodante" durante años.

Los intereses comerciales y la fe común que compartían Rosa y Martha las ayudaron a trabar amistad. Su sociedad unió distintos tipos de poder. Marta tenía ciertos tipos de poder que Rosa no tenía; ella poseía riqueza y acceso a crédito y una muy extensa red social y comercial. Rosa tenía poder que a Marta le faltaba: conocimiento local, capital cultural y una buena reputación en el barrio. Ambas tenían el poder de la perspicacia en los negocios. Al combinar sus talentos, implementaron un ministerio que está causando la transformación de varias manzanas en Highland Park.

Desde 2002, estas dos mujeres han convertido su ministerio, llamado Boaz & Ruth, en una multifacética empresa social que está impartiendo vida. A medida que Martha llegó a entender mejor la comunidad a partir de Rosa y otros vecinos, supo que Highland Park recibe un desproporcionado número de hombres y mujeres que salen de las cárceles de Virginia. Ella descubrió que las tasas de reincidencia son de alrededor del 66 por ciento y que muy a menudo esto se debe a que los antiguos reclusos no pueden hallar empleo.

Rosa comenzó a presentar a Marta con algunos de estos hombres y mujeres, y Martha tuvo ojos para verlos como más que meros ex convictos. En los cinco años siguientes, ella usó sus conexiones políticas, dinero, redes empresariales y pericia comercial para abrir otros siete negocios locales en Highland Park, cada uno de los cuales emplea a ex delincuentes. Estos hombres y mujeres se unieron al programa de capacitación de Boaz & Ruth y trabajaron durante un año o más en la tienda Segunda Cosecha o en el negocio de transporte, el negocio de restauración de muebles, el negocio eBay, el restaurante u otra de las empresas de B&R. Al compartir su poder con Rosa y los demás miembros de la comunidad, Martha ha contribuido con cierta alegría para las calles de Highland Park.

A Marta le encanta decir acerca de todos los involucrados en B&R, desde el personal a los voluntarios y los participantes en los programas: "Creemos que cada persona es una 'Rut' con necesidades y asimismo un 'Booz' con dones"[504].

CONCLUSIÓN

Cuando los líderes de la iglesia observan sus rebaños, ven a muchas personas bendecidas con educación, privilegios, oportunidades e influencia. Estos miembros tienen mucho que ofrecer. Algunos necesitan ser desafiados para dirigir sus considerables talentos hacia el bien común, superando la inclinación hacia la comodidad y la riqueza. Otros están ansiosos por ayudar a los demás pero quizá necesiten crecer en sensibilidad para manejar su poder en medio de personas con menos poder.

Nuestra esperanza es que, como consecuencia de haber sido inspirados y haber pasado por un proceso de descubrimiento intencional que les haya permitido clarificar los talentos únicos que Dios les ha dado para compartir, muchos miembros estarán ansiosos por salir a hacer algo. Antes de liberar esta energía, sin embargo, los líderes de la iglesia deberían trabajar arduamente para fortalecer el "ser interior" de los miembros para que su servicio en el mundo realmente glorifique a Dios y ayude genuinamente a su prójimo.

504 Citado en Amy L. Sherman, *Being There: Faith on the Frontlines—Successful Models of Faith-Based, Cross-Sector Collaboration from the 2006 Partners in Transformation Awards Program* (Indianapolis: Sagamore Institute for Policy Research, 2006), p. 41.

PARTE 3

Caminos de mayordomía vocacional

9

Despliegue del poder vocacional

CUATRO CAMINOS

Cuando mucho uno pasa alrededor del 5 por ciento de sus horas de vigilia en [la iglesia]. El noventa y cinco por ciento de nuestra vida la pasamos en el mundo… El registro indica alrededor del 95 por ciento [vivido] en el mundo.

Pastor Victor Pentz

Es posible que los líderes de la iglesia piensen que si predican el mensaje preciso (inspiración), proveen los instrumentos y conversaciones que ayuden a las personas a identificar sus dones, pasiones y dimensiones del poder vocacional (descubrimiento), y ayudan a sus miembros a desarrollar un carácter maduro para manejar su poder de un modo bíblico (formación), entonces los miembros simplemente comenzarán a administrar efectivamente su poder vocacional. Si bien es posible que algunos emprendedores inteligentes sean capaces de hacerlo, muchos feligreses necesitan más ayuda práctica. Luego de haber visto *por qué* deberían administrar su poder vocacional y *cuál* es ese poder, ahora necesitan ayuda para discernir *dónde* invertir sus esfuerzos. Esta es la tarea del despliegue.

En la parte 3, examinaremos detalladamente cómo pueden los líderes de la congregación capacitar a sus miembros para la mayordomía vocacional siguiendo cuatro caminos posibles. Aquí los presento y ofrezco algunos comentarios sobre las tentaciones de cada camino respecto a las cuales los líderes necesitarán estar al corriente. La tabla 9.1 resume las ideas clave acerca de cada camino.

Tabla 9.1. Resumen de los cuatro caminos.

Camino	Palabra clave	Descripción	Tipo de iglesia	Tentaciones
1	Florecer	Promover el reino en y a través del trabajo diario	Todas: cualquier tamaño, cualquier estrategia de llegada a la gente	Pietismo, triunfalismo
2	Donar	Ofrecer voluntariamente el talento vocacional fuera del trabajo diario	Pequeña a mediana; con una estrategia de llegada a la gente que enfatiza las asociaciones	Impaciencia; arrogancia hacia las organizaciones y personal voluntarios y no lucrativos
3	Inventar	Iniciar un emprendimiento social	Medianas a grandes; con un alto porcentaje de líderes y trabajadores en la mediana edad	Reinventar la rueda; incapacidad de asociarse; jactancia
4	Invertir	Participar en la iniciativa con objetivo específico de la iglesia	Medianas a grandes; con un enfoque acotado y profundo para llegar a la gente	Fracaso en hacer "ministerio *con*"; fracaso en reconocer la mutualidad del ministerio

PRESENTACIÓN DE LOS CUATRO CAMINOS DE LA MAYORDOMÍA VOCACIONAL

Camino 1: Florece donde estés plantado. La vía primordial y más importante para desplegar el poder vocacional está en y a través de nuestro actual trabajo. El primer lugar donde deberían mirar los creyentes para llevar a cabo su misión de llevar anticipos está precisamente en su actual empleo. A esto lo llamo "florecer donde estés plantado".

Florecer implica reflejar y promover la gloria de Dios en nuestra vocación actual. Los *tsaddiqim* lo hacen procurando vivir las dimensiones personal y social de la justicia en el contexto de su vocación en el poder del Espíritu Santo. El ejemplo del constructor habitacional Perry Bigelow que consideramos en el capítulo dos nos brindó un buen atisbo de cómo es esto. Florecemos cuando reconocemos a Dios como nuestro director y nuestra audiencia, y realizamos nuestro trabajo en una dependencia funcional diaria del Espíritu. Florecemos cuando honramos a Dios a través de nuestra práctica ética y cuando procuramos intencional y creativamente promover la *shalom* para *todos* los que tienen intereses en nuestra organización. Y florecemos cuando actuamos como "intra-emprendedores": personas que innovan reformas necesarias dentro de su compañía o industria[505].

Cada congregación, independientemente de su tamaño, puede y debería poner un énfasis primordial en capacitar a sus miembros para esta expresión de la mayordomía vocacional. Algunas también pueden tener la capacidad de capacitar a los miembros para uno de los otros caminos, y las megaiglesias tal vez tengan la capacidad de apoyar los cuatro caminos. No obstante, a diferencia del camino uno, los demás caminos son opcionales.

Tentaciones del camino 1. Las tentaciones de este camino son (al menos) dos. Una puede llamarse pietismo; la otra, triunfalismo.

La tentación del pietismo surge cuando los miembros definen erradamente la misión de la integración de fe y trabajo de un modo demasiado estrecho. Es decir, procuran ser personas de integridad en el trabajo y tal vez intentan evangelizar a los colegas, pero no reflexionan profundamente sobre el trabajo mismo. No dedican tiempo a considerar de qué manera su trabajo refleja a Dios en su continua providencia en la creación, o de qué manera su trabajo participa en los propósitos redentores de Dios. Ellos no logran discernir cómo es posible dar testimonio de la *missio Dei* a través del trabajo de formas que no sean poner placas cristianas en la pared o realizar estudios bíblicos.

Steve Garber, presidente del Instituto Washington, cuenta que llevó a un grupo de cristianos en una visita a terreno a un restaurante de hamburguesas propiedad de un amigo suyo. Este amigo ha reflexionado profundamente sobre cómo servir a Dios a través de su negocio, y ha decidido adoptar algunas políticas específicas. En la búsqueda de promover la virtud del reino de la salud, este empresario evita la carne comercial alimentada con grano que contiene antibióticos que pueden tener efectos negativos en la salud. En la búsqueda de promover la virtud del reino del cuidado de la creación, compra todos sus productos localmente. Los cristianos que Steve llevó de visita al restaurante no pudieron ver los valores del reino en esto.

---

505 Tim Keller, "Cultural Renewal: The Role of the Entrepreneurs and Intrapreneurs", Center for Faith and Works, Entrepreneurship Forum 2006 <www.faithandwork.org/2006_ei_forum_page3037.php>.

No lograban discernir qué era lo "cristiano" de este local de hamburguesas, pues el dueño no estaba hablando de convertir a sus empleados y no ostentaba ninguna literatura cristiana[506].

Una segunda tentación en el camino 1 es el triunfalismo. Esto puede ocurrir cuando los cristianos en su lugar de trabajo secular olvidan la doctrina de la gracia común: la noción de que Dios ha concedido grados de sabiduría y conocimiento a los incrédulos y que él puede promover sus propósitos a través de instituciones no cristianas. El triunfalismo asoma la cabeza cuando los cristianos afirman que solo *ellos* pueden percibir lo verdadero, lo bueno y lo bello. Emerge cuando los cristianos usan sin cuidado el lenguaje de "tomarse" su institución o su sección vocacional "para Cristo". Semejante lenguaje puede causar gran consternación entre los colegas seculares. El triunfalismo se revela cuando los creyentes no logran ser buenos oidores con las personas de buena voluntad que no comparten su fe cristiana, cuando los creyentes son hostiles hacia las posturas de los demás.

La académica Kim Phipps, ahora presidente de Messiah College, ofrece consejos prácticos a los cristianos de su profesión sobre cómo evitar el triunfalismo. Ella insta a los académicos a practicar la "hospitalidad intelectual". Esto implica:

> Cuidar y preocuparse por la persona, y también precisa invitar a los demás a la conversación, escuchar sin prejuicios, y afirmar el valor de los demás y sus perspectivas aun cuando exista legítimo desacuerdo. Lo más importante es que la hospitalidad intelectual supone la virtud de la humildad epistemológica, lo cual arraiga nuestra apertura a la visión de los demás en el reconocimiento de que nuestras propias facultades mentales son limitadas y que las nociones cognitivas, experienciales y afectivas de los demás, especialmente cuando son distintas a las nuestras, realmente pueden profundizar y extender nuestra comprensión de los demás y del mundo que nos rodea[507].

506 Steve Garber, presidente, Instituto Washington, conversación personal con la autora, 13 de octubre de 2010.

507 Kim S. Phipps, "Prologue: Campus Climate and Christian Scholarship", en *Scholarship and Christian Faith: Enlarging the Conversation*, ed. Douglas Jacobsen y Rhonda Hustedt Jacobsen (Nueva York: Oxford University Press, 2004), p. 174.

Esta hospitalidad no es mero relativismo, y no requiere la aceptación de cada opinión académica. De hecho, observa Phipps, la hospitalidad exige el reconocimiento de legítimo conflicto. Los cristianos pueden y deberían presentar rigurosos argumentos basados en una cosmovisión bíblica. La cuestión es evitar etiquetar a los oponentes injustamente, abandonar la cortesía, rehusar ver la imagen de Dios en las personas que discrepan, y carecer de humildad para darse cuenta de que podemos aprender de aquellos cuyas posturas son distintas. El consejo de Phipps para los académicos cristianos en el ambiente a menudo poco amigable de la academia secular es aplicable a los cristianos en cualquier entorno laboral secular.

Los líderes de la iglesia capacitan a su rebaño para que resista las tentaciones del pietismo y el triunfalismo cuando enseñan una robusta perspectiva de la integración de fe y trabajo y les recuerdan a los miembros la gracia común de Dios. Cuando elogian a los miembros que están viviendo la mayordomía vocacional siguiendo el camino 1, necesitan afirmar un amplio rango de ejemplos. Tienen que destacar a los que comienzan estudios bíblicos en el trabajo y *también* a los que logran reformas en el lugar de trabajo que promueven la justicia, a aquellos que fomentan el cuidado de los empleados, y a aquellos que convencen a sus compañías de que sean más ecológicas. Al exhortar a los miembros a influenciar positivamente sus sectores, deberían emplear el lenguaje del servicio, no de conquista. La idea es incentivar a los miembros a ser sal, a ser sembradores, a ser dadores en secreto, a ser tejedores de las tramas sociales que están rasgadas; a ser una "presencia fiel", en palabras del sociólogo James Davison Hunter. "Si, en efecto, existe una esperanza o una expectativa imaginable para el florecimiento humano en el mundo contemporáneo, comienza cuando la Palabra de *shalom* se vuelve carne en nosotros y se representa a través de nosotros hacia aquellos con quienes vivimos, en las tareas que se nos dan, y en las esferas de influencia en las que operamos"[508].

Camino 2: Donar. El segundo camino de mayordomía vocacional implica donar nuestras habilidades a organizaciones que no sean nuestro empleador regular. Esto incluye servicio voluntario en iglesias, ministerios sin fines de lucro o agencias públicas o privadas que puedan hacer un buen

508 James Davison Hunter, *To Change the World: The Irony, Tragedy, and Possibility of Christianity in the Late Modern World* (Nueva York: Oxford University Press, 2010), p. 252.

uso de nuestro conocimiento y experiencia vocacionales específicos en sus quehaceres dentro del país o en el extranjero. Este camino es único en su preocupación de que el servicio vocacional aproveche intencionalmente el poder vocacional. Se trata de hacer que los banqueros sirvan como banqueros, los carpinteros sirvan como carpinteros, y los arquitectos sirvan como arquitectos. Desde luego tal aproximación es de sentido común; pero en la mayoría de las congregaciones existe escaso o ningún esfuerzo por movilizar a los miembros para el servicio de acuerdo con sus talentos vocacionales.

Es probable que muchas congregaciones tengan la capacidad de entrenar a sus miembros para la mayordomía vocacional siguiendo este camino además del camino 1. Si la estrategia de la iglesia para llegar a la gente se enfoca en asociarse con agencias locales (en lugar de lanzar nuevas iniciativas patrocinadas por la iglesia), el camino 2 se le acomodará naturalmente.

Tentaciones del camino 2. Las principales tentaciones de este camino incluyen la impaciencia, la arrogancia y la incapacidad de apreciar estilos de trabajo o ambientes/culturas laborales distintas a aquellas con las que uno se siente más familiarizado y cómodo. Es probable que a los profesionales altamente capacitados del área comercial les parezca que el mundo de organizaciones no lucrativas es un animal distinto al mundo corporativo. Algunas de esas diferencias señalan debilidades en la cultura sin fines de lucro, pero otras pueden revelar sus fortalezas.

Los voluntarios no remunerados necesitan ojos para ver ambas cosas, en lugar de simplemente irritarse por las ineficiencias o la falta de políticas y procedimientos ordenados. También necesitan cultivar un aprecio por los talentos y habilidades del personal sin fines de lucro. Puede que estas personas no demuestren el mismo tipo de pericia que tienen los voluntarios profesionales. Puede que les falte el mismo nivel de educación formal o entrenamiento. En consecuencia, los líderes de la iglesia deberían ser intencionales en recordarles a sus miembros educados que existen muchos tipos de pericia en el mundo y que una "educación de calle" puede servir tanto o más que una educación universitaria en el trabajo sin fines de lucro[509].

Los líderes también pueden fomentar una actitud de respeto por las organizaciones comunitarias con las que están asociadas siendo ejemplos de

509 Ver Howard Gardner, *Frames of Mind: The Theory of Multiple Intelligences* (Nueva York: Basic Books, 1993).

ese respeto. Cada comunicación acerca del trabajo de la congregación junto con estas organizaciones asociadas debería enfatizar la mutualidad de la relación. Los líderes no deberían hacer nada que comunique: "Bueno, estos socios sin fines de lucro sin duda tienen suerte de contar con el apoyo de nuestra congregación, considerando lo talentosos, educados y competentes que somos". Evitar este lenguaje claramente desdeñoso es bastante simple, pero los líderes deben cuidar diligentemente sus palabras cuando elogian a sus miembros por su servicio. El respaldo siempre debiera darse de maneras que reconozcan la dedicación y los talentos de los socios así como los logros de los miembros.

Camino 3: Inventar. La mayordomía vocacional que sigue el tercer camino es una forma de lo que el autor Andy Crouch denomina "creación de cultura". En su libro que lleva ese título, Crouch argumenta que "la única forma de cambiar la cultura es crear más de ella"[510]. El camino 3 implica recurrir a nuestro poder vocacional para lanzar un nuevo emprendimiento social que apunte a promover el reino de una forma renovada. Se trata de crear instituciones nuevas o alternativas (grandes o pequeñas) que implementen formas innovadoras de abordar problemas sociales. La mayordomía vocacional en este camino trae anticipos de *shalom* primero a los beneficiarios directos de los servicios prestados por estas nuevas organizaciones. En algunos casos, también puede llevar a cabo cambios culturales o sociales significativos y de vasto alcance. Las empresas sociales como el Grameen Bank, por ejemplo, que dio origen a la moderna industria de las microfinanzas, ha revolucionado la vida de millones de personas en el mundo.

Las iglesias con cantidades significativas de miembros altamente capacitados o que están en el "entretiempo" (profesionales en un punto de su carrera donde están buscando mayor significación en su trabajo en el mercado) tal vez quieran construir estructuras para apoyar el camino 3.

Tentaciones del camino 3. La principal tentación del camino 3 implica la incapacidad de escuchar o de asociarse. Un cristiano de alta capacidad entusiasmado por su nueva idea puede fallar en darse cuenta de que otros han estado trabajando en el problema mucho antes de que él o ella llegara. En esta circunstancia, los líderes de la iglesia tal vez necesiten preguntar

---

510 Andy Crouch, *Culture Making: Recovering Our Creative Calling* (Downers Grove, Ill.: InterVarsity Press, 2008), p. 67.

amablemente al emprendedor si ha hecho un estudio cabal y se ha familiarizado con lo que otros han hecho. Si ya hay otros trabajando en la misma viña, los líderes de la iglesia deberían instar a sus emprendedores a considerar la manera en que podrían asociarse con programas existentes en lugar de reinventar la rueda.

Asimismo, los profesionales que han demostrado ser excelentes en la resolución de problemas en el ámbito de los negocios pueden ser incapaces de ver dónde están los límites en la posibilidad de transferir tales habilidades. En estas circunstancias, los líderes de la iglesia deberían recordarle al emprendedor que una idea o enfoque que funcionó extraordinariamente en el sector corporativo o técnico tal vez no tenga éxito en el sector social.

Los líderes de la iglesia también necesitan ser "prudentes como serpientes" respecto a la triste realidad de que algunos de los emprendedores sociales en su rebaño pueden estar motivados por la arrogancia y no tener interés en asociarse con otros porque quieren "hacerlo a su manera". El ego es un diablito persistente. Los líderes de la iglesia necesitan discernir si el deseo expreso de un potencial emprendedor de servir a los demás a través de su iniciativa en realidad está enmascarando un hambre de reconocimiento personal.

Camino 4: Invertir. Finalmente, el camino cuatro implica participar en una iniciativa intensiva y con un objetivo específico por parte de una congregación para servir a un grupo de personas, barrio o causa específicos de una forma que utilice estratégicamente nuestro poder vocacional. Algunas congregaciones han escogido una estrategia acotada pero profunda para impulsar la renovación de la comunidad. Se han enfocado en un barrio específico o un problema específico, tal como las escuelas fallidas, o el decaído sistema de acogida transitoria, o el tráfico sexual internacional. Los objetivos de tales iniciativas son audaces, y para alcanzar sus metas, estas congregaciones necesitan reunir el poder vocacional de todos sus miembros. Ellos procuran crear rutas de acceso para el servicio por parte de miembros de todos los diversos conjuntos de habilidades profesionales. El camino 4 canaliza todos los distintos talentos de los miembros hacia el mismo objetivo.

Obviamente, si la estrategia de la iglesia para llegar a la comunidad está construida sobre este enfoque acotado pero profundo, tiene sentido apoyar a los miembros en la mayordomía vocacional por este camino.

Tentaciones del camino 4. La principal tentación de luchar en este camino es la incapacidad de emprender la obra en un paradigma "ministerio con" en oposición al paradigma "ministerio para". Por ejemplo, si una iglesia se ha enfocado en una comunidad económicamente afligida, debe evitar que sus miembros talentosos, acelerados y poderosos pasen por encima de los residentes de la comunidad con las denominadas iniciativas de ayuda. Como explican tan bien Steve Corbett y Brian Fikkert en su reciente libro, a veces semejante "ayuda" en realidad lastima[511]. El enfoque bíblico consiste en compartir el poder, en el respeto mutuo e igual dignidad.

Al igual que en el camino 2, los creyentes que pueden contribuir con significativo poder vocacional deben hacerlo sin una inflada percepción de su propia importancia y con una genuina consideración hacia los distintos conjuntos de habilidades que aportan las personas a las cuales están sirviendo. Los líderes de una iniciativa en un barrio objetivo deben involucrarse con los residentes de ese barrio, conocer cuáles son *sus* deseos y sueños para la comunidad. Los residentes de la comunidad deben estar involucrados en el diseño, implementación y evaluación de la iniciativa. Los líderes de la iglesia movilizan a los miembros para que se unan a los residentes locales y los asistan en la promoción de sus sueños valiéndose de sus propios recursos vocacionales, conocimientos y redes específicos. Asimismo, cuando el enfoque está puesto en un problema más que en un lugar, los cristianos que administran su poder vocacional deberían asociarse con las personas más afectadas por ese problema y buscar ideas aportadas por *ellos* al diagnóstico, prescripción, implementación y evaluación.

Finalmente, los líderes de la iglesia en el camino 4 también pueden ayudar a los miembros a evitar las tentaciones del paternalismo o la superioridad preocupándose de señalar el carácter *mutuamente* benéfico del ministerio. Ellos deberían enfatizar que ambos lados pueden aprender mucho uno del otro y que Dios desea verlos a ambos transformados.

---

511 Brian Fikkert y Steve Corbett, *When Helping Hurts: How to Alleviate Poverty Without Hurting the Poor... and Yourself* (Chicago: Moody Press, 2009).

10

Camino 1

FLORECE DONDE ESTÉS PLANTADO

La iglesia existe para la misión, por causa del mundo.
No obstante, está organizada para construirse como una institución.
Bendice el trabajo que sus miembros realizan dentro de la institución pero no presta atención alguna al trabajo que realizan "fuera" de la iglesia.

Rev. Davida Crabtree

En 1985, la compañía de Tom Hill pasaba por tiempos difíciles. La firma de la Ciudad de Oklahoma, que produce sofisticados calibradores y termostatos para compañías de petróleo y gas, estaba en un ciclo de contracción. Esto no era inusual en esa industria. De hecho, varios años antes, Kimray había pasado por un momento aún peor. Tom recordaba muy bien aquella recesión. En aquel entonces, él había permitido que la firma creciera demasiado durante un ciclo de auge y no reservaron fondos. Cuando el mercado se derrumbó, los subsecuentes despidos que se vio obligado a realizar fueron angustiantes.

Esta fue una experiencia que Tom no quería repetir jamás. En ese preciso momento le prometió a Dios que en el futuro operaría Kimray libre de deudas. "En los buenos tiempos guardamos reservas para que nos sostengan durante los tiempos difíciles", dice Tom. "Solo ese compromiso nos permite operar exitosamente en diversos climas económicos"[512]. Cuando llegó la

512 Todas las citas de Hill tomadas de Matthew Myers, "CEO Profile: Tom Hill, President, Kimray Incorporated," Christ @ Work <www.christatwork.com/data/PDFFiles/Tom%20Hill%20interview.pdf>.

recesión de 1985, se encontraba con una reserva financiera pero con más empleados que trabajo. Su respuesta fue la de un *tsaddiq*.

Debido a su fuerte compromiso con su ciudad y sus empleados, Hill contactó al alcalde de la Ciudad de Oklahoma, Ron Norrick para preguntar si Kimray podía poner a sus empleados a trabajar para la Ciudad de Oklahoma. Tom recuerda:

> Nos tomó alrededor de dos meses y medio hacer ese acuerdo, pero lo hicimos, y también pusimos a los empleados a trabajar en otras compañías. Teníamos empleados que trabajaban para Macklanberg-Duncan y para varias organizaciones sin fines de lucro, algunos donde podían ser pagados, algunos por el salario mínimo, algunos en empleos no remunerados, y nosotros completábamos la diferencia en su salario. Finalmente, fueron 92 empleados los que trabajaron para otras personas por un periodo de 18 meses, y nosotros pagamos la diferencia en su salario o la totalidad del salario.

Para 1987, el negocio de Kimray se había recuperado, y Tom llevó a los noventa y dos empleados de vuelta a la planta.

La inusual respuesta de Kimray a la recesión de 1985 no ha sido olvidada. En una entrevista años más tarde, Tom dijo: "Muchos de los empleados que tenemos ahora estaban aquí entonces. Ellos recuerdan aquel momento y lo aprecian". Por su parte, Tom dice que está simplemente agradecido de que Kimray fuera capaz de demostrar "nuestro compromiso con nuestros empleados y nuestra comunidad... Nuestro objetivo no es solo vender productos. Nuestro objetivo es proveer empleos a la comunidad, ser parte de la comunidad, y causar un impacto en la comunidad".

Los profesionales cristianos en el mundo de los negocios como Tom Hill no nacen, se hacen. La Palabra y el Espíritu de Dios los convierten en personas que velan por el bien común en lugar de enfocarse exclusivamente en sí mismos. La formación de creyentes como Tom, cuya fe configura su trabajo diario de maneras profundas y creativas, es una tarea primordial de la iglesia.

En este capítulo examinaremos lo que están haciendo los líderes de la iglesia en el país para discipular este tipo de trabajadores. Sin visión, nos dice la Escritura, el pueblo perece. Las siguientes historias acerca de líderes y miembros de la iglesia pueden ayudar a potenciar una visión para levantar *tsaddiqim* que promuevan el reino en y a través de su trabajo diario.

CULTIVO DE *TSADDIQIM* QUE FLOREZCAN

Los líderes de las congregaciones que son efectivos en incentivar a los miembros a administrar su vocación para el bien común se caracterizan por tres compromisos clave: afirmación, educación, y apoyo (ver tabla 10.1). Una variedad de iglesias en Estados Unidos ofrecen ideas para involucrarse en estas tres actividades.

Tabla 10.1. Cómo cultivar creyentes que florezcan.

Afirmación	Educación	Apoyo
• Predicar sobre el valor misional del trabajo diario. • Usar ilustraciones del trabajo en los sermones. • Visitar a los miembros en su lugar de trabajo. • Usar oraciones "vocacionales". • Comisionar a los laicos para el trabajo en la sociedad.	• Ofrecer cursos breves relativos al trabajo. • Realizar retiros de descubrimiento de los dones. • Albergar grupos de estudio de libros. • Realizar conferencias especiales sobre fe y trabajo..	• Patrocinar consejería ocupacional. • Asociarse con WorkLife, Inc. • Organizar grupos vocacionales. • Proporcionar herramientas.

Afirmación. Cultivar a los *tsaddiqim* para que florezcan en su trabajo comienza con una sólida predicación basada en las convicciones teológicas analizadas en capítulos anteriores. En la Iglesia The Falls, una gran congregación anglicana en las afueras de Washington, D. C., el rector John Yates reconoce la importancia vital de afirmar a los miembros en su ministerio diario en el trabajo. Yates cree que la iglesia en Estados Unidos hoy reside en Babilonia y que la palabra profética de buscar "la paz y prosperidad de la ciudad donde los envié al destierro" (Jer 29:7, NTV) es el paradigma relevante para el ministerio. En tal contexto, afirmar y alentar las vocaciones del mundo laboral de los laicos es más importante que nunca. Como aconsejó Yates a un grupo de estudiantes de seminario en un discurso inicial en 2008:

> Dios nos ha llamado a Babilonia. Este es nuestro hogar por ahora, y aquí es donde estamos llamados a edificar discípulos y edificar iglesias. Dios les dará personas para pastorear y servir, y puede

que en realidad ellos sean más efectivos para el reino de Cristo, e influyentes en nuestra cultura como laicos, que ustedes o yo. Incentívenlos, crean en ellos, oren por ellos. Ténganles paciencia. No intenten aislarlos de Babilonia, sino díganles que ellos son semillas de Cristo, enviados para producir fruto, y ellos lo harán[513].

Los líderes locales de iglesias de diversas denominaciones comparten esta perspectiva y este compromiso con el liderazgo del púlpito que afirma el trabajo de los miembros en el mundo. En la Iglesia Presbiteriana Harbor, en San Diego, los líderes simplemente dicen: "Creemos que las personas pueden —y deben— vivir el Evangelio en y a través de su trabajo"[514]. En Gracia DC, una iglesia presbiteriana en Washington D. C., el anterior pastor asociado Duke Kwon, quien supervisó la iniciativa de mayordomía vocacional de la congregación, explica que:

> Teológicamente, siempre hemos sostenido lo que algunos denominan una cosmovisión kuyperiana, que enseña el Señorío de Cristo en todas las esferas de la vida y rechaza la división secular/sagrado… Ese compromiso en cuanto a filosofía del ministerio ha estado presente desde el principio, y se comunica a través de nuestros ministerios de educación y predicación[515].

Además de la predicación, otras actividades durante el servicio de adoración del domingo también ayudan a afirmar a los miembros en su labor diaria. En la Iglesia The Falls, por ejemplo, en la oración congregacional de cada sábado, se ora específicamente por cuatro o cinco miembros por nombre y vocación. En la Iglesia de Cristo Unida de Colchester, Connecticut, la Rev. Davida Crabtree llevó un paso más allá esta noción de oraciones vocacionales. Con la ayuda de miembros seleccionados, compuso una oración para cada domingo que se enfocaba en una ocupación distinta. Ella colocaba un objeto simbólico de esa profesión en el altar (tal como un secador de

513 Rev. Dr. John Yates, "Seek the Welfare of the City: A Vision for Pastors and Pastoring", discurso inicial en Covenant Theological Seminary, St. Louis, Mo., 16 de mayo de 2008.

514 "Faith and Work Ministry", Iglesia Presbiteriana Harbor —Downtown (San Diego) <www.harbordowntown.org/get-involved/faith--work-ministry>.

515 Todas las citas de Duke Kwon, anterior pastor asociado, Gracia DC, proceden de una entrevista telefónica con la autora, 3 de noviembre de 2010.

cabello para los estilistas o diversas herramientas del oficio para carpinteros o fontaneros) y luego ofrecía una oración para los miembros de la iglesia de ese campo ocupacional[516].

Los líderes de la iglesia también pueden afirmar a sus profesionales del mundo laboral comisionándolos durante los servicios de adoración. Actualmente muchas iglesias comisionan a misioneros o laicos que enseñan en la escuela dominical. Eso no está mal, pero en ausencia de tipos similares de comisión de los laicos en el mundo laboral, ello refuerza el mensaje de que solo el trabajo "espiritual" o "eclesiástico" es verdaderamente misional. Así que, en la Iglesia The Falls, el Rev. Yates comisiona a varios laicos en todos sus diversos llamados en el mundo laboral[517]. Mientras tanto, al interior de D. C. Beltway, la Iglesia del Salvador ha desarrollado liturgias especiales para ordenar a miembros de la iglesia para su trabajo en la sociedad[518].

El pastor Tom Nelson de la Iglesia Christ Community en Leawood, Kansas, ha estado predicando sobre la integración de fe y trabajo durante una década. Para afirmar a sus miembros, utiliza deliberadamente ilustraciones del mundo laboral en los sermones e invita a miembros que están en el mundo laboral a contar testimonios. Él y su equipo también visitan a los miembros de la iglesia en su lugar de trabajo. "Queremos entender su mundo", explica el pastor[519].

La afirmación intencional y la frecuente predicación sobre temas vocacionales del pastor Nelson han ayudado al empresario Dave Kiersznowski y su esposa, Demi, a pensar de manera más creativa e intencional acerca de cómo pueden promover anticipos del reino a través de su empresa, DEMDACO. Dave relata que Nelson los desafió a pensar cómo sería su empresa si estuvieran "viendo todas las cosas de la vida a través de un lente bíblico"[520].

En consecuencia, cuando los Kiersznowski planificaban el diseño de los nuevos cuarteles de la compañía, comenzaron a pensar profundamente

---

516 Davida Foy Crabtree, *The Empowering Church: How One Congregation Supports Lay People's Ministries in the World* (Herndon, Va.: The Alban Institute, 1989), p. 6.

517 Además, cada Día del Trabajador, Yates invita a un miembro laico a predicar un sermón sobre fidelidad en la vocación.

518 Visita <www.vocationalstewardship.org> para obtener una copia del "Servicio de ordenación" de la Iglesia del Salvador.

519 Tom Nelson, pastor principal, Iglesia Christ Community, entrevista telefónica con la autora, 21 de octubre de 2010.

520 Susan Olasky, "An 'Integral Life' at Work," *World*, 29 de noviembre de 2008 <www.worldmag.com/articles/14692>.

acerca de ese espacio físico donde sus empleados pasaban tanto tiempo. Determinaron que el nuevo edificio debía ser "un lugar bello, creativo, agradable y lleno de luz"[521]. También querían un lugar de trabajo amigable con la familia. Así que las nuevas instalaciones de DEMDACO incluyeron una sala dedicada a las madres que amamantaban y una sala llena de juegos, videos, y materiales para manualidades. Esto último intenta incentivar a los padres que trabajan en la compañía a que lleven a sus hijos de visita a la hora del almuerzo.

La firme predicación del pastor Nelson sobre mayordomía vocacional también llevó a Dave Kiersznowski a reexaminar la política de seguro médico de su compañía. Se dio cuenta de que era "generoso para los que querían comenzar una familia a través de nacimiento normal", pero no tenía beneficios para los que querían adoptar. Así que DEMDACO "instituyó un programa de ayuda a la adopción como una forma de satisfacer las necesidades de viudas y huérfanos"[522].

Educación. Además de afirmar el trabajo diario de sus miembros, los líderes de la iglesia pueden promover el "florecimiento" ofreciendo oportunidades de educación para adultos dedicada a temas de integración de fe y trabajo. Las iglesias Presbiteriana de Harbor, Gracia DC, y Christ Community, han realizado conferencias y retiros especiales de fin de semana, y dos han patrocinado clases para adultos de varias semanas sobre el tema. Estos estudios han abarcado desde lo general, tal como la enseñanza sobre la teología bíblica del trabajo, a lo específico, tal como el curso de mitad de semana de la Iglesia de Harbor "Encuentra fortalezas mientras buscas empleo".

Bajo el liderazgo de Crabtree, la Iglesia de Cristo Unida de Colchester patrocinó retiros de descubrimiento de dones, usando instrumentos formales de evaluación para ayudar a las personas a pensar mejor acerca de armonizar su personalidad y pasiones con su elección de empleos. La congregación también albergó una conferencia de fin de semana titulada "Más allá del cristianismo de domingo", que contó con el conocido maestro de la integración de fe y trabajo William Diehl.

En Gracia DC, el pastor Kwon invitó a Steve Garber, autor de *The Fabric of Faithfulness*, a enseñar sobre vocación en un retiro. Posteriormente,

---

521 *Ibíd.*
522 *Ibíd.*

Garber regresó a la iglesia a dirigir una clase para adultos de cinco sesiones para profesionales jóvenes los domingos por la mañana. Para continuar con el tema, el pastor reclutó a un miembro laico para dirigir un grupo de discusión sobre el libro *Engaging God's World* de Cornelius Plantinga. "Es un libro extraordinario sobre el tema de la vocación", explica Kwon, "y además es sencillamente una extraordinaria revisión de la historia del evangelio".

En Atlanta, la Iglesia Presbiteriana Peachtree organiza sus esfuerzos educacionales para promover la mayordomía vocacional bajo su ministerio WorkLife. La página web de la iglesia describe la filosofía que impulsa la iniciativa WorkLife de esta forma:

> Para los seguidores de Jesús, lo que somos es una persona creada a imagen de Dios. Lo que uno hace —ya sea un banquero, o ama de casa, o profesor, o esté en la medicina, o jubilado, o lo que sea que uno haga, para Dios es importante. Nuestro trabajo, nuestra vida, es vitalmente importante para Dios, y él nos invita a asociarnos con él en ello, tal como nos invita a adorarlo[523].

En 2007, el ministerio WorkLife lanzó la iniciativa Mi95. "No importa si participas en todo lo que sucede aquí en la iglesia", explicó el pastor principal Victor Pentz a los miembros, "cuando mucho pasarás el 5 por ciento de tus horas de vigilia aquí en este edificio. El 95 por ciento de tu vida lo pasas en el mundo. Ahora bien, este 5 por ciento es crucial pues nos da un sistema de navegación para orientarnos en la vida cristiana. Pero la planilla de puntuación toma en cuenta el 95 por ciento de lo que vivimos afuera en el mundo"[524].

La iniciativa Mi95 ha incluido enseñanza directa a través de sermones sobre la vida misional y la integración de fe y trabajo. Las reuniones de grupos pequeños de Mi95 los domingos por la noche con segmentos de discusión dirigidos permiten que los miembros analicen sus dones espirituales, disciernan su llamado e identifiquen los propósitos para los cuales Dios los ha dotado. Adicionalmente, hay testimonios en video de miembros que

---

523 "Work Life at Peachtree," Peachtree <www.peachtreepres.org/ Worklife.aspx>.

524 Victor Pentz, "Soli Deo Gloria: Calling of Peter and the Fisherman Disciples", Sermon Series: Vintage Jesus (31 de agosto 2008) <www.peachtreepres. org/ downloads/sermons/20080831sermon.pdf>.

hablan sobre cómo sirven a Dios a través de su trabajo, los cuales ayudan a formar una visión y generar entusiasmo.

Miembros de la Iglesia Peachtree como Bonnie Wurzbacher, vicepresidente sénior de Global Customer and Channel Leadership en The Coca-Cola Company, aprecian enormemente el programa Mi95 de la iglesia y los esfuerzos deliberados que ha hecho el pastor Pentz para ayudar a los líderes del mundo laboral a pensar de manera teológica acerca de su trabajo diario. Criada en una familia cristiana —hija de un predicador y nieta de misioneros en el extranjero—, Bonnie explica que "creció pensando que la mejor forma de servir a Dios está en el 'servicio cristiano a tiempo completo' o apoyando a la iglesia"[525]. Le tomó años superar esta dicotomía sagrado/secular en su pensamiento.

Hoy Bonnie tiene una profunda teología de cómo servir a Dios a través de los negocios, pulida a lo largo de años de estudio personal y edificantes conversaciones en la iglesia de Peachtree. "Dios tiene un importante propósito para cada institución", dice ella. "Su propósito para los negocios es promover el bienestar económico de las comunidades en todo el mundo. Y como única fuente de creación de riqueza, la empresa permite que exista cualquier otra institución: escuelas, universidades, misiones, iglesias, gobierno, todo". Esto significa que cuando falla una empresa, todo resulta afectado. La empresa "es un trabajo muy importante y noble alrededor del mundo", dice Bonnie.

Bonnie ha estado en Coca-Cola durante veintiséis años. Esta mega-corporación está activa en doscientos países, y la mayor parte de las ganancias de la firma permanecen en las economías locales, a través de su modelo de negocios de franquicias. Bonnie señala que los estudios de impacto económico muestran que "en promedio, por cada empleo que creamos directamente, otros doce se crean indirectamente". Ella dice con entusiasmo: "Creo que estoy ayudando a llevar el reino de Dios aquí en la tierra cuando participo en una empresa exitosa, ética y efectiva que ayuda a las comunidades a mejorar su bienestar económico y permite que todos los que estén asociados con ella contribuyan al bien mayor en el mundo".

---

525 Todas las citas de Bonnie Worzbacher, vicepresidente senior en Global Customer and Channel Leadership, The Coca-Cola Company, proceden de una entrevista telefónica con la autora, 25 de agosto de 2010.

Apoyo. Algunas iglesias han descubierto que reunir a los miembros en grupos pequeños según su vocación es una buena estrategia para ayudar a los creyentes a profundizar su comprensión y compromiso con la integración de la fe y el trabajo. La Iglesia Presbiteriana Redeemer, una megaiglesia de más de cuatro mil asistentes en Ciudad de Nueva York, conduce la iniciativa más antigua de este tipo que encontré en mi investigación. Su Centro para la Fe y el Trabajo, creado en enero de 2003, intenta "capacitar, conectar y movilizar a nuestra comunidad eclesiástica en sus esferas profesional e industrial hacia una transformación centrada en el evangelio para el bien común"[526]. La fundadora Katherine Leary Alsdorf dice que la labor del centro se basa en la "teoría práctica de renovación cultural de que la mayoría [de los creyentes] causaremos nuestro mayor impacto a través de nuestro trabajo". Para tener una clara visión sobre esto, así como la perseverancia necesaria para ser sal y luz en los entornos laborales seculares, se requiere apoyo. "Queríamos crear una comunidad", dice Katherine. "Las personas necesitan construir relaciones y ayudar a desafiarse mutuamente"[527].

Hoy el centro se enorgullece de quince comunidades basadas en la vocación en las cuales todos, desde ejecutivos de publicidad, diseñadores de moda, ingenieros, a bailarines, pueden reunirse con sus pares para orar, discutir y apoyarse mutuamente. El grupo más reciente es para profesionales que trabajan en diplomacia internacional.

Los grupos incluyen a cristianos mayores con muchos años de experiencia integrando su fe a su trabajo. Ellos realizan diálogos, estudios de libros, grupos de oración y eventos sociales. Algunos intentan servir en organizaciones no lucrativas a través de sus habilidades vocacionales específicas. Todos los grupos aspiran a incentivar la mayordomía vocacional orientada hacia el reino para el bien común. Como proclama el sitio web del Grupo de la Industria de la Moda:

> Como cristianos involucrados en la industria de la moda, esperamos descubrir los brotes e inflexiones de la obra restauradora de Dios a través de nuestros esfuerzos creativos y vocacionales. A medida que somos restaurados a su imagen por el Espíritu Santo, tanto

---

526 Centro para la Fe y el Trabajo <www.faithandwork.org>.

527 Todas las citas de Katherine Leary Alsdorf, directora, Centro para la Fe y el Trabajo, Iglesia Presbiteriana Redeemer, proceden de una entrevista telefónica con la autora, 6 de febrero de 2009.

individualmente como en la comunidad, él también desea desatar su gloria en nuevos conceptos, diseños, asociaciones y modelos de negocios creativos que producirán un anticipo de la futura Renovación de todas las cosas[528].

Desde el principio, para Katherine ha sido importante que los grupos no solo discutan cuestiones, sino que realmente "hagan algo". La expresión más madura de esto se aprecia en uno de los grupos vocacionales más antiguos, la Iniciativa Emprendimiento, que patrocina una competencia anual de planificación de negocios. A través de esta, los emprendedores presentan su visión y estrategia de implementación para un emprendimiento, con o sin fines de lucro, que tenga un alto potencial para un "impacto social centrado en el evangelio", crecimiento y sustentabilidad[529]. Desde la primera competencia en 2007, la Iglesia Redeemer ha premiado a doce ganadores con subvenciones desde cinco mil a veinticinco mil dólares[530].

Iglesias mucho más pequeñas que Redeemer también han implementado grupos basados en la vocación. En la Iglesia del Buen Pastor en Durham, Carolina del Norte, el pastor asociado Sean Radke impartió durante varias semanas una clase para adultos sobre alegrar la ciudad. A partir de esto creció el interés por establecer grupos vocacionales. Hoy los miembros de la iglesia en el sector legal se reúnen en la comunidad La Justicia Importa. Este grupo ya ha lanzado una consulta legal gratuita en la ciudad. Un grupo para profesionales médicos y uno para personas en los negocios están en formación.

En Washington, D. C., en la iglesia Gracia DC, las fraternidades vocacionales comenzaron orgánicamente cuando Kwon sencillamente envió un correo electrónico a toda la iglesia donde preguntaba si a los miembros les interesaba reunirse con sus pares en un campo vocacional similar. Él

528 Grupo de la Industria de la Moda, Centro para la Fe y el Trabajo <www.faithandwork.org/fashion>.

529 "Entrepreneurship Initiative: The Competition", Centro para la Fe y el Trabajo <www.faithandwork.org/the_competition_page1234.php>.

530 Los ganadores han sido diversos. Threads Theater Company, un ganador del 2007, aspira a "iniciar conversaciones inclusivas acerca de la fe y contribuir a la renovación cultural". Un ganador del 2009, Alphabet Scoop Ice Cream, provee capacitación y asesoría laboral en una tienda de helados para jóvenes en riesgo. La Iniciativa de Emprendimiento también ha ayudado a lanzar iniciativas para proveer asistencia legal a personas en extrema pobreza, empleos en la industria de fabricación de juguetes en Honduras, atención médica holística para los que tienen menos acceso en Staten Island, Nueva York, y un hogar seguro para víctimas del tráfico sexual.

dice que los líderes de la iglesia esperaban poder iniciar dos o tres grupos pequeños como programa piloto. "Pero", señala el pastor, "¡120 personas terminaron inscribiéndose!"[531].

Las iglesias también pueden apoyar a sus profesionales del mundo laboral asociándose con organizaciones que se enfocan en asuntos de fe y trabajo. En Atlanta, la Iglesia Peachtree paga una membrecía en Crossroads Career Network. Esto permite que los miembros de la iglesia que están buscando nuevos empleos o desean explorar carreras alternativas tengan libre acceso a los seminarios de capacitación, manuales, y recursos y herramientas en línea de Crossroads. Peachtree también está asociada a WorkLife, Inc., que ofrece una herramienta de orientación en línea llamada Maestro WorkLife. Maestro provee a los profesionales del mundo laboral recursos con base bíblica que abordan una variedad de temas relacionados con la vida diaria en el trabajo.

Wendy Clark, de Durham, ha desarrollado su comprensión de los negocios como misión leyendo todos los libros que lleguen a sus manos, asistiendo a retiros y conferencias de fin de semana, y dialogando con otros cristianos del mundo laboral y reflexivos predicadores como Sean Radke.

En 1994, a los veinte años, Wendy inició una empresa llamada Carpe Diem Cleaning. Al comienzo, dice ella, su noción de lo que significaba ser una empresaria cristiana era que su firma pudiera generar ingresos, y que luego ella pudiera dar generosamente a las misiones. Solo años más tarde se abrieron sus ojos para ver que su negocio era en *sí mismo* un medio de ministerio[532].

Hoy Wendy promueve el valor del reino de la compasión en Carpe Diem mediante su atento cuidado de sus empleados, en su mayoría madres latinas. Ella ha cambiado las horas de Carpe Diem para acomodar los horarios de las empleadas "de manera que ellas no se estresen tratando de llevar a sus hijos a la escuela, correr atrasadas al trabajo y llegar a casa a tiempo". Además, en lugar de realizar sesiones de capacitación en Durham, ella lleva

531 Duke Kwon, anterior pastor asociado, Gracia DC, entrevista telefónica con la autora, 3 de noviembre de 2010. La Iglesia Gracia inició doce grupos, y creó las categorías para ellos inductivamente sobre la base de las respuestas de la congregación. Estas incluían grupos para artistas, educadores, gente de negocios, ingenieros, profesionales de la salud, y personal de Capitol Hill, entre otros.

532 Todas las citas de Wendy Clark, propietaria, Carpe Diem, proceden de una entrevista telefónica con la asistente de la autora Sally Carlson, 27 de septiembre de 2010.

a las madres —y sus hijos— a un campamento familiar en el campo. De esa forma, las familias tienen unas vacaciones que probablemente no tendrían de otra forma. Wendy dice que el negocio "no se trata solo de ganancias; se trata de invertir en las personas que trabajan con nosotros".

FLORECIMIENTO Y LA GRAN COMISIÓN

Todo líder de la iglesia está familiarizado con la Gran Comisión de Mateo 28. Los pastores normalmente predican sobre esto como el llamado misionero de ir "hasta lo último de la tierra" a difundir el evangelio. En su libro *To Change the World*, James Davison Hunter ofrece un giro distinto de la Gran Comisión. Él argumenta que también puede "interpretarse en términos de estructura social". En otras palabras, el llamado a ir no es solo geográfico sino también sociológico. Él escribe:

> La iglesia debe ir a todos los ámbitos de la vida social: en el trabajo voluntario y remunerado; el trabajo calificado y no calificado, las manualidades, la ingeniería, el comercio, el arte, el derecho, la arquitectura, la educación, la salud, y el servicio. En efecto, la iglesia debería estar *enviando personas* a estos ámbitos; no solo discipulando a los que están en estos campos proveyéndoles los recursos teológicos para formarlos adecuadamente, sino de hecho orientando y proveyendo apoyo financiero para los jóvenes adultos dotados y llamados a estas vocaciones. Cuando la iglesia no envía personas a estos ámbitos y cuando no provee las teologías que le dan sentido al trabajo y al involucramiento en dichos ámbitos, la iglesia falla en el cumplimiento del encargo de "ir por todo el mundo"[533].

Para los líderes que quieran que sus miembros florezcan, esta es una perspectiva crucial. Expande apropiadamente nuestra comprensión de la misión en el mundo a la cual estamos llamando miembros. Ese llamado es de ir a cada sector de la sociedad y llevar allí *shalom*.

Para ayudar a las personas a adquirir y vivir esa visión, los líderes de la congregación deberían contar historias; muchas historias. Es impera-

533 James Davison Hunter, *To Change the World: The Irony, Tragedy, and Possibility of Christianity in the Late Modern World* (Nueva York: Oxford University Press, 2010), p. 257, énfasis original.

tivo que el llamado sea tridimensional. Una vez estaba enseñando acerca de misiones a niños de tercer año, y les pregunté si sabían lo que era un misionero. Sus respuestas me mostraron la manera en que su imaginación había sido capturada por biografías de misioneros, diapositivas presentadas en conferencias misioneras, y la película *A punta de lanza*. "Un misionero", me dijo solemnemente una niñita, "es como un superhéroe". En nuestras iglesias necesitamos llegar al punto en que aun los niños puedan describir qué es la "mayordomía vocacional". Lo podrán hacer si regularmente contamos historias acerca de cómo es esta mayordomía en cada sector de la sociedad.

Con esa finalidad, a continuación hay algunas breves historias para comenzar.

ACADEMIA: UNA HISTORIADORA PROMUEVE LA RECONCILIACIÓN RACIAL

La historiadora Anne C. Bailey, de SUNY-Binghamton se enfoca en su investigación sobre lo que hicieron los cristianos de épocas más tempranas para combatir las injusticias y prejuicios de su tiempo, con la esperanza de aprender lecciones para hoy. Su investigación a los misioneros europeos que buscaron la libertad de esclavos individuales sacó a la luz la incómoda verdad de que estos cristianos no siempre aprovecharon todo lo posible su poder y privilegio para oponerse al comercio de esclavos. Bailey dice: "Esto me hizo pensar de qué manera yo tenía otras oportunidades, otras cosas que puedo hacer, en este preciso lugar donde estoy, a fin de realizar cambios para los lugares que me preocupan"[534].

Algo que a Bailey le preocupa bastante es la reconciliación racial. "Venir al Señor me ayudó a mirar los asuntos de reconciliación racial con una luz distinta y más profunda", dijo en una entrevista en 2008. "Y francamente, con mucho más esperanza"[535]. Esa esperanza se ha fortalecido a medida que ella ha aprendido acerca de la férrea y a menudo generosa fe de los esclavos. Como creyente en el concepto de "historia viviente" —que los sucesos del pasado están conectados con los asuntos contemporáneos—, Bailey escogió

534 Anne C. Bailey, discurso plenario, Following Christ Conference, Chicago, 2008 (archivo de audio) <http://media.intervarsity.org/mp3/AnneCBailey.mp3>.

535 Gordon Govier, "InterVarsity Alumni—Anne C. Bailey", InterVarsity (16 de octubre de 2008) <www.intervarsity.org/news/intervarsity-alumni--anne-c-bailey>.

como su especialidad de investigación la historia afroamericana y los estudios de la diáspora africana.

En los estudios que dieron origen a su libro *African Voices of the Atlantic Slave Trade: Beyond the Silence and Shame* (Beacon Press, 2005), Bailey descubrió que "muchos esclavos eran cristianos de profundo compromiso". Entre algunos, el amor por Cristo los llevó a un lugar notable: la intercesión por sus amos. "Así que encontramos a muchos ex esclavos hablando acerca de sus amos, preocupados por el cristianismo nominal de estos y deseando que su corazón busque una relación con Jesús", señala Bailey. "Ellos oraban por sí mismos, y también oraban por sus amos"[536]. Contar la fe ejemplar de estas personas le brindó a Bailey la oportunidad de promover la reconciliación racial entre los cristianos de hoy.

ARTE: UNA BAILARINA PROMUEVE LA JUSTICIA SOCIAL

Jeannine Lacquement ha practicado la danza toda su vida. Estuvo en ballet cuando era niña y practicó danza de jazz y moderna en la secundaria[537]. Luego obtuvo un grado en danza en Goucher College en Maryland. Para ella, la danza siempre se ha tratado de servir a los demás. Cuando trabajaba en un centro de cuidados, Jeannine creó una clase de baile terapéutico. Más tarde, siendo directora residente de un hogar para minusválidos, involucró a varios niños discapacitados en una compañía de danza que formó.

Hoy, como directora de la organización sin fines de lucro de desarrollo juvenil Children of the Light Dancers, Jeannine lleva su compañía de bailarines adolescentes a presentarse en centros de cuidado y programas de escuela bíblica de vacaciones en áreas vulnerables. En 2007 y 2008, la compañía compuso y bailó una presentación especial "Busca la justicia" para destacar la tragedia del tráfico humano internacional y reunir fondos para Misión Justicia Internacional, una importante organización cristiana de derechos humanos. Dos adolescentes de la compañía, Megan Parker y Alys McAlpine, también han presentado bailes que representan el aprieto de aterrados niños del Norte de Uganda, que cada noche huyen para esconderse del reclutamiento forzado en el Ejército de Resistencia del Señor.

---

536 *Ibíd.*

537 Jeanine Lacquement, fundadora y directora, Children of the Light Dancers, entrevista telefónica con la autora, 16 de mayo de 2010.

NEGOCIOS: UN EMPRENDEDOR CREA OPORTUNIDAD ECONÓMICA

Milt Kuyers de Milwaukee ha administrado su poder vocacional para crear oportunidad económica para los afroamericanos de un desfavorecido barrio vulnerable. Hace años él llegó a ser presidente de Star Sprinkler, un fabricante de equipamiento de protección contra incendios que estaba en dificultades. Milt ya tenía más de dos décadas de experiencia en los negocios y estaba listo para el nuevo desafío de poner la compañía de pie. Poco después, un amigo lo invitó a una conferencia sobre microemprendimiento. Allí, con varios otros empresarios cristianos, Milt dialogó hasta altas horas de la noche acerca de la manera en que Dios podía usarlos para combatir la pobreza en el país y en el extranjero. La conferencia puso un fuego en su corazón. "Por primera vez reconoció que su posición y habilidades como hombre de negocios eran dones que Dios le había encargado para una significativa función en su reino"[538].

Milt decidió encontrar un ministerio urbano socio con el que pudiera trabajar para proveer oportunidades de empleo a los desempleados. Varios ministerios lo rechazaron, pues sospechaban de este "caritativo" blanco. Milt perseveró. Un día se encontró con el pastor James Carrington de Light House Gospel Chapel, una pequeña congregación en uno de los barrios más peligrosos de Milwaukee. Él le contó a Carrington su sueño de proveer empleo a los miembros desempleados de la iglesia, quienes luego serían apoyados y rendirían cuentas a la congregación. Luego de rechazar dos veces a Milt, Carrington finalmente aceptó.

Carrington invitó a los miembros de su iglesia a escuchar a Milt; llegaron diecinueve a la reunión, en busca de empleo. Fue "abrumador", recuerda Milt, pero él cumplió con su deber y anotó el nombre de cada uno. Y luego Dios realizó un milagro: envió un gran aumento de pedidos a Star Sprinkler. Milt pudo contratar a todas las personas de su lista. La iglesia Light House se unió para apoyar a los recién empleados, proveyéndoles transporte y, más tarde, servicios de guardería infantil. Con el tiempo, Carrington y Milt se hicieron amigos, y el pastor contactaba a Milt cada vez que alguno de los empleados miembros de la iglesia tenía dificultades inusuales. Finalmente, más de cien miembros de la iglesia se beneficiaron de

538 Timothy Stoner, "Milt Kuyers: Redefining Success", en *My Business, My Mission*, ed. Doug Seebeck y Timothy Stoner (Grand Rapids: Partners Worldwide, 2009), p. 23.

esta singular asociación[539]. Ellos no fueron los únicos beneficiarios, señala Milt. "He sentido más gozo en esa parte de mi vida que en ningún otro momento de mi vida laboral"[540].

ENTRETENIMIENTO: UN COMEDIANTEPROMUEVE LA VERDAD

El comediante profesional Carlos Oscar es una vivaz presencia en la industria del entretenimiento. Él integra su fe a su trabajo en primer lugar siendo un cómico limpio. No usa groserías, y su humor no tiene connotaciones lujuriosas ni sexuales. "Yo creo que eso me hace más creativo porque no tengo que seguir ese camino", afirma[541].

El sueño de Carlos es conseguir un contrato con un estudio de televisión para producir una comedia acerca de una familia hispana, una especie de versión latina de *El show de Bill Cosby*. Él quiere poder retratar la vida familiar de una forma sana, donde el padre es "tarado pero no tonto" y donde los hijos son respetuosos. "Hoy la televisión tiende a mostrar que los niños están a cargo, a mostrar al padre idiota… Los niños miran estos programas y ven a los grandes como quienes están "en el camino" y no para ayudarles a pasar al siguiente nivel en la vida", dice Carlos. Él quiere desafiar esa tendencia ofreciendo una versión más verídica y piadosa de las relaciones entre padres e hijos. "Yo creo que Dios quiere que todos vayamos a distintas áreas del mundo y mostremos con esperanza algunos de los valores, los valores cristianos, que nosotros apreciamos, porque la industria del entretenimiento es una industria muy influyente".

GOBIERNO: UNA SENADORA DEFIENDE A LOS VULNERABLES

Pia Cayetano, la miembro más joven del Senado de Filipinas y una de las tres únicas mujeres en esa institución, expresa su fe defendiendo a los vul-

539 *Ibíd.*

540 Milt Kuyers, anterior propietario, Star Sprinklers, entrevista telefónica con la autora, 5 de agosto de 2010.

541 Todas las citas de Carlos Oscar, comediante profesional, proceden de una entrevista telefónica con la autora, 10 de agosto de 2010.

nerables[542]. Con su formación como abogada, Cayetano fue por primera vez candidata al cargo político en 2004. En el senado, ha sido una continua voz para los desvalidos, especialmente mujeres, niños, y ciudadanos mayores. Ella ha trabajado para aprobar leyes que faciliten el acceso de los pobres a medicinas con prescripción más baratas, a establecer una Administración de Alimentos y Fármacos para promover la seguridad alimentaria, y a prohibir la detención de pacientes indigentes a causa de cuentas médicas impagas.

Cayetano ha sido una enérgica defensora de mujeres y niños en las zonas azotadas por la guerra, especialmente contra el problema del abuso sexual por parte de las fuerzas de orden. Como dijo en una entrevista de 2005 con la Unión Inter-Parlamentaria: "Hay crímenes sexuales específicos que les suceden a mujeres y niños, crímenes que muchas personas o no los reconocen, o bien simplemente los ignoran. En muchas áreas la situación surge donde tales crímenes casi son tolerados, porque los hombres están ocupando el campo y los hombres tienen necesidades. Se debe dar a conocer que eso es absolutamente inaceptable"[543].

MODA: UN DISEÑADOR PROMUEVE EL CUIDADO DE LA CREACIÓN

El diseñador de modas Bora Aksu, un británico de trasfondo turco, hizo noticia cuando en 2002 se graduó del prestigioso Central Saint Martins College of Art and Design. En su muestra anual de moda para destacar el trabajo de sus graduados de maestría, los diseños de Aksu obtuvieron la más alta aclamación. Esto condujo a contratos con compañías de la alta moda como Dolce & Gabbana[544].

Hoy el exitoso diseñador promueve el valor del reino del cuidado de la creación a través de su trabajo. En 2007, Aksu se unió a People Tree, una importante voz internacional a favor de la moda ecológica, como uno de sus diseñadores distintivos[545]. Desde el comienzo de su carrera de diseño,

542 La información acerca de Pia Cayetano ha sido tomada de su blog en <www.mydailyrace.com> y el sitio web en <www.senatorpiacayetano.com>.

543 "Interview with Philippines' Senator Pia Cayetano", *The World of Parliaments*, julio de 2005, p. 4 <www.ipu.org/PDF/wop/18_en.pdf>.

544 "Profile: Bora Aksu," *Artisan*, vol. 1 <www.artisaninitiatives.org/ Publisher/Article.aspx?ID=75333>.

545 Bonnie Alter, "People Tree Goes Designer," Treehugger (10 de mayo de 2007) <www.

él ha hecho hincapié en el uso de telas naturales —100 por ciento lana o seda— en sus diseños. El trabajo con People Tree le ha permitido a Aksu expandirse hacia algunos nuevos materiales. "Me entusiasmó mucho usar telas tejidas y teñidas a mano de People Tree"[546], afirma. Ahora también va a diseñar creaciones utilizando materiales reciclados.

AGRICULTURA: UN AGRICULTOR PROMUEVE LA SEGURIDAD EN SU INDUSTRIA

El propietario de un criadero de pollos Jacob A. Schenk, un menonita de Pennsylvania, abrió su empresa a los treinta y dos años[547]. Él trabajó en múltiples formas para la transformación institucional en su campo. Sus prácticas comerciales con vendedores y proveedores, por ejemplo, eran notables. Schenk pagaba precios por sobre el mercado por los huevos y pollos que compraba a fin de adquirir los productos de máxima calidad y asegurar buenas relaciones con sus proveedores. Incluso tenía una política de repartición de ganancias con los proveedores, y les daba bonos según lo rentable que hubiera sido el criadero cada año.

Las inusuales prácticas de Schenk le ganaron significativo éxito financiero y gran respeto de la gente de su sector. Luego aprovechó su plataforma para liderar su industria en la seguridad del consumidor y el producto. Plenamente consciente de la devastación que podían causar a los productores las enfermedades contagiosas en las aves, él instituyó reuniones anuales de dueños de criaderos, las cuales convocaban a criadores de pollos de una extensa región. Schenk invitaba a expositores especiales a que hablaran acerca de innovaciones en las formas de prevenir enfermedades y controlar su propagación cuando los pollos se enferman.

MÁS ALLÁ DE USAR UNA PULSERA QUE DIGA "QUÉ HARÍA JESÚS"

Los profesionales descritos en este capítulo demuestran que para los cristianos en el mundo laboral es posible ir más allá de las formas tradicionales

---

treehugger.com/files/2007/05/people_trees_ne.php>.

546 *Ibíd.*

547 Este relato se basa en el perfil de Schenk en *Entrepreneurs in the Faith Community: Profiles of Mennonites in Business*, ed. Calvin W. Redekop y Benjamin W. Redekop (Scottdale, Penn.: Herald Press, 1996), pp. 18-38.

de conectar la fe y el trabajo (es decir, practicar la moralidad personal y estudiar la Biblia con otros en el lugar de trabajo). Sus historias apuntan a varios sectores adicionales donde se puede promover los valores del reino, tales como la forma en que se selecciona, se trata y se administra a los empleados; cómo se usan las ganancias de una compañía; la forma en que una organización practica la mayordomía ambiental; la forma en que diseña sus productos; cómo se relaciona con los demás en la industria; y la manera en que contribuye con su comunidad. Cuando los líderes de la iglesia incentivan a los miembros a unir fe y trabajo, deberían desafiarlos a considerar esta pregunta: "En mi trabajo actual, ¿estoy haciendo todo lo posible para desplegar mi poder vocacional para promover anticipos del reino? ¿Estoy floreciendo realmente donde estoy plantado?".

PERO NO SOY EL DIRECTOR EJECUTIVO

Cuando los líderes de la iglesia relatan historias como las de este capítulo, puede que escuchen una pregunta de parte de algunos miembros: "Estas personas estaban en un alto cargo en sus compañías. Si yo no soy un director ejecutivo, ¿cómo puedo realmente marcar una diferencia en mi trabajo?".

El temor de que uno no tiene ninguna autoridad para influenciar un cargo positivo en el lugar de trabajo es una preocupación legítima. No obstante, la buena noticia que pueden compartir los pastores es esta: incluso los creyentes con autoridad limitada en su lugar de trabajo pueden ser creativos en cuanto a la mayordomía del nivel de influencia que *sí* poseen. Específicamente, los líderes de la iglesia pueden responder con lo siguiente.

Primero, pueden incentivar a los miembros de la iglesia a informarse acerca de las condiciones laborales de todos los que están *más abajo* que ellos en su organización. Los creyentes pueden esforzarse por desarrollar relaciones amistosas y respetuosas con estos trabajadores, aprendiendo sus nombres, preguntando acerca de sus familias. Este pequeño paso puede tener más impacto del esperado. Demasiado a menudo, los trabajadores de menor rango en una compañía pueden ser prácticamente invisibles para los que están sobre ellos. Otros no logran reconocerlos, no logran verlos. Y eso es un problema, porque los seguidores de Cristo jamás deberían tratar a las personas como muebles.

Los líderes de la iglesia pueden incentivar a los miembros a darse el tiempo en el trabajo para tomar en cuenta al guardia, a la mujer que hace el aseo, al que mantiene el césped, y a las personas que clasifican correspondencia en el subterráneo. Ellos deberían observar las condiciones en las que trabajan estos empleados. Podrían descubrir, por ejemplo, que el personal de guardia no tiene un casino tan agradable como el de los empleados de corbata, o que los empleados de menor nivel enfrentan reglas demasiado restrictivas en cuanto al uso del teléfono o de los tiempos de descanso.

Segundo, al percatarse de estas cosas, los creyentes de la compañía —incluidos los que no tienen altos cargos— pueden ser incentivados por los líderes de la iglesia a mejorar la calidad de vida de los trabajadores de menor nivel en formas simples y prácticas. ¿Qué tal, por ejemplo, si un empleado de nivel medio en un hotel hiciera una colecta entre sus pares para comprar una buena cafetera, algunas sillas cómodas y algunas plantas verdes para mejorar la sala de descanso del personal de mantención? Esa sería una forma práctica de introducir un poco del anticipo de la belleza del reino.

Además, independientemente del cargo que tenga un creyente en la compañía, podría comenzar un ministerio de silenciosa oración intercesora. El paso uno podría ser añadir a algunos otros creyentes en la empresa. El paso dos podría ser solicitar permiso para dejar una caja de oración en algún espacio común en la oficina (una caja cerrada con una ranura donde se puedan insertar tarjetas —las cuales se proveen junto a la caja). Se puede informar a los empleados que ha comenzado un grupo de oración y que cualquiera con una petición de oración podría anotarla en una tarjeta —en forma anónima si lo desea— y depositarla en la caja. Luego el grupo de intercesión abriría la caja una o dos veces a la semana y oraría por tales asuntos. Esta sería una demostración tangible de amor por los compañeros de trabajo.

Tercero, los líderes de la iglesia deberían recordar a los miembros que, en muchas empresas, incluso los empleados en los niveles más bajos pueden ofrecer sugerencias acerca de las formas en que la organización podría involucrarse más en la comunidad. Nada pierde un creyente con pedir una reunión con el jefe de recursos humanos o el departamento de marketing de la firma, por ejemplo, y proponer que la compañía inicie un programa de voluntariado corporativo.

Asimismo, nada impide que un pequeño grupo de creyentes en una organización forme su propio fondo benéfico de emergencia. Podrían iniciar el fondo con sus propias contribuciones y luego invitar a otros empleados a contribuir. También podrían invitar a participar en un comité de beneficencia que estaría encargado de distribuir los fondos. Para mantener las cosas lo más simple posible, el comité podría acotar los requisitos para optar al beneficio; por ejemplo, el fondo solo ayudaría a los empleados en caso de grave enfermedad en su familia inmediata.

Adicionalmente, aun los empleados con cargos modestos o poca antigüedad pueden sugerir reformas pequeñas y viables en relación con el uso de la energía y los recursos de la organización para llevarla poco a poco en una dirección más "verde". Tales sugerencias podrían incluir el uso de bombillas eléctricas de menor consumo, iniciar una campaña para ayudar a recordarles a todos los empleados que apaguen sus computadores el fin de semana, reciclar el papel usado, o promover una seria reducción en el uso de plástico, vasos plásticos y de papel.

Otra estrategia consiste en modificar iniciativas que ya existen en la compañía a fin de promover los valores de igualdad y oportunidad. Por ejemplo, supongamos que una organización ya tiene un programa de práctica laboral para aprendices o un programa de internado de verano para jóvenes. Un empleado cristiano en la compañía podría informarse sobre quién tiende a beneficiarse de estas actividades. Si el programa sirve mayormente a chicos blancos de clase media (o más acomodados), el creyente podría sugerir un enfoque alternativo al director del programa. Este podría expandirse o reorientarse en formas que pudieran extender sus beneficios a jóvenes con mayores necesidades. Si el director está abierto a la sugerencia, el empleado cristiano podría ofrecerse como voluntario para hacer parte del trabajo previo para identificar a los nuevos socios, tales como una escuela cristiana en el sector vulnerable de la ciudad que esté ansioso por exponer a sus jóvenes a carreras profesionales.

El punto es este: los miembros de la iglesia necesitan entender que dondequiera que estén, independientemente de su estatus, es probable que puedan hacer al menos una cosa que promueva los valores del reino como la justicia, la belleza, la compasión, la oportunidad económica, o el cuidado de la creación.

¿QUÉ HAY CON LA ENSEÑANZA TRADICIONAL DE LA IGLESIA SOBRE EL TRABAJO?

Muchas de las historias en este capítulo tienen una especie de "aire genial", como dicen mis amigos veinteañeros. Qué asombroso es que Tom

Hill pagara a sus empleados para que trabajaran para la Ciudad de Oklahoma durante un año y medio; qué impresionante es que la joven Wendy Clark no solo haya creado empleos sino un ambiente laboral de profundo apoyo para las latinas de bajos ingresos que normalmente enfrentarían extenuantes condiciones laborales. Como dirían los veinteañeros acerca de estas acciones: "¡*Eso* está de lujo!". Y estas acciones efectivamente son impresionantes.

Además de contar este tipo de historias inspiradoras, no obstante, los líderes de la iglesia también tienen el rol de continuar enseñando acerca de algunos temas conocidos menos "geniales" a medida que discipulan a su gente para que florezca. Un tema es la *ética*. Dado que el mundo laboral está afectado por la caída, siempre habrá un espacio para una fuerte enseñanza desde el púlpito sobre santidad personal en el trabajo. El segundo es la *evangelización*. Los líderes de la iglesia deberían recordarle regularmente a su rebaño que la sorprendentemente buena noticia de la buena noticia tiene que ser compartida con nuestros colegas no creyentes. Finalmente, los líderes de la iglesia deberían seguir enfatizando otra palabra con "e": *excelencia*.

Hace poco me enteré de que una amiga tiene un tumor cerebral maligno. En estos momentos, lo que más quiero es que su doctor sea *realmente bueno* en cirugía cerebral. En estos momentos, eso me importa más que si ofrece sus servicios voluntariamente en la clínica gratuita o si su estilo de administración es jerárquico. Asimismo, cuando voy conduciendo sobre un largo puente, confío en que el inspector del puente sea alguien que tome su trabajo muy en serio, que sea altamente competente y vigilante. Quiero que los químicos e ingenieros de la planta de energía nuclear de nuestra región sean diligentes, cuidadosos expertos en las operaciones seguras de la instalación. Quiero que mi veterinario esté al tanto de las más recientes investigaciones que pueden ayudar a mi mascota enferma. La silenciosa, fiel y diligente búsqueda de la excelencia en una vocación puede ser absolutamente vital.

Contar historias de excelencia puede sentirse menos emocionante que exponer el tipo de historias que hemos visto hasta aquí. Pero cada iniciativa de mayordomía vocacional debería tener el cuidado de incluir la enseñanza de esta virtud. En efecto, en algunos casos, debido al peso de sus responsabilidades individuales, algunos creyentes pueden necesitar considerar la excelencia como el mayor de los valores del reino por los que intentan vivir en tanto que florecen para Jesús en su profesión.

11

Camino 2

DONA TUS HABILIDADES

Quiero que los miembros tengan momentos con Dios que les roben el aliento a causa de la activación y despliegue de un don que él les ha dado que los hace sentir que marcan una diferencia en un mundo deshecho. Y como líderes de la iglesia tenemos ese don para darlo a cada voluntario.

Bill Hybels, pastor fundador,

Iglesia Willow Creek

El químico papelero Dan Blevins no se considera un tipo extraordinario. Creció en un pequeño pueblo en Michigan, fue a la universidad y consiguió un empleo después de graduarse. Encontró una esposa, comenzó una familia. Se integraron a una iglesia. En la Iglesia Metodista Unida de Mount Pisgah, en Atlanta, Dan cantaba en el coro y era voluntario en el ministerio recreacional como árbitro de fútbol[548].

En abril de 2003, Dan cumplió cincuenta años. Había trabajado para Dow Chemical Company durante casi veinticinco años. Escuchó acerca de una conferencia misionera que venía al centro de Atlanta en junio y decidió asistir. Debido al reciente hito de su cumpleaños, en la conferencia eligió seguir la temática organizada por Finishers Project. (La misión de Finishers Project es conectar a adultos de mediana edad con "oportunidades de impacto mundial para Dios"[549]). El último día, Dan asistió a un taller titulado "Encuentra tu lugar en el ministerio: tus habilidades son necesarias".

548 A menos que se indique algo distinto, la información y las citas de Dan Blevins proceden de una entrevista telefónica con la autora, 16 de septiembre de 2010.
549 "Finishers Project Mission Statement," Finishers Project <http://finishers.org/index.php?id=75>.

"El instructor comenzó su presentación afirmando que independientemente de cuáles fueran nuestras habilidades, en algún lugar había un ministerio que podía usarnos", dice Dan[550]. Luego el presentador dijo que iba a preguntar a cada persona en la sala un poco acerca de su trabajo, y luego le recomendaría un ministerio que pudiera darles uso a sus habilidades. "Él comenzó a recorrer la sala a mi izquierda", dice Dan, "y comenzaron a surgir los ejemplos. Profesor, electricista, enfermera —y con cada persona conectaba ministerios y lugares en el mundo donde podían involucrarse". Cuando el presentador llegó a Dan, sin embargo, se quedó mudo. No sabía cómo podía usar Dios a un químico papelero.

"De pronto, alguien habló desde el fondo de la sala", recuerda Dan. Alguien anunció que iban a reunirse en el salón de expositores con el líder de un ministerio que necesitaba un químico papelero. Dan fue corriendo al puesto de ese ministerio después de la sesión.

Allí se enteró de que Village Handcrafters, un ministerio de subsistencia entre ocupantes ilegales en las afueras de Manila, había reunido a unas cuarenta personas para hacer productos de papel a mano a partir de cáñamo. La empresa proveía empleos y generaba ingresos para apoyar tres iglesias plantadas en Filipinas. Cuando Dan contactó al fundador del ministerio, Ed Landry, y le explicó su trasfondo profesional, Ed no dudó en decirle: "Somos amateurs autodidactas. Realmente necesitamos que vengas a Filipinas a ayudarnos".

Dan señala: "Eso fue suficiente para mí. Estaba claro que Dios me había enganchado con un ministerio que necesitaba mi conocimiento especial. ¡Vaya!".

Durante la primera visita de diez días de Dan a Manila, pudo ayudar a Village Handcrafters a reducir el tiempo de procesamiento de un lote de pulpa de cáñamo de nueve a tres horas, y a reducir el costo de los químicos por lote en alrededor de un 90 por ciento. "Realmente estaba en el punto preciso de lo que me gusta hacer: resolver problemas técnicos", señala Dan. Durante los siguientes viajes, Dan les enseñó a sus amigos filipinos nuevos procesos de tratamientos de aguas residuales, otra de sus áreas de pericia. Sus actividades más recientes han sido guiar equipos de la iglesia en Mount

---

550 Citado en Daniel Blevins, "Baby Boomer Finds New Calling" *American Family Association Journal* (octubre de 2009) <www.afajournal.org /1009default.asp>.

Pisgah a Kenia para instalar sistemas de purificación de agua que utilizan una tecnología que aprendió en su trabajo en Dow Chemical.

El servicio en el extranjero utilizando sus habilidades vocacionales únicas le ha traído profundo gozo a Dan y ha profundizado su fe cristiana. Si bien se divertía sirviendo en los ministerios musical y recreacional en su iglesia, estos no enriquecían su vida espiritual como lo ha hecho esta mayordomía vocacional. Dado que Dios lo condujo a oportunidades de servicio tan a la medida de sus habilidades, la fe de Dan en el cuidado personal de Dios por él se profundizó.

> Cuando uno ve algo que lo llama de manera tan específica a un área para la cual uno está preparado y realmente le encanta hacer, entonces es cuando se siente absolutamente personal. Entonces es cuando uno dice: "Sí, sé que Dios me conoce, sabe mi nombre, y cuida de mí". Cuando realmente lo toma a uno de la camisa y le dice: "Ven aquí, haz esto que está aquí", eso es simplemente un enorme reforzamiento de las cosas de las que solemos hablar y en las cuales creemos. Creo profundamente que esto es cierto basado en lo que a mí me ha sucedido.

Aunque Dan no se considera a sí mismo extraordinario, su historia se ha vuelto un detonante en Mount Pisgah. En el sitio web de la iglesia, en la página de voluntariado en la sección "Global Mission", el texto dice: "Si Dios puede usar las habilidades de un químico papelero para la causa de la evangelización mundial (¡solo pregúntale a Dan Blevins por su historia!), ¡entonces Dios puede usar cualquier habilidad, talento, y disposición a servir que él te haya dado!"[551].

La experiencia de Dan condujo al equipo de la iglesia a enfocarse más intencionalmente en ayudar a los miembros a descubrir formas de aplicar sus habilidades específicas al ministerio. Y su esposa dirige una clase de educación de adultos llamada "Encuentra tu LUGAR en el ministerio"[552], que combina la evaluación de los dones espirituales con la personalidad,

---

551 "Volunteering," Iglesia Metodista Mt. Pisgah (Johns Creek, Ga.) <www.mountpisgah.org/Mission/Volunteering.cfm>.

552 PLACE ("lugar"), una herramienta de descubrimiento que evalúa los dones, talentos, habilidades, experiencias de vida y pasiones de los miembros, fue desarrollada por Jay McSwain. Ver <www.placeministries.org>.

intereses, estilo de trabajo y evaluaciones del trasfondo. "La idea es que uno puede servir de muchas formas pero no va a ser realmente feliz a menos que encuentre algo que sea su punto óptimo", explica Dan.

Él añade: "Tenemos mucha gente de negocios [en la congregación]. Son encargados de marketing, gerentes, o ejecutivos de negocios, y han dicho: 'Bueno, ¿dónde entro yo en esto?'". Varios de estos miembros están sirviendo a través de un ministerio con el que Mount Pisgah está asociado, llamado Instituto Liderazgo Internacional. "En general es un ministerio que va y realiza conferencias sobre liderazgo en muchos lugares alrededor del mundo", dice Dan. "Y para muchas personas de negocios, así es como se ven a sí mismas: 'Vaya, yo soy un líder organizacional, y así es como puedo influenciar [a otros]'". Enseñar en el extranjero ha sido muy gratificante para estos ejecutivos de negocios, dice Dan. "Les parece realmente emocionante porque usan [estas habilidades] en su entorno de negocios corporativos, y esto tiene afinidad con lo que a ellos les gusta hacer y lo que saben hacer".

*****

En el capítulo anterior, vimos que la expresión primordial de mayordomía vocacional que deberían incentivar los líderes de la iglesia es "florece donde estés plantado". Pero a veces los empleados tienen energía adicional para entregar fuera del trabajo y están ansiosos por desplegar sus habilidades vocacionales a favor de un ministerio. En otros casos, los creyentes enfrentan obstáculos para florecer. Algunos miembros de la iglesia son trabajadores jóvenes nuevos en sus empleos. Puede que ellos sientan que su falta de experiencia, de antigüedad, y su baja posición limita significativamente su margen para promover anticipos del reino. Otros miembros pueden estar trabajando en empleos que no se ajustan a sus dones vocacionales, tal como el aspirante a artista que actualmente es mesero. E incluso miembros de mayor edad con antigüedad en sus empleos pueden enfrentar restricciones institucionales para florecer, tales como un jefe hostil o una potente burocracia que limita sus opiniones.

Tal vez estos trabajadores necesitan que los desafíen a pensar de manera más concienzuda y creativa acerca de cómo podrían florecer[553]. Pero en algunos casos, puede que estas personas tengan mayor capacidad para desplegar sus talentos vocacionales *fuera* de su trabajo regular. El camino 2 de la mayordomía vocacional se trata de donar las habilidades vocacionales a organizaciones sin fines de lucro y ministerios —en la iglesia, la comunidad local o en el extranjero— que pueden usarlos para promover el reino de Dios. Las iglesias con la capacidad de promover no solo el florecimiento sino también este camino podrían descubrir que muchos miembros responden entusiastas a las oportunidades significativas de usar sus habilidades de trabajo en su tiempo libre.

UN ENFOQUE DE SENTIDO COMÚN —PERO DESALENTADORAMENTE ESCASO

Incentivar a los miembros a servir utilizando sus habilidades vocacionales únicas a través del voluntariado en un ministerio u organización sin fines de lucro que promueva el reino no es una idea particularmente innovadora.

---

553 Tomando a la artista-mesera como ejemplo, el primer consejo bíblico que se debe escuchar viene de Colosenses 3:23-24, acerca de hacer todas nuestras tareas "como para el Señor". La mesera debería pedir la ayuda de Dios para ofrecer un excelente servicio al cliente y ser una empleada puntual, esforzada y honesta. Debería procurar amar y servir a sus colegas. También podría pensar con sus amigos en cómo podría ella, a pesar de su modesta posición, promover valores del reino —tales como paz, belleza, justicia, sustentabilidad o comunidad— en y a través de su trabajo. Por ejemplo, si el restaurante es pequeño y de propiedad familiar, ella quizá pueda conversar con los dueños acerca de comprar productos locales como expresión de mayordomía ambiental. Si forma parte de una gran cadena, puede que su jefe no tenga tanta libertad para tomar una decisión de ese tipo. En ese caso, la mesera podría sugerir un tipo distinto de actividad, tal como una sesión de capacitación para el personal mesero sobre formas efectivas de tratar con clientes desagradables. Tal vez se podría invitar a un consejero, o una persona con habilidades en resolución de conflictos, de la congregación de la mesera, para que diera una breve charla acerca del tema. Con esta pequeña acción, la mesera puede contribuir a promover el valor del reino de la paz en su lugar de trabajo.

Entretanto, dado que su verdadero llamado es ser artista, ella podría considerar qué pasos podría dar para promover la belleza en la forma en que se presenta la comida o en la decoración del restaurante. O quizá pueda ofrecer sus servicios voluntarios para decorar los baños públicos o iluminar el ambiente en el exterior del restaurante. Tal vez incluso podría convencer al dueño del restaurante para que le permitiera usar ocasionalmente el local, cuando está cerrado, para dar clases de arte a niños desfavorecidos.

Tiene mucho sentido común. A fin de cuentas, tiene promesas obvias para los servidores. Si ya disfrutan de su profesión, no es de sorprender que les resulte placentero donar sus habilidades para los ministerios —tal como lo ha hecho Dan Blevins. Es también una buena idea en relación con las necesidades que comúnmente mencionan las organizaciones no lucrativas. En abril de 2009, la firma consultora Deloitte publicó un estudio que informa que el 95 por ciento de los líderes de organizaciones no lucrativas dice que sus entidades desean más servicios voluntarios de parte de profesionales. Si bien ellos aprecian a los voluntarios que pueden ayudarlos a proveer servicios directos (enseñar a niños, limpiar ríos contaminados, servir comidas), su mayor necesidad son profesionales competentes que puedan ayudarlos a fortalecer sus estructuras organizacionales para poder ser efectivos y sustentables[554].

Los resultados de un estudio de 2004 del Urban Institute fueron similares. El estudio informó que las organizaciones no lucrativas están buscando mayores cantidades de voluntarios con habilidades especializadas[555]. No obstante, a pesar del hecho de que este tipo de servicio traería un obvio beneficio tanto para el servidor como para el servido, la mayoría de las congregaciones no tienen un enfoque o programas específicos e intencionales para identificar las habilidades ocupacionales de los miembros y coordinarlas con oportunidades de servicio.

Las razones son variadas. Entenderlas ayuda a posicionar a los líderes de la iglesia para que superen los obstáculos para implementar el camino 2. Las razones se reducen a dos tipos básicos: administrativos y actitudinales.

Con respecto a la administración, algunas iglesias no usan ningún tipo de base de datos para reunir información acerca de sus miembros. En consecuencia, no reúnen la información vocacional que podría ser útil para vincular a los miembros con oportunidades de voluntariado relevantes. En las iglesias que no usan bases de datos, es raro que se reúna información ocupacional o sobre habilidades. Además, incluso las iglesias con ministerios enfocados en capacitar a los laicos a veces no utilizan instrumentos de evaluación que identifiquen específicamente las habilidades y la pericia

554 Aaron Hurst, "Making the Most of a Wave of Volunteers", *The Chronicle of Philanthropy*, 4 de junio de 2009 <http://philanthropy.com/article/Making-the-Most-of-a-Wave-of/57445>.

555 Mark A. Hager, "Volunteer Management Capacity in America's Charities and Congregations: A Briefing Report", Urban Institute, Washington, D.C., 2004, p. 19.

vocacional de los miembros. En todos estos casos, el personal de la iglesia no sabe mucho acerca de la riqueza de habilidades profesionales que residen en la congregación.

La segunda razón por la que muchas iglesias no apoyan la mayordomía vocacional por el camino 2 es el temor. Algunos ministros no se entusiasman con ayudar a sus miembros a integrarse a las oportunidades de servicio más adecuadas a sus habilidades cuando tales oportunidades están *fuera* de los propios programas de la iglesia. Como lamenta la veterana consultora eclesiástica Sue Mallory: "La iglesia promedio en Estados Unidos tiene la mentalidad de la escasez, no de la abundancia". Los líderes de la iglesia, dice ella, a menudo sienten que no tienen suficiente apoyo para realizar el trabajo de la iglesia y por tanto son reacios a "enviar personas afuera"[556].

Gordon Murphy de Barnabas Group, un ministerio para-eclesiástico que busca conectar a profesionales cristianos del mundo laboral con organizaciones no lucrativas del área vulnerable de Chicago, está de acuerdo. Él informa que algunos ministros temen perder recursos:

> He intentado reunirme con decenas de pastores, y al parecer simplemente no están interesados... Ellos temen que si comienzan a derivar a sus ovejas, aun cuando [las organizaciones no lucrativas] podrían usar mejor su conjunto de habilidades, ellos tienen esta sensación: "Bueno, entonces voy a perder la oveja. Aun cuando no estoy usando bien la oveja, a ellos les gustará más [la organización externa] de lo que yo les gusto y le darán su tiempo, talento y dinero y no lo darán a nuestra iglesia"[557].

Por casi cuarenta años, el autor y consultor eclesiástico William Diehl ha sido una voz que clama en el desierto acerca de estos problemas. Con su enfoque interno en edificar la institución de la iglesia, los ministros son reacios a dispersar el rebaño hacia oportunidades de servicio en la comunidad, dice William. Hace algunos años fue invitado a impartir un curso en el Seminario Teológico Princeton sobre el ministerio de los laicos. Comenzó con entusiasmo pero acabó decepcionado. Él recuerda: "Conforme fuimos

---

556 Sue Mallory, secretaria asistente de la sesión, Iglesia Presbiteriana Brentwood, Los Angeles, entrevista telefónica con la autora, 11 de agosto de 2010.

557 Gordon Murphy, socio gerente, The Barnabas Group Chicago, entrevista telefónica con la autora, 7 de abril de 2010.

progresando, me quedó claro que lo que estaban buscando los estudiantes era una mejor comprensión de los laicos para usarlos mejor en el servicio a la institución. Y eso fue todo lo que obtuvieron del curso. Yo podría igualmente haber dado un curso sobre cómo usar equipamiento audiovisual"[558].

SUPERACIÓN DE OBSTÁCULOS PARA LAS INICIATIVAS DEL CAMINO 2

Superación de obstáculos administrativos. Los líderes de la congregación han ideado cuatro estrategias para superar los obstáculos administrativos: implementar nueva tecnología; replantearse los enfoques tradicionales para involucrar a los voluntarios; asociarse con un centro de voluntarios local; y proveer orientación formal.

Primero, en la Iglesia Grace Community en Noblesville, Indiana, los líderes han implementado nueva tecnología estableciendo un portal en Internet llamado "Serving Central"[559]. Allí, en la sección "Encuentra lo tuyo", los miembros pueden seleccionar de una larga lista las habilidades que poseen y les interesa usar en el ministerio. Luego el motor de búsqueda produce una lista de oportunidades de servicio (en el país y en el extranjero) compatibles con aquellas habilidades[560].

La Iglesia Cristiana Lifebridge, en Longmont, Colorado, ha tomado un enfoque similar. Los miembros completan un formulario de intereses de voluntariado en línea que hace preguntas detalladas acerca de sus habilidades vocacionales y no vocacionales[561]. Luego el equipo y los líderes ministeriales revisan la información del formulario y hacen recomendaciones a cada miembro acerca de las oportunidades de servicio pertinentes en

---

558 William Diehl, *Thank God, It's Monday!* (Philadelphia: Fortress, 1982), pp. 191-92.

559 "Serving Central", Iglesia Grace Community <http://gracecc.org/serve/servingcentral>.

560 Encontré dos ministerios para-eclesiásticos que también despliegan este tipo de tecnología. Mission Finder tiene este modelo en su página "Vocational Missions Opportunities". Ver <www.missionfinder.org/level2.htm>. (El usuario puede seleccionar su área de habilidades en un menú desplegable. Luego el sitio genera una lista de ministerios no lucrativos en busca de voluntarios con esas habilidades o similares). Serving in Mission usa un enfoque similar en su sitio, en una página etiquetada como "Missions By Your Career". Ver <www.sim.org/index.php/career>.

561 "Glocal: Externally Focused Ministries", Iglesia Cristiana Lifebridge <http://lbcc.org/externallyfocused>.

la iglesia o con uno de sus socios mundial-locales (agencias nacionales y extranjeras con las que colabora la iglesia Lifebridge).

Una segunda estrategia para superar obstáculos administrativos implica replantearse los enfoques tradicionales al involucramiento de voluntarios. Muchas iglesias incentivan a sus miembros a servir en viajes misioneros de corto plazo en el extranjero o en el país. No obstante, más allá de los viajes misioneros médicos, pocas de estas experiencias de corto plazo están diseñadas deliberadamente según la vocación. En consecuencia, los miembros envían a sus banqueros y arquitectos a pintar casas y a sus artistas y oficiales de policía a servir en escuelas bíblicas de vacaciones. Esto no necesariamente es malo, y puede resultar muy entretenido. Pero algunos profesionales en los bancos de la iglesia ansían algo distinto.

En la iglesia Grace Community, Ed Fischer, un laico que ha trabajado en el campo de la informática durante veinte años, ha ayudado a coordinar "viajes ñoños" al ministerio asociado de la congregación, Nairobi Evangelical Graduate School of Theology. Este seminario estaba ansioso por recibir a profesionales informáticos que pudieran dar breves clases sobre programas computacionales así como reparar y actualizar computadores y redes. Ed dice que le ha fascinado coordinar los viajes durante estos últimos años. "En muchas ocasiones las iglesias ofrecen viajes misioneros médicos o servicio en proyectos de construcción, dice Ed. "Pero tiene mucho valor el crear viajes de tipo vocacional. Es una gran forma de involucrar a personas que de otro modo quizá no considerarían hacer un viaje de corto plazo"[562].

562 Ed Fischer, entrevista telefónica con la autora, 2 de septiembre de 2010. Otras iglesias también han comenzado a implementar viajes misioneros de corto plazo con base vocacional. La Iglesia El Río en San José, California, envía equipos profesionales a apoyar Paz y Esperanza, un ministerio peruano activo en el combate del abuso sexual infantil. "Tratamos de llevar a personas que poseen las mejores prácticas en acción policial, procesamiento penal, el área psicológica y activismo comunitario cristiano", señala el coordinador Pete Snell. El año pasado, por ejemplo, el equipo incluyó a cuatro enfermeras forenses, un ex policía, algunos intérpretes y un empresario. (Pete Snell, entrevista telefónica con la autora, 31 de agosto de 2010). La Iglesia Northwood en Keller, Texas, patrocina numerosos viajes misioneros de corto plazo con base vocacional para apoyar a sus socios en Vietnam y México. Su calendario de viajes del 2011 incluyó oportunidades específicas para profesionales médicos, educadores, gente de negocios, deportistas, carpinteros y gente experta en el cuidado de niños con necesidades especiales. El pastor principal de Northwood, Bob Roberts Jr. ha escrito acerca de estos esfuerzos en su libro *Real-Time Connections: Linking Your Job with God's Global Work* (Grand Rapids: Zondervan, 2010), p. 123. Ver también la sección "Glocal" del sitio web de la iglesia en <http:// northwoodchurch.org/glocal_ministry.php?id=13>.

Tal como muchas congregaciones patrocinan viajes misioneros de corto plazo, muchas realizan una feria ministerial anual para exponer a los miembros a oportunidades de servicio voluntario. Con un poco de ajuste, estos conocidos eventos pueden convertirse en un vehículo para incentivar la mayordomía vocacional en el camino 2.

Los líderes de una feria ministerial podrían considerar elaborar un folleto de avisos "Se busca" de orientación vocacional para repartir a los miembros asistentes. Para crearlo, el organizador de la feria le pide a cada ministerio que se exhibe en la feria que identifique tres o cuatro oportunidades de servicio *según habilidades u ocupación*. Dichas oportunidades se redactan de manera sucinta, tal como: "SE BUSCA profesional de marketing o publicidad para ayudar a crear un nuevo folleto promocional para nuestro ministerio de tutoría", o bien: "SE BUSCAN ingenieros o científicos con competencias en purificación de agua o tecnologías de agua de desecho para ayudar a servir en nuestros esfuerzos de socorro ante catástrofes"[563].

Para sacarle el máximo provecho a su feria ministerial, los líderes de la iglesia informarían anticipadamente a la congregación que el folleto estaría disponible e incentivarían a los miembros de la iglesia a pensar en habilidades específicas que les podría interesar donar a un ministerio.

Una tercera estrategia para superar obstáculos en el camino 2 implica asociarse con una "agencia de voluntarios" local que pueda ayudar a la iglesia a vincular a sus profesionales con oportunidades vocacionales compatibles. Este es el enfoque que ha tomado la Iglesia Presbiteriana Redeemer en la Ciudad de Nueva York a través de su estrecha relación con Esperanza para Nueva York (HFNY en inglés).

La iglesia Redeemer lanzó HFNY hace alrededor de veinte años. La iglesia rebosaba de jóvenes profesionales de veinte y treinta y tantos, solteros enérgicos y enfocados en su carrera, entusiastas con la visión del pastor Tim Keller de una iglesia "para la ciudad". Redeemer mide su éxito no solo

563 Alternativamente, el coordinador de la feria podría reunir todos los avisos de búsqueda y luego clasificarlos por habilidades, y crear varias hojas de una página (en distintos colores) según la habilidad vocacional. Por ejemplo, una hoja contendría una lista de todos los ministerios (con el número de su puesto) que hayan indicado la necesidad de personas con distintos tipos de habilidades en los negocios. Otra hoja contendría una lista de todos los ministerios que hayan indicado que tienen oportunidades de servicio para personas en las artes creativas. Una tercera lista contendría los ministerios que hayan indicado algún tipo de necesidad de profesionales de las comunicaciones.

por el crecimiento de la iglesia sino también por el impacto que la congregación causa en la ciudad. Para facilitar esa misión, Redeemer comenzó HFNY para desarrollar relaciones con organizaciones cristianas no lucrativas que servían a los pobres y marginados de la ciudad y luego conectar a los miembros de la iglesia con ellas.

Con el tiempo, HFNY estableció relaciones con más de treinta afiliados. HFNY apoya a estas organizaciones a través de subvenciones, orientación y su programa Profesionales en Acción, mediante el cual los miembros de Redeemer donan sus habilidades para construir capacidad en las organizaciones.

Elise Chong, directora ejecutiva de HFNY, señala que "a través de los años, nuestros afiliados han estado pidiendo profesionales constantemente. Los desarrolladores de sitios web son una solicitud bastante común, o 'alguien que me haga un poco de marketing', para crear herramientas o planes de marketing o un folleto de marketing"[564]. En respuesta a estas necesidades, el programa Profesionales en Acción de HFNY moviliza equipos de voluntarios con habilidades profesionales para completar proyectos gratuitos de corto plazo para organizaciones que sirven a los pobres y marginados[565]. Los voluntarios normalmente sirven de uno a tres meses. El enfoque de equipo aumenta su responsabilidad y asegura mejores resultados. "Si por algún motivo María no puede asistir a la reunión de tal noche, al menos Carlos o Susana pueden hacerlo", explica Chong. "Así que el proyecto efectivamente continúa y se completa, y al final se obtiene un producto realmente bueno".

La Iglesia Fellowship Bible en Little Rock, Arkansas, ha instituido la cuarta estrategia para incentivar la mayordomía vocacional en el camino 2: la orientación formal. Esta congregación está interesada en facilitar inversiones de servicio de largo plazo por parte de los profesionales del mundo laboral de la iglesia. Para hacerlo, esta iglesia contrató a Bill Wellons como su "pastor de envío". Bill vierte su vida en los líderes de mediana edad altamente capacitados de la iglesia que están dispuestos a entregar considerables cantidades de tiempo para dedicarse al servicio en el reino.

---

564 A menos que se indique algo distinto, todas las citas de Elise Chong proceden de una entrevista telefónica con la autora, 14 de julio de 2010.

565 "Profesionales en Acción", Esperanza para Nueva York <http://hfny.org/volunteer/professionals-in-action>.

Bill describe en detalle su labor como orientador de estos miembros en *Unlimited Partnership*, un libro doble que escribió con Lloyd Reeb de Halftime[566]. A veces la consejería de Bill incluye motivación y aliento. A veces se trata de ayudar a miembros talentosos a manejar las subculturas y burocracias de la iglesia y el ministerio. A veces se trata de proveer cuidado espiritual. Casi siempre, una parte clave de la consejería consiste en ayudar a los líderes del mundo laboral a identificar las habilidades transferibles y el conocimiento que poseen.

Gracias a la inversión de Bill, varios líderes del mundo laboral de la congregación se han dedicado a intensos roles del personal voluntario en la iglesia o a profundos involucramientos a favor de organizaciones en el país y el extranjero. Por ejemplo, el exitoso representante de ventas farmacéutico James Saunders dona diez horas a la semana como líder laico del ministerio de varones de la Iglesia Fellowship. Él ha pulido las habilidades de liderazgo durante años en su industria, identificando a personas talentosas y formándolas hasta llegar a ser exitosos vendedores. Motivar a otros y construir equipos lo energiza. Él usa ahora estas mismas habilidades para reclutar líderes para grupos pequeños de hombres y para involucrar a ejecutivos de negocios no cristianos en las actividades del ministerio de varones[567].

Superación del temor con la fe. Muchos líderes de la iglesia temen que entregar a los miembros a las agencias externas a la congregación dejará la iglesia misma sin los recursos humanos y financieros que necesita. Los líderes deben vencer este temor si han de implementar la mayordomía vocacional en el camino 2. Ellos necesitarán confiar aún más en que Dios es capaz de asegurar que toda su obra —dentro y fuera de las cuatro paredes de la iglesia— se lleve a cabo cuando los líderes son fieles al mandato de capacitación que él les ha dado en Efesios 4:11-12. Los ministros deben creer que Dios los bendecirá por ser generosos con los talentos que residen en su congregación. Es una cuestión de confiar en la promesa que ofrece Eclesiastés 11:1: “Lanza tu pan sobre el agua; después de algún tiempo volverás a encontrarlo”. Este texto incentiva la generosidad con la confianza de que, según el propósito de gracia de Dios, ello producirá un retorno de bendición.

566 Bill Wellons y Lloyd Reeb, *Unlimited Partnership: Igniting a Marketplace Leader's Journey to Significance* (Nashville: B & H Publishing, 2006).
567 *Ibíd.*, pp. 60-61.

Esta visión de producir generosidad entre los pastores puede sonar poco realista. Pero puede hacerse y se ha hecho. Vernon y Charlene Armitage, de la Iglesia Bautista de Pleasant Valley son demostraciones vivientes. Ellos creen que los dones de los miembros no son concedidos solo para "trabajo de iglesia", sino para el reino. "Capacitar es edificar el Cuerpo pero es también un asunto del reino", dice Vernon. "Una iglesia buena y saludable debe servir a la comunidad"[568]. Su esposa, Charlene, dice: "No estamos interesados en que las personas realicen roles, sino en que los roles realicen a las personas". Puede que su pasión y despliegue estratégico esté fuera de las cuatro paredes de la iglesia, pero "eso lo consideramos de suma importancia"[569], dice ella.

Al preguntarle si ella temía que incentivar el servicio fuera en la comunidad dejaría a la iglesia con escasez de voluntarios o dinero para suplir sus propias necesidades, Charlene admite que ella y Vernon efectivamente tenían esos temores años antes. El vuelco llegó en 2002 cuando Don Simmons visitó la iglesia para enseñarles acerca de capacitación. Charlene dice que él los persuadió acerca de la visión bíblica para iglesias enfocadas externamente. Ella dice que logró ver que Pleasant Valley estaba siendo "egoísta" al no compartir sus talentos con la comunidad.

Desde entonces, la Iglesia de Pleasant Valley ha enviado a cientos de sus miembros. Por ejemplo, hace poco algunos horticultores expertos en la congregación lanzaron una iniciativa de huertos comunitarios. Ahora involucra a más de cien personas en unos setenta y cinco huertos en toda la ciudad, cuya producción se comparte con los necesitados y se vende a precios económicos en las ferias agrícolas de la comunidad. Además, Charlene ha movilizado a educadores de la iglesia a servir en escuelas públicas locales. Ella misma sirve en la junta escolar. Esto surge tanto de su pasión personal (fue educadora durante treinta años) y su deseo de ejemplificar el servicio en la comunidad a sus hermanos en la congregación. "Ellos necesitan ver que eso es tan valioso como cantar en el coro", dice ella[570].

---

568 Vernon Armitage, "Defining Moments: Volunteerism", CD de audio producido por Willow Creek North, julio de 2009.

569 Charlene Armitage, directora de capacitación, Iglesia Bautista de Pleasant Valley, entrevista telefónica con la autora, 24 de agosto de 2010.

570 Esta y las siguientes citas de Charlene Armitage proceden de correspondencia personal con la autora, 28 de noviembre de 2010.

¿Y cuál fue el resultado para la Iglesia Bautista de Pleasant Valley? "Descubrimos que, cuanto más salíamos de la iglesia, tanto más cuidado recibía el interior de nuestra iglesia", dice Charlene. "¡No era lo que esperábamos, en absoluto! Es muy similar a lo que dijo Jesús: 'Sal de ti mismo'".

A medida que esta iglesia se involucró en más sociedades con ministerios para-eclesiásticos y participó en esfuerzos junto a otras iglesias para llegar a la comunidad en toda la ciudad, más personas comenzaron a asistir a la iglesia. Esto energizó a los miembros, y les dio mayor disposición a servir dentro de la iglesia, incluso en la guardería, para satisfacer las necesidades de los recién llegados. Charlene añade: "La mejor forma que conozco para decirlo es: 'Sal de tu yo y tu yo estará bien cuidado".

En la Iglesia Fellowship Bible, el compromiso de orientar a los miembros con altas capacidades para el servicio en cualquier lugar —dentro y fuera de la iglesia— se facilita con la filosofía "pescar y soltar" del pastor principal Robert Lewis. "Nuestra gente desea hacer el ministerio en terreno por sí mismos, y quieren que su iglesia los ayude a hacerlo", señala el pastor[571]. Lamentablemente, la mayoría de los pastores tienen una filosofía "pescar y guardar", reconoce Robert. En los primeros días de su ministerio, este era su enfoque. Solo cambió cuando comenzó a estudiar más atentamente el liderazgo que ejemplificó Jesús. Robert dice que Jesús fue un "pescador de atrapar y soltar. Él atrapaba a hombres y mujeres con su evangelio, y pasaba tiempo con ellos para desarrollarlos, prepararlos y arraigarlos en los caminos de Dios, pero luego los soltaba". Él los liberaba para que fueran "sal y luz, y para cambiar la comunidad"[572].

En la Iglesia Mariners en Irvine, California, la pastora de servicio a la comunidad Laurie Beshore ha visto realizada la promesa de Eclesiastés del pan que vuelve. Ella y otros líderes en Mariners se unieron a Don Schoendorfer, un miembro de la iglesia que es ingeniero mecánico y había sido voluntario durante años en el centro de clases de reforzamiento de la iglesia en el área vulnerable de la ciudad. A Don le apasionaba el problema de la inmovilidad que enfrentaban millones de personas discapacitadas en los

571 Robert Lewis, "What to Do with Talented People", *Innovation 2007: Connecting Innovators to Multiply* (Leadership Network, 2007), p. 42 <http://leadnet.org/resources/download/innovation_2007>.
572 *Ibíd.*, pp. 43-44.

países en desarrollo. Él creía que sus más de veinticinco años de experiencia como ingeniero podían ofrecer una solución.

Don asumió el reto de crear una silla de ruedas que fuera adecuada para las exigentes condiciones del entorno en los países del Tercer Mundo y pudiera ser fabricada a un precio asequible. Compró una bicicleta y algunas sillas plásticas de terraza en uno de los hipermercados del Sur de California. Luego de jugar al inventor durante algunas semanas, había construido una silla de ruedas firme y usable. Hoy su diseño de silla de ruedas ha llevado movilidad a más de medio millón de personas en los países en desarrollo[573].

Laurie Beshore dice que ahora uno de los puntos fuertes de muchos viajes misioneros de corto plazo de la Iglesia Mariners al extranjero es la oportunidad de armar y distribuir sillas de ruedas. La experiencia toca profundamente a los participantes del viaje y suele ser usada por Dios para profundizar su compasión por los pobres, relata Laurie. Eso afecta su propio caminar con Cristo y ha ocasionado un involucramiento más fuerte en Mariners y sus ministerios locales.

CONCLUSIÓN: LAS BENDICIONES DEL CAMINO 2

Como hemos visto, facilitar el camino 2 puede requerir que los líderes de la congregación realicen algunos cambios tanto en sus actitudes como en sus estructuras administrativas. El cambio nunca es fácil, y no ocurre sin una significativa motivación. Para los que están activos en la mayordomía vocacional por el camino 2, los enormes beneficios bien valen el esfuerzo.

Los ministerios mundiales y locales que reciben el tiempo y los talentos de los profesionales voluntarios obviamente se benefician. Esto debe interesar a los pastores en alguna medida. Pero cuando los pastores entienden los beneficios que otorga este camino a sus propios miembros, eso es aun más significativo y motivador. No cuesta mucho advertir estos beneficios.

El primer beneficio es el profundo gozo que experimentan los creyentes. Ellos descubren que usar sus habilidades únicas que Dios les ha dado para servir a otros en el frente de batalla es algo profundamente gratificante. Considera, por ejemplo, la experiencia del ingeniero civil Rod Beadle de Chicago. En la primavera de 2010, Rod viajó a Haití inmediatamente

573 Don Schoendorfer, fundador y presidente, Free Wheelchair Mission, entrevista con la autora, Irvine, California, 8 de julio de 2009.

después del intenso terremoto en Puerto Príncipe. Al reflexionar sobre estas tres semanas, dijo: "Yo estaba contribuyendo con sistemas de agua potable para algunos de los campamentos [de desplazados] y haciendo tratamiento de residuos. Eso probablemente sea una de las cosas más geniales que haya hecho como profesional"[574].

Gordon Murphy, de Barnabas Group dice que a menudo ha sido testigo de momentos de iluminación cuando los líderes del mundo laboral caen en la cuenta de que sus habilidades profesionales los califican de manera única para ofrecer servicio en un ministerio en terreno. Él dice: "Cuando efectivamente comienzan a usar el don que los entusiasma, el don de comunicación, el don del marketing, el don que sea; cuando comienzan a usar *ese* don, ello mejora significativamente el factor de admiración de la experiencia de servicio"[575].

El servicio en el camino 2 también ha profundizado la apreciación de algunos miembros por los creyentes cuyas habilidades son muy distintas a las suyas. Para ellos, esto ilumina de formas nuevas la verdad de 1 Corintios 12 acerca del valor de todas las partes del cuerpo de Cristo. La consultora de negocios Kay Edwards señala que ha sido abundantemente bendecida en este aspecto al ser voluntaria del ministerio S.H.A.L.O.M., una organización comunitaria no lucrativa en el área vulnerable de Milwaukee. Kay está sorprendida con los dones y la dedicación del personal de este ministerio. "No tienen problema para entrar en una casa de drogas a medianoche un fin de semana y sacar a las personas y decirles 'Jesús te ama'", dice Kay. "Yo *jamás* podría hacer eso, ni en un millón de años". Aunque ella no podría aconsejar a drogadictos, la experta en administración de recursos humanos dice: "Yo *puedo* manejar un equipo"[576].

El servicio de Kay con S.H.A.L.O.M. ha sido tan transformador que ella ha lanzado su propia iniciativa, Vesper Services Network, para vincular a profesionales como ella con las organizaciones no lucrativas que necesiten sus talentos. "Es una experiencia realmente increíble" codearse con creyen-

574 Rod Beadle, presidente y fundador, Engineering Resources Association, entrevista telefónica con la autora, 21 de julio de 2010.

575 Gordon Murphy, socio administrativo, The Barnabas Group Chicago, entrevista telefónica con la autora, 7 de abril de 2010.

576 Todas las citas de Kay Edwards, presidente y directora ejecutiva, Vesper Services Network, proceden de una entrevista telefónica con la autora, 13 de agosto de 2010.

tes con diversos dones, dice Kay. "Yo quería que otras personas tuvieran esa experiencia".

Los miembros que han donado sus habilidades vocacionales a ministerios también señalan que ha crecido su aprecio por la unidad del cuerpo de Cristo alrededor del mundo. El ingeniero civil John Rahe ha servido en países en desarrollo en viajes de corto plazo de orientación vocacional dirigidos por Engineering Ministries International. Sus experiencias lo han expuesto a la inmensa diversidad de la iglesia mundial. "He visto la entusiasta adoración de los africanos en Kenia y Ghana, luego he ido a Bangladesh, donde los hombres se sientan en el piso a un lado de la iglesia y las mujeres en el otro y adoran casi en silencio", dice John. "Tan solo la riqueza de poder ver y experimentar el cuerpo de Cristo es maravillosa". John es un evangélico acérrimo, pero explica que el hecho de estar casado con una cristiana ortodoxa ha puesto en su corazón el promover la unidad dentro del cuerpo. "Estamos llamados a amarnos y respetarnos unos a otros", afirma John. "Es algo que Dios ha puesto en mi corazón, y solo se ha fortalecido a través de mi asociación con los viajes ministeriales de EMI"[577].

Finalmente, y quizá lo más importante para los líderes congregacionales, el servicio en el camino 2 ha encendido el crecimiento espiritual en algunos feligreses. El ejecutivo de Chicago Larry Mollner, quien registró más de un millón de millas de viajero frecuente durante una pujante carrera en finanzas internacionales, dice que su servicio voluntario ha sido el detonante para hacer genuina su fe. Después de años de asistir a la iglesia de una manera algo mecánica, ahora simplemente afirma: "Creo que ahora practico mi fe cristiana de una forma real y personal"[578].

Larry creció siendo católico y luego asistió a varias iglesias protestantes porque su esposa era metodista. A lo largo de los años fue voluntario en varias iglesias, pero el efecto de aquello en él fue mínimo. A través de la mayordomía vocacional por el camino 2 él ha podido utilizar las habilidades de pensamiento creativo que afinó durante su carrera como director de la División Futuros en Morgan Stanley Dean Witter & Co. "La coordinación de mi experiencia y conjunto de habilidades con las necesidades específicas

577 John Rahe, presidente, Rahe Engineering, entrevista telefónica con la autora, 22 de julio de 2010.

578 Todas las citas de Larry Mollner proceden de una entrevista con la autora, Glencoe, Illinois, 30 de junio de 2010.

del ministerio que busca ayuda es única y efectiva", dice Larry. "Estamos trabajando juntos para el reino de Dios, y eso es satisfactorio y muy emocionante".

Larry y su amigo John Phillips, un desarrollador inmobiliario retirado, han sido vinculados a través de Barnabas Group con un ministerio del área vulnerable de la ciudad llamado Kids Off The Block. Diane Latiker, residente de la comunidad Roseland en el lado sur de Chicago, comenzó este servicio comunitario hace siete años. En un contexto donde la violencia y las pandillas son habituales, Diane recibe a los jóvenes en su modesto hogar para diversas actividades y enseñanza después de la escuela.

Cuando Larry y John conocieron a Diane en 2010, el ministerio aún funcionaba en la casa de ella. "Habían despejado la sala de estar y comedor para hacer espacio para mesas, sillas y algunos computadores donde los niños pudieran trabajar", dice Larry. Estaba claro que Diane necesitaba ayuda organizacional y una mejor instalación para llevar el ministerio al siguiente nivel. John aprovechó su red profesional para encontrar espacio para arriendo, y Larry ha ayudado a Diane con planificación estratégica.

Larry dice que ya no solo firma cheques para apoyar los ministerios de ayuda social de otros. Él sube a su auto y se dirige al lado sur de la ciudad para ayudar a ofrecer esperanza y visión a una generación de adolescentes en riesgo. Está ayudando a construir relaciones interculturales y contribuyendo con tiempo, bienes y talentos para beneficiar a otros. Larry dice: "Ayudar a otros a través de estos programas ha cambiado mi vida. Hay personas en necesidad y hay personas que quieren ayudar. Reunirlas es una alegría. Los resultados me llegan al corazón, y quiero hacer más. Ha aumentado mi estudio bíblico; ha aumentado mi interés por conocer a Dios. Todo es parte de lo que llamo 'el nuevo yo'".

12

Camino 3

INICIA TU PROPIO EMPRENDIMIENTO SOCIAL

La Maratón Mavuno realmente es lo que ha logrado conectarnos con nuestra misión aquí en la tierra... [Estamos] aquí para cambiar la sociedad para la gloria de Dios.

Kanjii Mbugua

Una tercera ruta de mayordomía vocacional que los líderes de la congregación podrían considerar facilitar es respaldar los sueños emprendedores de los miembros altamente capacitados. En este mismo momento, puede que tu iglesia contenga algunos talentosos líderes a los que Dios está instando de un modo nuevo y emocionante —y tal vez levemente atemorizante. Ellos están pensando activamente en dejar su "trabajo del día" (o al menos ocupar una considerable parte de su tiempo) para dar inicio a una nueva empresa social. Ellos sueñan con implementar un nuevo emprendimiento del reino para bendecir a un grupo objetivo o proveer una solución creativa a un espinoso problema social.

En este preciso momento en tu congregación puede haber una exitosa mujer de negocios que se pregunta si no será este el momento de dejar el mundo empresarial estadounidense e ir tras su pasión: lanzar una agencia sin fines de lucro para proveer asesoría empresarial y financiamiento inicial para emprendedores de sectores vulnerables. O quizá un arquitecto y un desarrollador inmobiliario de tu iglesia han soñado con hacer algo significativo para abordar la crisis de vivienda económica en tu ciudad. En resumen, en este momento, puede que Dios esté plantando algunos grandes sueños en el corazón de los miembros de tu congregación; sueños que podrían alegrar tu ciudad y al cual muchos miembros podrían sumarse.

En una destacable iglesia evangélica en Nairobi, se está incentivando deliberadamente este tipo de emprendimiento social, como un punto fuerte de la misión de la iglesia. El propósito de la Iglesia Mavuno ("Cosecha") es audaz: "Convertir a personas comunes en intrépidos influyentes en la sociedad". Esto lo hace a través de un programa de discipulado cuidadosamente concebido, robusto y único llamado la Maratón Mavuno.

LA MARATÓN MAVUNO

Mavuno comenzó hace alrededor de cinco años bajo el liderazgo de un joven, elocuente y dinámico pastor llamado Muriithi Wanjau. El pastor Muriithi estaba frustrado con gran parte de lo que se consideraba discipulado en la iglesia evangélica de Kenia. Su entrenamiento en discipulado, tomado de Occidente, era demasiado individualista, a menudo fragmentado y alejado de la praxis. Su modelo orientado a la información no se ajustaba a la cultura africana ni producía creyentes cuyas vidas realmente cambiaran. "Yo sentía que estábamos creando cristianos que se habían conformado a la cultura cristiana en lo exterior pero no habían sido transformados en el interior", dice Muriithi. "Entonces estoy en la iglesia, conozco los himnos, conozco las estrofas. No digo groserías, no golpeo a mi esposa, todas las cosas que reducen el cristianismo a un montón de 'no lo hagas'. Pero luego eso no afecta la manera en que conduzco; no afecta mi involucramiento político, mi preocupación por el ambiente, mi vivir para algo más grande que una bonita casa y un auto"[290].

Muriithi quería un discipulado concreto, interactivo y *practicado*. Él buscó una especie de entrenamiento que combinaría aprendizaje bíblico con acción en la vida real, todo en formato de grupo pequeño que promoviera comunión. Su teología enfatizaría la obra del reino de Jesús, así que los participantes entenderían que la fe no solo es un asunto de creencia individual sino también de realmente *seguir* a Jesús, desplegar los talentos en la *missio Dei*. La forma debería ser interactiva, relevante, y por experiencia. El resultado inicial del pensamiento de Muriithi fue Mizizi ("Raíces").

---

290 Todas las citas de Muriithi Wanjau proceden de una entrevista con la autora, Nairobi, 20 de enero de 2010.

"Mizizi es un curso muy práctico y activo en el que la parte cognitiva se hace en casa", explica Muriithi. "Cada semana repasábamos el material que habían leído y yo decía: 'Ahora que lo han leído, dejemos los libros y practiquémoslo". Así que si la lección de la semana se trataba de las formas de estudiar la Palabra, él enviaba a los miembros de la clase a un lugar tranquilo para examinar un texto a solas por treinta minutos y luego volvían para compartir sus descubrimientos. Cuando la lección se trataba de testificar, él dividía al curso en pares, y practicaban la proclamación de la fe en un campus universitario local, entablando conversaciones con estudiantes. Cuando la lección tenía que ver con el corazón de Dios por los pobres, él llevaba al curso a una cárcel. Allí servían a los presos en cualquier forma práctica que se necesitara, tal como pintar la biblioteca o entregar colchones.

Muriithi vio que Mizizi cambiaba la vida de las personas. Los participantes del curso se convertían en cristianos profesos. Las personas que estaban tratando de dejar hábitos molestos —como fumar— tenían éxito. Las personas que habían sido cristianas desde la infancia sentían que su fe revivía. Los grupos pequeños se unían. De hecho, no querían dejar de reunirse cuando acababa el curso. Muriithi se dio cuenta de que necesitaba proveer algunos siguientes pasos.

Durante este tiempo, Muriithi y algunos otros jóvenes líderes habían sido enviados por su iglesia madre, Nairobi Chapel, a plantar una clase satélite. El pastor Simon Mbevi y la pastora Linda Ochola Adolwa estaban en el equipo de liderazgo de Muriithi, y cada uno tenía especiales intereses. Para Simon, era la oración: había realizado diversas cruzadas de oración en todo el país. El interés de Linda era la justicia: este había sido un enfoque específico en sus estudios de seminario. Muriithi incentivó a sus compañeros de equipo a diseñar cursos que incluyeran experiencia, similares al estilo de Mizizi, acerca de esos temas. Finalmente, el equipo tuvo una clara y completa imagen de un programa de discipulado ordenado.

Mizizi fue un gran comienzo, un curso de fundamentos para cimentar a los creyentes en el evangelio del reino. Pero para ayudar a los participantes a mantener un "enfoque externo", Muriithi sabía que necesitaban más. Simon elaboró Ombi ("Oración") como una serie de clases y actividades prácticas que podían tomar juntos los grupos pequeños que originalmente se habían formado a través de Mizizi. Mientras tanto, Linda trabajaba arduamente escribiendo un estudio bíblico que seguía el tema del corazón de Dios por la justicia a través del Antiguo Testamento. Su programa de estudios se convirtió en la base de un tercer curso, Hatua ("Acción").

Estos cursos, así como actividades adicionales, ahora están unidos bajo el nombre Maratón Mavuno. "Si en algo son buenos los keniatas", dice Muriithi sonriente, "es en la carrera de maratón". Todo lo relacionado con esta pista de discipulado se enfoca en el objetivo de capacitar a los miembros de Mavuno para el servicio en el mundo, como "intrépidos influyentes en la sociedad".

Además de los tres cursos descritos anteriormente, la Maratón incluye un énfasis en el servicio y en el desarrollo de liderazgo. Los miembros de Mizizi permanecen en sus grupos pequeños (denominados Grupos de Vida) a lo largo de todo el proceso. "Reconocemos que muchos de los problemas que enfrentamos en nuestra nación son estructurales", dice Muriithi. "Uno no los puede enfrentar individualmente, por muy buenas intenciones que tenga. Hay que tener las estructuras de apoyo para combatir el mal y la injusticia estructurales; no se puede hacer solo. Así que los grupos pequeños son un segmento muy importante de lo que llamamos nuestra Maratón".

Luego de completar Ombi, se espera que las personas sirvan a la iglesia en diversas tareas tras bastidores, a menudo ingratas, tales como ayudar en el estacionamiento, como acomodador, o en la guardería infantil. Esta parte de la Maratón es deliberada: Muriithi cree que proporciona el entorno para que las personas con "altas capacidades" crezcan en carácter y humildad. Él dice: "Nos dimos cuenta de que a menos que se vuelvan a servir a la iglesia, en el servicio a la sociedad hay peligros. [Estos peligros] tienen relación con el reconocimiento. Tienen que ver con la integridad cuando uno comienza a captar la atención", explica Muriithi. "Así que entrenamos a las personas todo el tiempo: '¿De qué manera sirves, no porque obtengas algo de ello sino porque eres cristiano y tienes que servir?'".

Luego de un periodo, se invita a estas personas a formar parte del Equipo Mavuno. Este grupo recibe capacitación y consejería/orientación de liderazgo de parte del equipo pastoral. Se los educa acerca de las necesidades de Nairobi y viajan a distintos lugares de la ciudad, donde aprenden acerca de diversos asuntos sociales, económicos, espirituales y políticos. En esta fase, se anima a los miembros del grupo a considerar las formas en que pueden usar sus dones, bienes y habilidades específicos como "intrépidos influyentes" en uno de seis sectores identificados por la iglesia. Como explica Muriithi:

> Uno es política y gobierno... Estamos incentivando a muchas personas a comenzar iniciativas en el gobierno. Podrían ser grupos de presión. Podría ser postular a un asiento como concejal de la ciudad o en el parlamento. Queremos personas cristianas íntegras que salgan a reformar la política de nuestra nación. Un segundo sector son los medios de comunicación y las artes. Eso es importante para nosotros; los medios son una muy grandiosa herramienta para impactar y lo hemos visto. Muchas de las cosas negativas que han llegado a nuestra cultura llegan por causa de Hollywood y todos los medios asociados a él. Así que estamos incentivando a miembros para que comiencen iniciativas que creen contenidos positivos e introduzcan eso en la sociedad.

Otros sectores incluyen negocios, familia y educación, salud y medio ambiente, e iglesia/misiones.

En cada caso, la iglesia está comprometida con desarrollar cristianos maduros que lancen "iniciativas de vanguardia" para lidiar con los problemas apremiantes de los distintos sectores. Por ejemplo, el primer emprendedor social de Mavuno en el sector salud/medio ambiente es Mukuria Mwangi. Él lidera un esfuerzo llamado REFUGE (acrónimo en inglés para Restauración de Bosques para Futuras Generaciones) entre personas indígenas tribales en el Bosque Mau. REFUGE asiste a esta gente en nuevos emprendimientos de apicultura, que les proveen ingresos y fortalecen la polinización de este enorme bosque, que es un ecosistema crucial en África. REFUGE también ha comenzado trece viveros para apoyar la reforestación.

Simon Mbevi ahora ha dejado el equipo pastoral para lanzar la primera incursión de Mavuno en el sector de política/gobierno. Él ha creado Transforma Kenia, una organización no lucrativa, para promover un movimiento nacional de oración, levantar una generación de muchachos líderes y crear programas de orientación para cristianos que están considerando el servicio público. En la primavera de 2010, Transforma Kenia lanzó un curso de doce meses de discipulado y capacitación en liderazgo para creyentes que planean competir en las próximas elecciones parlamentarias del país.

"No basta solo con orar por un buen liderazgo y luego nos sentamos y todos los tipos equivocados compiten por los cargos públicos", dice Simon. "Deseamos levantar a 120 líderes cristianos que pasen por un año de capacitación basada en valores y oración, quienes se comprometerán de manera que cuando Dios nos lleve a los cargos políticos, glorifiquemos a Jesús... creemos que para 2012 le daremos líderes alternativos a esta nación, personas que dé gusto votar por ellas"[291].

Mavuno ayuda estas iniciativas en el frente de batalla creando conciencia de ellas entre la congregación, reuniendo a los distintos líderes para creación de redes y entrenamiento, proveyendo apoyo en oración e incentivando a los demás en la iglesia a participar en estos esfuerzos (financieramente y ofreciendo voluntariamente sus habilidades). A ningún miembro del equipo se le permite lanzar iniciativas que van al frente. A Muriithi le apasiona el ministerio *laico*; él quiere resistir la tentación de que "la iglesia" —lo que normalmente se traduce como el personal pagado y los ministros— sean dueños de la obra. Como dice Muriithi:

> Nuestra labor es Efesios 4:11-12, *capacitar* a las personas para obras de servicio. Así que ellos son los que deben *hacer* la obra de servicio; nuestra labor es capacitarlos. A consecuencia de ello, hemos resistido la tentación de convertirnos en un hogar de niños o hacer un ministerio de justicia social como iglesia porque cuando lo hacemos, sentimos que lo institucionalizamos. Entonces la gente se siente bien por estar *dando* para un ministerio pero no siente ninguna presión de *comenzar* uno. Y nuestra expectativa es que cada miembro de nuestra iglesia efectivamente comience un ministerio en el frente o se involucre en uno.

"A las personas que han comenzado iniciativas en el frente las llamamos nuestras "papas de primera"", dice Muriithi sonriente. "En Mavuno decimos que ellos son nuestro 'producto terminado'. Para nosotros, la madurez no se basa en lo que uno sabe, sino en el tipo de impacto que uno está causando para el reino".

INICIATIVAS EN TERRENO DE MAVUNO

Daisy Waimiri es una de esas "papas de primera". Daisy, de treinta y tres años y madre de dos hijos, al principio se resistía a participar de una clase

291 Simon Mbevi, director, Transforma Kenia, presentación en Iglesia Mavuno, Nairobi, 22 de enero de 2010.

Mizizi. "Tenía una especie de 'síndrome del hermano mayor'", admite ella. "Había sido cristiana por mucho tiempo, y entré con una actitud de 'he sido salvada para siempre y no hay nada nuevo que esta gente pueda enseñarme'"[292]. Pero la experiencia no fue ni parecida a lo que ella esperaba.

"Yo diría que mi fe cambió total y absolutamente", dice Daisy. "Fue como si me hubiera convertido en una nueva creyente, ¿sabes? Fue increíble. Ya no estaba cansada de ser salva. Ya no era algo aburrido". Ella hizo fuertes lazos con los miembros del Grupo de Vida, creció en su vida de oración a través de Ombi y comenzó a considerar más profundamente cuáles eran sus dones y pasiones específicos que se podían usar en el reino. Ahora, dice ella, tiene "un estilo de vida de querer realmente cumplir mi destino en Dios y realmente querer hacer la voluntad de Dios, y ver que él me lleva paso a paso".

Algunas semanas antes de entrar a la clase Mizizi, su empleada Violet se había acercado a Daisy para pedirle pequeños préstamos, y lo mismo hizo un guardia nocturno en una organización no lucrativa donde ella era voluntaria. Como Daisy había estudiado desarrollo comunitario en la universidad y había trabajado en emprendimientos sociales siendo joven adulta, estaba inclinada a ayudar. Pero no estaba interesada en proveer meras donaciones. Quería encontrar la forma de ayudar a personas de bajos ingresos como Violet y el guardia a comenzar a ahorrar dinero; esperaba proveer capital para microempresas para ayudarles a generar ingresos adicionales. Ella decidió ofrecer a estas personas un incentivo para ahorrar: por cada chelín keniano que ellos apartaban, ella añadiría tres más, con tal de que ellos convinieran en usar el dinero para adquirir los medios para algún tipo de emprendimiento que generara ingresos.

La iniciativa era solo "una pequeña semilla" al principio, señala Daisy. Sin embargo, a través de Mizizi y las subsecuentes discusiones con su Grupo de Vida y Muriithi, ella se convenció de que Dios la estaba llamando a concentrarse a tiempo completo en la idea, y hacerla crecer. "Cuando hube terminado Mizizi", relata, "estaba segura de que esto era lo que quería hacer. Era tan claro. ¡Nadie me lo podía sacar de la cabeza!".

Daisy le pidió a Violet que invitara a personas de su iglesia en el vulnerable barrio Kibera de Nairobi a un encuentro de orientación donde Daisy

292 A menos que se indique algo distinto, todas las citas de Daisy Waimiri proceden de una entrevista con la autora, Nairobi, 20 de enero de 2010.

presentaría el programa de ahorro y micro-emprendimiento. Violet llevó a su pastor y a una pequeña delegación de la iglesia. "Les preparé una comida y les dije que esto era lo que quería hacer", recuerda Daisy. "Quiero que ahorren durante tres meses. Yo triplicaré su dinero, pero tiene que ser para un negocio que ustedes van a operar, y luego podrán devolverlo". La respuesta de la delegación fue entusiasta.

Luego Daisy se inscribió en un curso breve sobre microfinanzas impartido por una organización no lucrativa de Kenia llamada ACOMA. Cuando Violet y los miembros de su iglesia regresaron con sus ahorros —casi cien personas habían decidido participar— Daisy los dividió en grupos de once, les presentó boletines sobre ahorro y planificó con ellos acerca de la materia prima que podían comprar para iniciar nuevas actividades que generaran ingresos. Algunos decidieron invertir en la compra de carbón de leña para reventa, otros adquirieron ingredientes para preparar alimentos para la venta. "Sin darme cuenta", dice maravillada, "teníamos trescientos miembros, todos en grupos de once, y todos estaban ahorrando algo".

Al momento de escribir esto, su grupo tiene más de 450 miembros. Muchos han pedido y han devuelto muchos préstamos. Un miembro abrió un salón de belleza, otro un kiosco de abarrotes, un tercero un puesto de verduras, y otro un negocio de venta de comidas calientes tradicionales. Después de orar con su Grupo de Vida, Daisy decidió que no cobraría intereses por los préstamos. En lugar de ello, para que el esfuerzo fuera sustentable, ella compra la materia prima necesaria para los negocios de los miembros a precio mayorista a vendedores fuera de Nairobi. Entonces les vende los materiales a los miembros a un precio mayor del que ella pagó, pero que aún es una ganga para ellos.

Las ganancias de los negocios de los miembros les han permitido mejorar su estándar de vida. Por ejemplo, las madres participantes cuentan que pueden comprar uniformes escolares para los hijos y apartar ahorros para emergencias.

Daisy relata que el apoyo de Mavuno a su iniciativa ha sido invaluable. Su Grupo de Vida le provee aliento, consejo y oración. La promoción de Mavuno de sus esfuerzos ha dado pie a varios tours al barrio vulnerable Kibera para permitir que los miembros de la iglesia y sus amigos conozcan de primera mano a los micro-emprendedores del programa de Daisy. Esto ha generado donaciones y voluntarios. Mavuno ha provisto capacitación en liderazgo para Daisy y la ha contactado con los demás líderes de iniciativas en terreno. Lo que es más importante, varios otros miembros de Mavuno se han unido a su junta de directores, y cada uno ha aportado talentos vocacionales únicos que son relevantes para la iniciativa:

> Todos los miembros de mi directorio son de la Iglesia Mavuno. Ellos hacen distintas cosas. Tengo a una que es banquera, así que ella realmente ayuda con el aspecto bancario de cómo monitorear todas las cuentas... luego tenemos a un abogado de Mavuno y una señora que hace muchas de nuestras proposiciones [de préstamo]. Ella trabaja para una organización no gubernamental... cuando hicimos el análisis de datos sobre el negocio [en Kibera] al que debíamos limitarnos, lo hice con mi directorio. Ellos fueron clave.

VER LA NECESIDAD DE CERCA

Mavuno cree que es importante incentivar a su membrecía, que es principalmente de clase media y ascendente, a realmente ver su ciudad y su país, a experimentar su dolor de cerca. El consumismo y el deseo de comodidad material no es algo único de los estadounidenses, dice Muriithi. Los keniatas también se ven fácilmente atrapados por el deseo de acumular. Por tanto, la Maratón Mavuno incluye experiencias planificadas para otorgar exposición a escenas y realidades incómodas. Estas experiencias van desde retiros de fin de semana sobre justicia social, a tours por la ciudad y los barrios vulnerables, hasta campañas educativas en la iglesia. La pastora Linda Ochola Adolwa dice que estos eventos para toda la iglesia son necesarios para ayudar a los feligreses a entender lo que significa "transformación social". Ella dice que con otros líderes de la iglesia se dieron cuenta de que "para la gente es un gran salto pasar de decir 'gloria a Dios', a decir 'el corazón de Dios está con la justicia', hasta decir 'Dios quiere que hagamos algo por la sociedad'. ¿Qué significa realmente que las personas se involucren de veras en los temas de actualidad en nuestro contexto?"[293].

Para hacer más concretos los conceptos, Linda ha ayudado a dirigir dos importantes campañas. La primera fue una iniciativa para incentivar a los

293 Todas las citas de Linda Ochola Adolwa, pastora asociada, Iglesia Mavuno, proceden de una entrevista con la autora, Nairobi, 20 de enero de 2010.

miembros de Mavuno que tuvieran empleada doméstica a inscribirlas en el programa de seguro médico nacional de Kenia, y pagaran la póliza. Como parte de la campaña, Linda predicó una serie de mensajes sobre las realidades de la ciudad. Ella mostró un breve video de una empleada que daba a luz en su hogar en un barrio vulnerable, sin ninguna ayuda médica, pues no tenía acceso a la asistencia de salud. "Básicamente estábamos ayudando a la congregación a entender, primero, que esta no es la voluntad de Dios; segundo, que nosotros podemos marcar la diferencia, pues ni siquiera cuesta tanto; y tercero, es tu obligación", dice Linda. No muchos keniatas de clase media proveen seguro médico a sus empleados domésticos. Pero Linda les dice: "La justicia significa que uno hace las cosas de forma distinta".

Linda también diseñó una campaña para desarrollar mayor comprensión dentro de la congregación acerca del candente asunto de la política de tierras en Kenia. "Esto, desde luego, era muy pertinente en vista de la violencia posterior a las elecciones y todos los desafíos que actualmente experimenta Kenia en torno a la distribución equitativa de recursos", dice Linda. En los meses anteriores a la votación del pueblo keniata sobre una nueva constitución, Linda y otros cristianos informados acerca de las implicaciones sociales, económicas y políticas de la política de tierras querían proveer educación franca a los miembros de la iglesia con respecto a las propuestas de reforma a la política de tierras en el borrador de la constitución. Estas reformas procuraban abordar problemas tales como la expropiación de tierra comunitaria para fines políticos, prácticas inadecuadas de concesión de títulos de tierras, y falta de transparencia y responsabilidad dentro de las oficinas de gobierno que tenían autoridad sobre las disputas por tierras. Además de estos problemas estaban las tensiones surgidas del hecho de que algunos grupos étnicos de Kenia han sido históricamente favorecidos por regímenes anteriores en cuanto a distribución de tierras.

El tema de la política de tierras es muy complejo y controversial, uno que quizá muchos líderes de la iglesia preferirían ignorar. Los líderes de Mavuno creen que esta es un área contemporánea vital y relevante donde se debe poner en práctica una perspectiva de la justicia bíblicamente informada. Linda y sus colegas organizaron un curso de siete semanas sobre el tema para los líderes de la iglesia en la capital así como en Eldoret y Kisumu, ciudades fuertemente golpeadas por la violencia post-elecciones de 2007.

FIN DE SEMANA DE JUSTICIA SOCIAL TRANSFORMA A UNA MUJER DE NEGOCIOS INTERNACIONALES

Además de las campañas educativas especiales para toda la iglesia, los feligreses de Mavuno aprenden acerca de cuestiones sociales a través del "fin de semana de justicia social" del curso Mizizi. La líder de una iniciativa en terreno Anne Nzilani relata que el fin de semana fue lo que Dios usó para abrirle los ojos a las necesidades de los pobres y alejarla del materialismo.

Anne comenzó a asistir a la Iglesia Mavuno en septiembre de 2007 a instancias de su hermana. Siguió escuchando buenos comentarios acerca de Mizizi, y se integró a la clase en enero de 2008. Anne admite que antes de Mizizi estaba trabajando felizmente como consultora de negocios con un simple objetivo expreso: "Mi visión era ganar mucho dinero". El curso Mizizi cuestionó esa visión. Ella aprendió que "Dios es realmente real" y que él tenía otras prioridades. "Aprendí que Dios espera que yo administre mi dinero, y acerca de la justicia social"[294].

Dios usó el retiro de fin de semana sobre justicia social con su Grupo de Vida para dar un vuelco en la vida de Anne. El grupo visitó un campo de refugiados para personas internamente desplazadas. Jugaron con los niños, y algunos miembros presentaron un taller sobre habilidades de negocios para los adultos residentes. Anne estuvo presente y quedó asombrada por los talentos y la resiliencia de las mujeres que participaron. "Me di cuenta de que allí había tantas mujeres que podían tejer, hacer joyas o distintos tipos de productos", dice ella. El problema era que con la limitada exposición en el mercado, su arduo trabajo no iba a generar muchos ingresos. "Así que pensé, me puedo quedar sentada llorando, o puedo decidir hacer algo al respecto".

En abril de 2008, solo algunas semanas después de su graduación de Mizizi, Anne registró una nueva compañía de comercio justo llamada Bawa la Tumaini ("Ala de Esperanza"). Su misión es promocionar y vender productos de productores marginados dándoles la oportunidad de ganar dinero desde mercados mundiales. Tales ingresos les permitirían a estas mujeres salir de la indigencia.

La compañía aprovecha espléndidamente el trasfondo y las habilidades vocacionales de Anne. Es hija de padres en el negocio de la exportación y

---

294 Todas las citas de Anne Nzilani, fundadora y directora ejecutiva, Bawa la Tumaini, proceden de una entrevista con la autora, Nairobi, 20 de enero de 2010.

por tanto ha viajado mucho y posee amplios conocimientos sobre comercio internacional. Su trasfondo educacional tiene relación con el diseño de producto, y ha trabajado tanto con empresas de diseño como con escuelas de diseño en Europa. A través de su consultora de negocios, ha construido significativas redes profesionales en Holanda, Austria, Finlandia, Australia, España, Alemania y el Reino Unido. Además tiene variados contactos en diversas regiones de Kenia que producen joyería, manualidades y artesanía en piedra esteatita.

La enseñanza de Mavuno sobre justicia social y la experiencia de Anne de encontrarse de cerca y personalmente con la pobreza han puesto a esta talentosa mujer de negocios en un nuevo y decidido rumbo. "El verso para memorizar de la lección sobre justicia social en Mizizi fue Mateo 25:40", dice Anne. "'Todo lo que hagan por estos más pequeños, lo hacen por mí'. Esa es mi inspiración. A fin de cuentas, eso es lo que me sigue impulsando en Bawa la Tumaini".

LECCIONES APRENDIDAS

El modelo de la Iglesia Mavuno proporciona varias lecciones para las iglesias que desean incentivar los emprendimientos sociales. Primero, Mizizi provee la teología fundacional del reino que sustenta efectivamente un compromiso misional. Segundo, el curso incluye una sección que invita a los participantes a identificar y explorar las pasiones y dones únicos que Dios les ha dado. Tercero, la Maratón Mavuno expone a los miembros a las necesidades de los pobres en su ciudad y a los problemas de injusticia contemporáneos. Cuarto, en tanto que los líderes de la iglesia desafían a los miembros a correr riesgos y hacer cosas grandes por el reino de Dios, también reconocen que los miembros de la iglesia con dones naturales para hacerlo son los que podrían padecer de orgullo. Por lo tanto, además de reforzar los talentos de estas personas y apoyar sus esfuerzos por servir a la sociedad, Mavuno los desafía a aprender *y a practicar* el liderazgo servicial. Quinto, la iglesia ayuda a los líderes altamente capaces a recordar el valor fundamental de la comunidad y la rendición de cuentas, y espera que formen parte de un Grupo de Vida. Sexto, arraiga a estos emprendedores sociales en la práctica de la oración, por sí mismos, por sus iniciativas, su ciudad y su nación. Como dice Linda acerca del curso Ombi, cuando uno lo ha completado, "entiende plenamente que no puede haber una genuina transformación social excepto la que ocurre por medio de la oración". Finalmente, el modelo de Mavuno sujeta a las personas ligeramente. Potencia a los laicos y libera a estas talentosas personas para que ministren *fuera* de las cuatro paredes de la iglesia.

En Mavuno, por la maravillosa providencia de Dios, los líderes han descubierto que si la iglesia facilita a sus miembros el uso de sus dones, ello bien puede acabar bendiciendo el mundo "allá fuera" *como también* la vida comunitaria interna de la congregación. Esta realidad es especialmente clara en el caso del primer líder de una iniciativa en terreno de la Iglesia Mavuno, el músico Kanjii Mbugua.

UN NEGOCIO MUSICAL PARA LA IGLESIA Y LA SOCIEDAD

Kanjii Mbugua conoció a Muriithi cuando ambos estaban en escuelas de California. Descubrieron que compartían una queja similar acerca de la iglesia: muy a menudo parecía irrelevante para adultos jóvenes y educados. Ambos bromeaban sobre cómo Kanjii podría ser el líder de adoración de Muriithi una vez que este último fuera plantador de iglesias, y diseñarían un nuevo tipo de congregación.

Esa broma se hizo realidad en 2005.

Kanjii había regresado a Kenia en 2004 luego de completar su educación en el Instituto de Músicos en Hollywood y el Dallas Sound Lab en Texas. Renovó su amistad con Muriithi, justo cuando este se preparaba para iniciar la Iglesia Mavuno con la bendición de Nairobi Chapel. Kanjii relata que Muriithi le dijo: "Nos hemos quejado acerca de muchas cosas relacionadas con la iglesia y esta es una oportunidad para que las corrijamos". Kanjii añade: "Para mí, lo más destacable era la oportunidad de escribir la historia de cómo iba a ser esta iglesia"[295].

Ambos sabían que querían que el servicio de adoración matinal de Mavuno fuera dinámico, atractivo, y culturalmente relevante. Kanjii y su banda asumieron el liderazgo del arte de la adoración, ayudando a elaborar servicios de adoración con música enérgica que competía con la que los

---

295 Todas las citas de Kanjii Mbugua, director ejecutivo, Kijiji Records, proceden de una entrevista con la autora, Nairobi, 20 de enero de 2010

"yuppies" de Nairobi disfrutaban en los pubs locales. Con el talento musical de Kanjii y la habilidad para predicar de Muriithi, la nueva congregación comenzó a crecer rápidamente.

Entretanto, el grupo de liderazgo de la iglesia, incluido Kanjii, estaba haciendo el curso Mizizi. Aunque Kanjii entendía cabalmente que la misión de Mavuno era "poner a las personas en un sistema que efectivamente las llevara a ese lugar donde usaran sus dones dados por Dios para impactar la sociedad", el momento de iluminación acerca de la mayordomía vocacional no había llegado plena y personalmente para él. A través de Mizizi, Kanjii se dio cuenta de que aún no había conectado adecuadamente el domingo con el lunes en su propia vida.

> Yo era muy bueno para cambiar de mundos; decía que dirigía la adoración el domingo pero el lunes me dedicaba a mi negocio musical. Pero entonces comencé a darme cuenta de... que Dios tenía la intención de que mi don impactara el mundo. Esta fue una enorme revelación porque jamás había visto la vida de esa forma. Siempre había pensado: "*Muy bien; negocios. Vamos a ganar dinero y luego donaremos dinero a la iglesia, ¿sí?, y todo el mundo es feliz*". Pero entonces vi que Dios nos estaba mostrando en Mavuno que la iglesia no era una cuestión del *domingo*; la iglesia era una cuestión de la *vida*, y el don que Dios me había dado era para impactar la sociedad.

Kanjii y otros músicos profesionales en su Grupo de Vida, quienes habían completado Mizizi y habían comenzado con Ombi, comenzaron a hacer cambios para convertirse en hombres de mayor integridad en la industria musical. Kanjii dice:

> La escuela de oración fue extraordinaria para nosotros. En la iglesia realmente fuimos desafiados a ser hombres de integridad y honor. Así que discutimos que queríamos hacer algo realmente audaz. [Decidimos] hacer cuarenta días de oración; nos reuniríamos cada mañana a las 5:00 a. m en la oficina. Básicamente le pedimos a Dios que nos dijera cómo convertirnos en hombres de honor en nuestro lugar de trabajo y en nuestras familias. Y desde entonces sencillamente hemos operado de forma distinta.

Kanjii siguió sirviendo como líder de adoración durante su participación en la Maratón Mavuno. Mientras tanto, él y sus colegas en Kijiji Records estaban buscando a Dios para saber cómo convertir su empresa musical en una iniciativa en terreno que configurase la cultura[296]. En un momento de oración especialmente dramático mientras hacía escala en un aeropuerto suizo, Kanjii sintió que recibía una clara dirección del Señor: "Dios me decía que la misión de Kijiji es tomar ese medio de arte y entretención y usarlo para glorificarlo a él, usarlo para llevar a cabo una restauración de su justicia, una restauración de sus valores y una restauración de su código moral 'en la tierra así como en el cielo'".

Entusiasmado, Kanjii y sus colegas comenzaron a darle la forma que esto podía asumir estratégicamente. Primero, buscarían la propiedad real de medios de comunicación, o propiedad por "reconocimiento", produciendo música y videos musicales con valores positivos que dominarían la radio secular. Kanjii dice: "En cualquier año hay alrededor de treinta canciones en la industria musical keniana que alcanzan un alto nivel de rotación. Nosotros lanzamos una iniciativa de 'Limpieza de las Ondas', y nuestro objetivo para este año es producir veinticinco de esas canciones".

Kijiji también ha producido nuevos programas de televisión para ser transmitidos en estaciones kenianas seculares. Uno es un *reality show* similar a *American Idol*; es una competencia de música góspel con diez artistas. La diferencia es que ninguno será "eliminado del juego", como dice Kinjii. En lugar de ello, cada competidor presentará su música y además, a lo largo de la competición, ideará algún tipo de iniciativa de servicio a la comunidad usando ese talento musical. Los televidentes juzgarán a los competidores sobre la base de la creatividad y la efectividad de los proyectos sociales así como de sus canciones. Al final de la temporada habrá un ganador seleccionado. A lo largo del programa de cincuenta y dos semanas, que se transmite en horario estelar, los concursantes (todos cristianos) ganarán seguidores, dice Kanjii entusiasta. Estos músicos han acordado compartir sus talentos

296 He incluido la historia de Kanjii en este capítulo del camino 3 porque surgió de la Iglesia Mavuno. Sin embargo, en el caso de Kanjii, la influencia de la Maratón Mavuno no acabó en un emprendimiento social; ellos no crearon una nueva organización. En lugar de eso, ellos crearon nuevos programas dentro de sus negocios. De esta forma ellos han actuado como lo que Tim Keller ha llamado "intra-emprendedores": personas innovadoras que hacen cosas nuevas para llevar a cabo reformas en su industria. Pero lo hacen desde el interior de organizaciones existentes en lugar de comenzar otras nuevas.

en los servicios dominicales de Mavuno y en actividades para alcanzar las escuelas secundarias dirigidas por los equipos de Mavuno. Kanjii espera que esto afecte positivamente la asistencia a la iglesia y a los eventos en la escuela secundaria en tanto que los seguidores buscan oportunidades de escuchar a sus estrellas favoritas.

Segundo, Kijiji aspira a patrocinar atractivos eventos y conciertos con músicos cristianos excelentes que ofrecen un mensaje moral positivo. Su grupo ya ha realizado numerosos eventos en escuelas secundarias públicas en todo el país. Aquí nuevamente la llegada de Kijiji a la comunidad converge notablemente con el ministerio de edificación de los santos de la iglesia misma.

En conjunto con Mavuno, Kijiji Records también ha implementado el importante evento Difunde el Amor para miembros tanto de la iglesia como de la comunidad. El concierto ofrece un evento social positivo de orientación familiar y una oportunidad para exponer las preocupaciones de justicia social de Mavuno. El último evento Difunde el Amor creó conciencia acerca de las pobres condiciones de las cárceles de Nairobi y generó ingresos para un esfuerzo de toda la iglesia para comprar camas para los prisioneros en una cárcel donde varios Grupos de Vida han estado alcanzando a los reclusos. Además, los medios de radio y televisión cubren estos eventos, y de esa manera le proveen más "publicidad" a la Iglesia Mavuno y atraen aún más buscadores curiosos a los servicios del domingo por la mañana.

Muriithi sabe que todos estos esfuerzos para llegar a la gente están contribuyendo al crecimiento numérico de Mavuno. Con ese crecimiento llegan mayores oportunidades de atraer personas a la Maratón y mayores recursos para que la iglesia pague sus cuentas y se ocupe en su misión.

UNA NUEVA IMAGEN DE LA IGLESIA: REFORZAR LA CREDIBILIDAD

Ken Oloo, fotógrafo profesional, es otro de los líderes de las iniciativas en terreno de Mavuno. El incidente que impulsó su emprendimiento social sirve como una útil metáfora para entender gran parte del propio propósito y la visión de Mavuno de promover la mayordomía vocacional.

Hace algunos años, en una visita a Kampala, Uganda, Ken se conmovió al ver un pequeño niño de tres o cuatro años desnudo en la calle. "Lo más sorprendente de todo", dice Ken, "era que al parecer nadie lo advertía. Así que le tomé una fotografía"[297]. Después le mostró la imagen a una amiga. La foto de Ken conmovió tanto a la mujer que corrió a casa a buscar ropa para el niño. Cuando Ken vio al pequeño nuevamente cuatro horas más tarde, estaba bañado y con ropa limpia. Esto fue para él un misterio hasta que habló con su amiga más tarde ese día y se enteró de sus acciones. Ken dice: "Empecé a pensar que, si una de mis imágenes puede causar que alguien haga eso, entonces quiero usar la fotografía para comunicar lo que ocurre en los barrios más vulnerables".

De regreso en Kenia, Ken ha lanzado la organización no lucrativa Filamujuani ("Películas al Sol") para hacer eso precisamente. La entidad capacita a adolescentes que viven en el vulnerable barrio Kibera, en Nairobi, en fotografía y videografía. Los chicos entre nueve y dieciocho años han aprendido "a grabar, a editar y a producir video", relata Ken. Un grupo de sus alumnos produjo un breve documental acerca de la vida en Kibera que ganó una competencia de películas contra unos cincuenta competidores. Para Ken, el valor del ministerio radica en la manera en que está empoderando a estos jóvenes para que cuenten su historia con precisión, para que muestren lo que son, más allá de la muy limitada impresión que los forasteros tienen de ellos comúnmente:

> Básicamente... entrenamos a los chicos vulnerables en cómo comunicar ideas. Yo creo que Dios los creó con una voz. Lo que hacemos con los medios es ayudarles a encontrar su voz, darles una plataforma para comunicar su experiencia y compartir sus historias. La mayoría de los que estamos fuera de Kibera, lo único que vemos es la oscuridad y la suciedad. Ellos nos muestran historias con final feliz, historias de gozo.

Contar una historia mejor y más precisa es lo que hace la Iglesia Mavuno a través de sus esfuerzos para capacitar a los miembros para que desplieguen sus dones para la transformación social. Muchos keniatas de clase media y alta tienen en baja estima a la iglesia. La ignoran como algo irrelevante, o la ridiculizan como algo emocionalmente inmaduro, o la desprecian como algo hipócrita.

---

297 Todas las citas de Ken Oloo proceden de su presentación en la Iglesia Mavuno, Nairobi, 22 de enero de 2010.

La violencia post-elecciones en 2007, en la que keniatas de distintos grupos étnicos fueron atacados incluso dentro de iglesias, "llevó la percepción del cristianismo al mínimo histórico", señala Muriithi. "No es muy agradable lo que la gente piensa de la iglesia. En la violencia post-elecciones, la iglesia realmente actuó como todos los demás. Tomaron partido. Los líderes de la iglesia apoyaron a candidatos políticos, y así básicamente desempeñaron un papel en la destrucción de la sociedad. Y la gente lo percibió". En consecuencia, dice Muriithi, "siento que ahora estamos peleando una batalla por la credibilidad".

Al incentivar a sus miembros a convertirse en "intrépidos influyentes en la sociedad", Mavuno está tratando de pintar una nueva imagen de la iglesia. Muriithi cree que es posible cambiar la percepción, pues en otro tiempo la iglesia fue tenida en alta estima:

> Hace diez o quince años era distinto. Entonces estábamos gobernados por una dictadura. La iglesia era el único cuerpo que tenía las agallas para ponerse en pie. Los líderes de la iglesia eran muy valientes; los líderes de la iglesia en nuestra nación hablaban arriesgando la vida. Y algunos de ellos efectivamente perdieron la vida. A consecuencia de ello, la iglesia tenía alta credibilidad como institución.

Hoy Muriithi quiere ver que la Iglesia Mavuno transforme por completo la vida de sus miembros. "Nuestro proyecto se trata de levantar un ejército que traiga reforma en nuestra generación". La Maratón Mavuno cultiva la justicia personal y social que los creyentes necesitan a fin de vivir como los *tsaddiqim* que alegran la ciudad. El discipulado de Mavuno, como lo expresa Muriithi, está ayudando a los miembros "a crecer hacia el lugar donde tienen confianza, seguridad, y tal amor por la sociedad que comienzan a guiar a sus pares hacia respuestas efectivas a los problemas de nuestra sociedad. A medida que los miembros de la iglesia tomen roles de liderazgo… la gente comenzará a decir: 'Queremos lo que ustedes tienen'.

"Esa es realmente la mejor publicidad que puede tener una iglesia".

13

Camino 4

PARTICIPA EN LA INICIATIVA CON OBJETIVO ESPECÍFICO DE TU IGLESIA

Dios no solo depende de los predicadores y pastores para producir cambios en el mundo; él usa a personas en cada esfera de la sociedad con las habilidades y la convicción necesarias para promover la Gran Comisión.

Rev. Bob Roberts Jr.

¿Te imaginas una congregación que se enfoca en una comunidad específica para una profunda inversión a largo plazo y luego inserta a profesionales del mundo laboral para un servicio significativo y estratégico? Los arquitectos y desarrolladores inmobiliarios de la iglesia se asocian con los residentes en la comunidad objetivo para construir viviendas asequibles —porque el refugio seguro es un anticipo del reino. Los doctores, enfermeras, dentistas, consejeros, farmacólogos y estudiantes de medicina inventan formas creativas para servir a los miembros de la comunidad objetivo que no tienen seguro médico —porque la plena salud es un anticipo del reino. Los contadores abren consultas gratuitas para que los obreros pobres del barrio tengan una alternativa a las explotadoras compañías de declaración de impuestos que les cobran exorbitantes honorarios por "devolución inmediata" —porque la justicia es un anticipo del reino. Y los artistas, músicos, fotógrafos, diseñadores gráficos, camarógrafos y bailarines de de la iglesia colaboran con las personas con dotes artísticos del barrio para proveer robustos programas de arte para los chicos locales —porque la belleza es un anticipo del reino.

O visualiza una historia levemente distinta, la de una iglesia que no escoge un *lugar* específico para un involucramiento radical de largo plazo, sino más bien un *problema* específico. La congregación se concentra en la necesidad de proveer acogedores hogares para los niños en el sistema de acogida transitoria, o viviendas económicas para familias de bajos ingresos. Imagina un objetivo enfocado en problemas como estos que provea todo tipo de oportunidades de ministerio práctico para que abogados, trabajadores sociales, consejeros, agentes inmobiliarios, trabajadores de la construcción, arquitectos, psicólogos, tasadores, carpinteros, educadores de padres, médicos, diseñadores de interiores, activistas, investigadores, especialistas en comunicaciones, arquitectos paisajistas —y muchos otros— ejerzan sus talentos vocacionales.

Todo esto suena fantástico en teoría, pero plantea una pregunta obvia: *¿existen iglesias que realmente estén haciendo este tipo de cosas?* Una respuesta honesta es, bueno, no muchas. Pero hay algunas.

En Brooklyn, Nueva York, por ejemplo, la Iglesia Bautista Saint Paul Community ha estado en el centro de la iniciativa Vivienda Nehemías que ha otorgado casas nuevas y asequibles a más de dos mil familias obreras[298]. En Fort Lauderdale, Florida, Capilla Calvario literalmente ha transformado el sistema de acogida transitoria a través de sus esfuerzos por movilizar y capacitar a muchas nuevas familias de acogida y adoptivas en el sur de Florida[299]. Por lo tanto, es posible que una iglesia establezca y ejecute un enfoque específico y sostenido en un problema crucial y marque una diferencia mensurable.

Además de esto, en el barrio Sandtown del área vulnerable de Baltimore, en los barrios Lawndale y West Garfield del área vulnerable de Chicago, en el barrio Ravendale de Detroit y el barrio Summerhill del sur de Atlanta —y otras decenas de lugares—, congregaciones comprometidas con el desarrollo comunitario profundo, integral y a largo plazo han producido transformaciones visibles[300].

---

298 La historia de esta iglesia se relata en Samuel G. Freedman, *Upon This Rock: The Miracles of a Black Church* (Nueva York: Harper Perennial, 1994).

299 Ver Krista Petty, "Calvary Chapel Fort Lauderdale, FL: A Model of Cause-Related Community Involvement", UrbanMinistry.org (2007) <www.urbanministry.org/files/Calvary_Chapel_Florida_FINAL.pdf>.

300 He tenido el privilegio de saber acerca de estas iglesias y ministerios — New Song Baltimore, Lawndale Community Church, Bethel New Life, Joy of Jesus y FCS Urban Ministries— a través de mi participación en la Asociación Cristiana de Desarrollo Comunitario. Visita <www.ccda.org>.

La noción de que iglesias reales efectivamente alegran sus ciudades no es ficción.

En este capítulo, observaremos en detalle dos congregaciones —Iglesia Presbiteriana de Southwood (de la denominación Iglesia Presbiteriana en América, PCA en inglés), en Huntsville, Alabama, y la Iglesia Crossroads en Cincinnati, Ohio— que están probando iniciativas transformacionales con orientación de reino en el mundo real que implican mayordomía vocacional. Una se ha enfocado en un barrio específico en su ciudad; la otra, en un problema específico. Ambas han estado en sus labores durante varios años; ninguna está siquiera cerca de concluir. Sus historias tienen mucho que ofrecernos a modo de inspiración e instrucción.

Ambas iglesias son bastante distintas. Southwood es tradicional en muchas formas, una iglesia denominacional con una membrecía casi homogénea, en una ciudad relativamente pequeña (población, 180.000 personas). Crossroads es cualquier cosa menos tradicional. Es no denominacional, diversa y enorme —con 12.000 asistentes— y está en una ciudad de más de dos millones de personas.

Pero ambas tienen algunas cosas en común en lo que respecta a misión. Ambas están enfocadas hacia el exterior. Ambas creen que un enfoque ministerial de llegada a la comunidad que sea acotado y profundo es mucho más efectivo que el enfoque muy amplio pero superficial que caracteriza a muchas congregaciones. Cada una se ha comprometido a una inversión de largo plazo. Además, tanto en Southwood como en Crossroads los líderes de la iglesia tuvieron que ser capturados por el llamado misionero del evangelio del reino antes de que pudieran lanzarse a sus impresionantes iniciativas. Y los líderes y los miembros de ambas congregaciones tuvieron que experimentar aquella compasión que es como un golpe en el estómago. En ambas iglesias la atención a la movilización de los miembros para el servicio según sus habilidades y pasiones específicas ha evolucionado con el tiempo.

Demos una mirada más de cerca a sus historias.

IGLESIA DE SOUTHWOOD Y MINISTERIOS LINCOLN VILLAGE

El viaje de Southwood hacia un ministerio de desarrollo comunitario robusto y holístico en su ciudad comenzó con un doloroso arrepentimiento.

Con alrededor de tres años en su ministerio pastoral, Mike Honeycutt se convenció de que Southwood se había "convertido en una iglesia bastante enfocada hacia el interior... y en realidad no estaba llegando muy bien a la comunidad"[301]. A través de mucha oración y retiro personal, Honeycutt llegó a ver que la congregación había "perdido el fervor por la Gran Comisión". Fue devastador ver que había fallado en su liderazgo en este sentido, pero estaba convencido de que Dios muestra estas penosas verdades a sus pastores no para condenarlos sino para cambiarlos.

De regreso de su retiro, Honeycutt reunió su comité para la visión a fin de comenzar el largo y duro proceso de ayudar a la iglesia a cambiar su rumbo. Él llevó al grupo afuera para mirar el letrero de Southwood, donde señaló que este no proveía información a los transeúntes acerca de cuándo se reunía la iglesia para los servicios. Él les dijo: "Esto es lo que hemos hecho al volvernos hacia dentro: le hemos dado la espalda a la comunidad".

Honeycutt comenzó a predicar sobre Hechos, tratando de poner ante sus miembros la visión de una iglesia más misional, enfocada hacia el exterior. "En lugar de vivir fundamentalmente para nosotros mismos", le dijo a su rebaño, "debemos comenzar a identificarnos, con palabras y hechos, como siervos de nuestra comunidad"[302].

Si bien la mayoría en la congregación abrazó el nuevo mensaje, hubo detractores. Unos pocos se preocuparon de que el giro significara que Honeycutt había adoptado la teología liberal del "evangelio social". A otros simplemente no les gustó el cambio. Y a otros no les gustaba el liderazgo de Honeycutt y vieron este tiempo de transición como una oportunidad para expresar su descontento. Cuando todo estuvo dicho y hecho, de cuarenta y cinco a cincuenta personas, incluidos algunos ancianos, abandonaron la iglesia de Southwood. Pero muchos de los líderes de la iglesia "subieron de inmediato a bordo, con el deseo de comenzar". Y se unieron muchas personas nuevas que querían ser parte de una iglesia con una visión enfocada al exterior.

---

301 A menos que se indique algo distinto, las siguientes citas de Mike Honeycutt, ex pastor principal, Iglesia Presbiteriana de Southwood, proceden de una entrevista telefónica con la autora, 15 de octubre de 2010.

302 Mike Honeycutt, "Shepherding Change in the Local Congregation", *Leadership: Succeeding in the Private, Public, and Not-for-Profit Sectors*, ed. Ronald R. Sims y Scott A. Quatro (Armonk, N.Y.: M. E. Sharpe, 2005), pp. 143-51.

A poco andar en el nuevo viaje, Honeycutt reclutó a Mark Stearns, un miembro de Southwood por mucho tiempo con una década de experiencia de trabajo entre los pobres a través de un ministerio local llamado Cosecha, para que fuera el director de la iglesia de Ministerios Misericordia. Mike Stanfield, un buen amigo de Mark y anciano en Southwood en ese entonces, recuerda haberles dicho a los demás ancianos: "Si lo están contratando para que se siente en una oficina, pierden su tiempo. Tienen que liberarlo y dejarlo salir a la comunidad"[303].

Eso es precisamente lo que hizo Honeycutt.

Mark comenzó a explorar Lincoln Village, una antigua comunidad molinera de estrechas casas en deplorables condiciones con todas las señales de la pobreza y la desesperación, y está a ocho minutos de Southwood en automóvil. Él había conducido diariamente por este barrio cuando trabajaba con Cosecha. Recuerda que sentía un tirón por entrar en la comunidad y saber más acerca de los residentes. Durante una visita, invitaron a Mark a una casa. El estado maltrecho de esta lo abrumó. "Recuerdo que había una niñita sentada ahí en el suelo. Todas las cosas entre las que dormía estaban a su alrededor. Vi bichos en las paredes y agujeros en el piso, y mi primer pensamiento fue: 'Dios mío, no puedo creer que esta niña viva en estas condiciones'"[304].

En un esfuerzo por comenzar a conectar la iglesia de Southwood con la comunidad, un día en 2002 Mark visitó la dirección de la Escuela Primaria Lincoln y se presentó ante la directora Christy Jensen. Él le preguntó qué necesidades tenía la escuela en las que la iglesia pudiera ayudar. La directora, tomada por sorpresa —y algo escéptica—, se deshizo cortésmente de Mark diciéndole que iba a pensar al respecto. Él regresó algunos días después y repitió la pregunta. Perpleja, la directora Jensen le pidió que esperara un momento y salió a consultarle a su secretaria. No podía creer que Mark hubiera regresado y no sabía muy bien qué hacer con él. La secretaria mencionó que algunos maestros se habían estado quejando por el pésimo estado de los proyectores de la escuela y le sugirió a la directora que le pidiera a Mark si la iglesia podía ayudar con eso. Así que ella se lo propuso a Mark.

---

303 A menos que se indique algo distinto, esta cita y las siguientes de Mike Stanfield, presidente, Ducommun, proceden de una entrevista telefónica con la autora, 7 de octubre de 2010.

304 Mark Stearns, director de Ministerios Misericordia, Iglesia Presbiteriana de Southwood, citado en "A Journey to Remember", Ministerio Lincoln Village <www.lincolnvillageministry.com/Home.html>.

Algunos días después, llegaron cinco proyectores. La directora dice: "Yo me preguntaba si este tipo era real. No sabía si lo volvería a ver"[305]. Con la credibilidad de cinco proyectores respaldándolo, Mark volvió a la escuela y le contó a la señora Jensen acerca de su deseo de ver a la Iglesia Southwood asociarse de manera significativa con la comunidad. Luego ella lo llevó a recorrer la escuela, y le compartió su pasión por los estudiantes y le informó a Mark sobre la fuerte batalla que enfrentaban. Casi el 95 por ciento de los alumnos venían de familias de bajos ingresos. Muchos niños se estaban criando en hogares de un solo padre o con sus abuelos. Mark y Jensen comenzaron a soñar juntos acerca de lo que podría llegar a ser una asociación entre la escuela y la iglesia.

Mark sabía que tomaría algún tiempo involucrar activamente a los miembros de Southwood en el desfavorecido barrio Lincoln. Él sabía que necesitaría apoyo desde el púlpito. Así que llevó al pastor Honeycutt de visita al hogar de una familia de Lincoln. La casa "me recordó un poco a un país del Tercer Mundo", relata Mark, observando que la fontanería estaba rota y el hedor era terrible. Después de algunos minutos en la casa, Mark se dio cuenta de que la fetidez molestaba a Honeycutt. "Recuerdo haber orado que él sufriera", dice Marks entre risas. Honeycutt dice: "Estaba totalmente desconcertado por el hecho de que diez kilómetros al norte de nuestro bello suburbio de clase media/alta donde está nuestra iglesia tenemos una pobreza terrible, tan mala como lo que uno vería en los Montes Apalaches". Cuando terminó la visita y salieron de la casa, Honeycutt se volvió a Mark y le declaró: "Aquí es donde tiene que estar el reino de Dios"[306].

LA IMAGEN DEL "ANTES"

Los desafíos que se venían eran enormes. Aunque en Huntsville la tasa de pobreza era del 12,8 por ciento en toda la ciudad, en Lincoln Village era de más del 57 por ciento. Había señales claramente visibles de drogadicción y delincuencia. Según los datos del Censo 2000 de Estados Unidos, el número de adultos en Lincoln Village con licencia de educación media

305 Amy L. Sherman, "Enlarging Worlds: Huntsville's Southwood PCA 'Adopts' Strapped Elementary School—And Its Families", *Equip for Ministry*, noviembre/diciembre 2005, p. 7.

306 Ibíd., p. 8.

era el 47 por ciento. Tres cuartos de los residentes eran arrendatarios, y más del 40 por ciento de las casas arrendadas estaban en precarias condiciones; en algunas la fontanería no funcionaba o no tenían implementos de cocina. "Eran viviendas realmente ruinosas", recuerda Liz Clemons, directora por mucho tiempo del Club Chicos y Chicas[307]. El censo definió casi la mitad de las casas como prohibitivas, es decir, el arriendo consumía más del 33 por ciento del ingreso anual del arrendatario.

Mientras tanto, en la Escuela Primaria de Lincoln, el 96 por ciento de los alumnos estaban inscritos en el programa de almuerzo gratuito, lo que mostraba la gran extensión de la pobreza. Los puntajes de lectura según la prueba estandarizada Stanford Achievement Test (SAT10) estaban en los percentiles veinte o treinta[308]. Los puntajes de escritura estaban en la zona roja, muy por debajo de los estándares del estado. La creencia predominante entre la mayoría de los maestros era que el currículum tenía que ser "simplificado" para estudiantes de extrema pobreza[309].

MOVILIZADOS COMO UNA "LIBACIÓN"

Tras la primera visita de Honeycutt a Lincoln Village, él y Mark se reunieron con el comité para la visión y luego con todos los líderes de la iglesia para compartir sus ideas acerca de enfocarse en Lincoln Village para una inversión significativa. Poco después, Honeycutt desafió desde el púlpito a los miembros de Southwood a que su vida fuera "derramada en libación" por su comunidad[310]. La semana siguiente, Honeycutt invitó a Mark a predicar, y le pidió que informara a la congregación acerca de las necesidades en el lugar.

"Yo había tomado muchas fotografías", relata Mark. "Las amplié y me paré junto a ellas. Y durante los siguientes dos o tres meses hablé en una clase de escuela dominical o prediqué acerca de nuestra responsabilidad y aquello a lo que Dios nos ha llamado a dedicarnos"[311]. Él les dijo a los

---

307 Liz Clemons, directora, James A. Lane Unit del Club Chicos y Chicas Alabama, entrevista telefónica con la autora, 14 de octubre de 2010.

308 Yvonne Henry, maestra en la Escuela Primaria Lincoln, citada en Jennifer Pyron, "Teaching and Learning Better Together", *Working Toward Excellence: The Journal of the Alabama Best Practices Center* 8, no. 1 (otoño de 2008): 15.

309 Tomado de la postulación de la Escuela Lincoln al concurso Cambio en la Escuela Nacional Panasonic 2010.

310 Sherman, "Enlarging Worlds", p. 8.

311 A menos que se indique algo distinto, todas las citas de Mark Stearns, director de Ministerios Misericordia, Iglesia Presbiteriana de Southwood, proceden de una

demás hermanos que la comunidad de Lincoln Village, pese a estar empobrecidos, habían sido "creados a imagen de Dios y eran valiosos".

Los líderes de la iglesia comenzaron a pensar en estrategias para abordar la comunidad de Lincoln Village de manera holística: sus necesidades espirituales, emocionales, físicas, y educacionales. "Fijamos metas y objetivos, y tuvimos que decidir cómo íbamos a implementar aquellos objetivos", relata Mark. "Realmente tuvimos que sentarnos primero y decir: '¿Cómo vamos a atacar [los problemas]?'".

Desde un comienzo hubo tres cosas que estaban claras. Primero, dice Honeycutt:

> Cuando comenzamos en Lincoln Village, Mark y yo sabíamos que necesitaríamos hacer un compromiso de largo plazo con la comunidad. No solo entendíamos que el trabajo sería lento y requeriría años de servicio, sino que también estábamos conscientes de cierto escepticismo que suele estar presente en comunidades como esta donde los ministerios van y vienen, y nunca se quedan lo suficiente para realmente hacerse parte de la comunidad.

Shari Henry Jones, quien trabajó en Southwood como director asistente de Ministerios Misericordia en los primeros años de su involucramiento con Lincoln Village, recuerda: "Realmente pensamos que necesitábamos permanecer en esto durante una generación"[312].

Segundo, las relaciones y el ministerio holístico tendrían que ser los distintivos del ministerio. "Estamos trabajando para llegar a la persona completa", señaló Shari a un periodista de un diario local en 2005, y añadió: "Aquí realmente nos enfocamos en las relaciones. Queremos que nuestros voluntarios no solo dediquen horas, sino que realmente conozcan a los chicos y a las familias. Ellos tienen mucho que ofrecernos"[313].

Tercero, hubo que invitar a otras iglesias al proceso. Mark explica: "Al comienzo yo dije: 'Jamás plantaremos nuestra bandera [en Lincoln Village]; jamás'. Porque eso alejaría a otras personas. Eso diría que somos te-

entrevista telefónica con la autora, 16 de septiembre de 2010.

312 Citado en Kari Hawkins, "Opening doors: Church groups find ways to revitalize community, families", *Huntsville Times*, 5 de agosto de 2005.

313 *Ibíd.*

rritoriales, y no lo somos en absoluto. Necesitamos que todo el cuerpo de Cristo haga lo que se debe hacer".

En Southwood, Mark enfatizó a la hermandad en general que "todos tenían la responsabilidad de ser parte de la solución a los problemas de la comunidad". Si bien nunca usó la frase "mayordomía vocacional", desde un comienzo la intensión de Mark fue reclutar personas según sus habilidades y pasiones.

> Hablé acerca de cada área [de necesidad] que vi, porque estaba recorriendo las calles y pasando tiempo con la gente. Así que sabía que había problemas médicos, que necesitábamos doctores y dentistas. [Necesitábamos] abogados que representaran a las mujeres que eran golpeadas por sus maridos. Necesitábamos personas que supieran de algo sobre bienes inmuebles. [Necesitábamos] maestros jubilados que quisieran volver... Cuando hablo con las personas, les pregunto "¿cuál es tu pasión? ¿Qué dones te ha dado Dios?'. Y tratamos de plantarlos en un área donde puedan florecer.

Honeycutt recuerda: "Mark les preguntaba a las personas que querían ayudar: '¿Para qué eres bueno? ¿Qué te gusta hacer?'".

Por su parte, Honeycutt trabajaba para "ayudar a las personas a superar la división sagrado/secular".

> Una de las cosas que comencé a hacer fue, en forma general, introducir muy intencionalmente la idea de la vocación y el llamado, y reconocer que todos estos llamados [seculares] son válidos delante del Señor... Cada capacidad y don que tuvieran podía ser usado para glorificar a Dios... la gente comenzó a ver que [sus habilidades] eran valiosas no solo en el trabajo, sino que también podían ser usadas para misiones específicas en un proyecto como el de Lincoln Village.

La respuesta de la congregación fue magnífica. Para 2005, Shari informó que la mitad o más del rebaño se habían involucrado de alguna forma en Lincoln Village[314].

---

314 Sherman, "Enlarging Worlds," p. 8.

ADOPCIÓN DE LA ESCUELA PRIMARIA LINCOLN

Los esfuerzos iniciales se enfocaron en la Escuela Primaria Lincoln. Southwood comenzó a reclutar tutores, y Mark comenzó a visitar pastores de diversas iglesias y los invitaba a participar. En conjunto con otras congregaciones, el recién denominado Ministerio Lincoln Village reacondicionó la biblioteca de la escuela con un laboratorio de computación de vanguardia y decenas de libros nuevos. Renovó un viejo invernadero contiguo a la escuela para permitir que los alumnos de Lincoln tomaran clases de horticultura.

En el viejo gimnasio en desuso de la escuela, el ministerio construyó un enorme laboratorio de ciencias, complementado con un terrario y un acuario de agua salada. Lo más impresionante es su cielo pintado de negro que se jacta de enormes réplicas colgantes de los planetas. Frank Six, un astrofísico del Centro de Vuelo Espacial Marshall de la NASA en Huntsville, se involucró desde un comienzo en el proyecto del laboratorio de ciencias luego de oír a Mark explicar su visión de lograr que los niños soñaran. "Eso me puso en movimiento", dice Frank[315].

"Mi rol", dice Frank, estaba en preguntar "¿qué puede hacer la NASA para ayudar?". Los maestros de Lincoln le informaron que se necesitaban muebles, equipamiento y visuales atractivos. "Me enteré de que la NASA transfiere equipamiento sobrante a una bodega del gobierno". Allí Frank pudo encontrar mesas, sillas y una plataforma móvil.

Luego Frank reclutó al grupo de artes gráficas de Marshall para que ayudaran. Habló con la gerente, Janice Robinson: "Le dije: 'Janice, tú *tienes* que ver lo que está sucediendo en Lincoln Village'". Frank la llevó allá un día a la hora de almuerzo, y alguien del equipo del Ministerio Lincoln Village le dio un informe de lo que estaban haciendo. Ella quedó muy entusiasmada. "Así que le dije: 'Voy a necesitar un poco de ayuda aquí'. Y ella dijo: 'Solo dime lo que necesitas'".

Los diseñadores gráficos "hicieron su magia con sus computadores", cuenta Frank, y encontraron todo tipo de imágenes. "Luego me permitieron ir y escoger las que eran apropiadas para biología, astronomía, física, química, etc.", señala. "Elegí más de treinta, y ellos hicieron afiches con las imágenes, y las llevaron al profesor, y los pusimos en las paredes".

---

315 Todas las citas de Frank Six, funcionario de asuntos universitarios, Centro de Vuelo Espacial Marshall, proceden de una entrevista telefónica con la autora, 18 de octubre de 2010.

Esta ayuda material no fue la expresión más importante de los valores centrales del ministerio. El mejor regalo para la escuela fueron los adultos cuidadores. Los miembros de la iglesia comenzaron a ser voluntarios como madres de sala y acompañantes en los viajes a terreno. Con el tiempo, más de la mitad de los 212 alumnos de Lincoln disfrutaban de orientación y formación personalizadas, gracias a los voluntarios de Southwood y otras congregaciones.

La inversión de personas comenzó a tener su recompensa. Melinda Clark, especialista en currículum en la Escuela Lincoln señala: "Desde que Southwood y las demás iglesias se han integrado a la escuela, la sola presencia de los mentores y voluntarios y el hecho de que los niños estén conectados con estos mentores... ha traído mucho amor, ha traído mucho entusiasmo al establecimiento"[316].

El entusiasmo también se difundió hacia la comunidad. Los voluntarios de la iglesia lentamente forjaron relaciones con los padres de los alumnos. Después de los primeros dos años de involucramiento del Ministerio Lincoln Village, una asombrada directora Jensen informaba que la asistencia a las reuniones de padres se había disparado desde alrededor de media docena a más de cien. "Normalmente llenamos el lugar. Y creo que parte de eso es que [los tutores] han ayudado a los padres a ver la importancia del involucramiento parental"[317].

Los educadores de Southwood han desempeñado roles clave en la Escuela Lincoln. Margaret Powell se capacitó como profesora de lenguaje, y antes de tener hijos, hacía clases en una escuela intermedia. Cuando ella y su esposo comenzaron a criar su familia, ella decidió educar a los hijos en el hogar. Eso la mantuvo ocupada durante los siguientes dieciocho años. En el transcurso, anhelaba la oportunidad de servir a otros niños más necesitados. Su madre la fortalecía diciéndole que "ya llegaría esa época", cuenta Margaret[318].

Cuando la hija de Margaret llegó a la adolescencia, ambas comenzaron juntas a ser tutoras de niños en la Escuela Lincoln una vez por semana.

---

316 "A Journey to Remember," Ministerio Lincoln Village (video) <www.lincolnvillageministry.com/Home.html>.

317 Sherman, "*Enlarging Worlds*," p. 9.

318 Todas las citas de Margaret Powell, especialista en intervención, Escuela Primaria Martin Luther King Jr., proceden de una entrevista telefónica con la autora, 8 de octubre de 2010.

Cuando su hija entró a una escuela secundaria pública, Margaret descubrió que tenía tiempo adicional disponible. Se unió al programa de actividades después de la escuela del Ministerio Lincoln Village, llamado The Linc, y fue voluntaria en la escuela en su programa de educación personal Camp Success. Cuando la Escuela Lincoln tuvo que cerrar ese programa, Margaret siguió presentándose en la escuela y ayudaba en lo que podía.

Por algún tiempo, Margaret sirvió como asistente en el laboratorio de ciencias. Luego tuvo la oportunidad de hacer lo que más ama: trabajar personalmente con un niño al que le costaba aprender a leer. Finalmente, la escuela le pidió si estaba dispuesta a obtener su certificación como maestra sustituta (cosa que hizo) y luego la invitó a servir como especialista en intervención. "Básicamente, significa que debo intervenir con los chicos que permanentemente se quedan atrás a pesar de los mejores esfuerzos en el aula", explica.

Durante algunos años, Margaret trabajaba de voluntaria veinte horas a la semana en la Escuela Lincoln, y trabajaba con pequeños grupos de niños en lectura y matemáticas. Si bien ese nivel de dedicación puede parecer una carga, Margaret lo describe como un gozo:

> Lo que estoy haciendo es el cumplimiento de algo que siempre he sabido que es a lo que Dios me llama. Anteriormente, cuando le preguntaba al respecto, sentía que él me decía: "Sí; pero no todavía". Al darme el privilegio de enseñar a mis propios hijos, sabía que Dios iba a usar las cosas que estaba aprendiendo para ayudarme a enseñar a niños que no tenían las oportunidades que tenían mis hijos. Así que el trabajo en la Escuela Lincoln es una respuesta a una visión que he tenido por mucho tiempo. El trabajo es gratificante, no porque una vez yo pensara que sería "buena" en ello... sino porque cada día le ruego a Dios que me ayude a completar la obra que él me ha llamado a hacer.

Margaret sirve en el punto óptimo de su vocación, y dice que eso ayuda a explicar cómo es que ha podido sostener su alto nivel de compromiso. "No lo sé", dice, "Dios simplemente me configuró para ser maestra. No tanto a gran escala, sino más de forma personalizada... esto es algo que siempre he soñado hacer".

Las relaciones con los niños y las familias informaron a los voluntarios de la iglesia acerca de significativas necesidades físicas no suplidas. Así que Southwood y otras iglesias se unieron para establecer un depósito de alimento y ropa que proveía cosas básicas como abrigos, zapatos y comida. Tales servicios son una gran ayuda para la escuela, explica la directora Jensen. "Para que los profesores puedan enseñar y los niños aprender, hay que suplir las necesidades básicas. El Ministerio Lincoln Village nos ha ayudado a abordar las necesidades fundamentales de nuestros alumnos: salud, vestuario, alimentación, atención dental y oftalmológica, entre otras. Si hay una necesidad, ellos encuentran a un profesional que preste sus servicios voluntaria y gratuitamente"[319].

ASISTENCIA LEGAL

A medida que Mark Stearns iba conociendo las familias del barrio, una necesidad crítica que emergió fue la de servicios legales. Él se dirigió a Derek Simpson, de Southwood, quien había sido preparado para responder positivamente, tanto por causa de su larga amistad con Mark como porque estaba familiarizado con las dificultades que enfrentan los pobres. Inmediatamente después de graduarse de la escuela de derecho de la Universidad de Alabama, Derek había trabajado en muchos casos de clientes indigentes designados por el tribunal.

Derek cuenta que recuerda muy bien el domingo hace varios años cuando Mark expuso enormes fotografías ampliadas de Lincoln Village en el santuario de la iglesia y predicó una poderosa palabra acerca de la necesidad de que la congregación respondiera. Derek aceptó de inmediato formar parte de un comité para trabajar con el fin de establecer el nuevo ministerio y luego proveyó la asesoría legal necesaria para guiar a Mark a través del proceso de constituir Ministerios Lincoln Village como una organización no lucrativa. Pero Derek dice que su verdadero momento de iluminación respecto a la mayordomía vocacional no llegó sino hasta aquella primera vez que Mark lo llamó para pedirle asesoría legal a favor de un residente con el que había hecho amistad en Lincoln Village. Derek explica:

319 Citado en Pyron, "Lincoln's Powerful Community Partnership", *Working Toward Excellence: The Journal of the Alabama Best Practices Center* 8, no. 1 (otoño de 2008): 14.

> Recuerdo a todos estos amigos míos que eran doctores e iban a viajes misioneros, y lo grandioso que les parecía poder usar sus habilidades. Yo pensaba: "*¿De qué manera [puede] ir al campo misionero un abogado?*". Era un verdadero desafío. ¿Cómo podemos todos promover el reino de Dios en nuestras distintas profesiones? Yo realmente no sabía si podía o no. Pero Mark me llamó, y me hizo una pregunta acerca de alguien que vivía en Lincoln. Le dije que le pidiera que me llamara y yo podría ayudarlo. Entonces desde ahí fue creciendo. Yo pensé: "*No puedo creerlo, esta es otra verdadera oportunidad de ayudar*"[320].

Con el tiempo, Derek ha podido asistir a alrededor de veinte residentes de Lincoln Village. "Lo que a ellos les parece un enorme problema, a menudo es un pequeño problema que puede resolverse muy rápidamente", dice Derek. "Puede que hayan recibido una multa, y luego una 'incomparecencia'. Y el asunto sigue y sigue creciendo, y luego la persona huye de la ley. Y lo que yo puedo hacer es llevarlos al juzgado y podemos hacernos cargo de todo de una sola vez"[321].

"Es una gran alegría hacerle saber a la gente: 'Mira, estos problemas se están resolviendo'", dice Derek[322]. Él ha ayudado a personas a renovar su licencia de conducir, cancelar multas o ingresar al sistema de vivienda subsidiada cuando sus postulaciones han sido rechazadas inicialmente. También ha ayudado a una mujer en una situación de violencia doméstica a asegurar una orden de protección y ha asesorado a madres solteras a obtener apoyo infantil.

Derek se ríe cuando recuerda el año en que sirvió en Southwood como maestro de segundo grado en la escuela dominical. "Sencillamente me aterraba; ¡no sentía gozo!". En contraste con su actual rol, él dice que "siente un mar de gozo" al servir como abogado: "Dios me bendijo y me permitió ser abogado. Y es casi como que… uno aprende ciertas cosas y sabe hablar cierto lenguaje, y la gente a la que uno ayuda no habla ese lenguaje… Solo por la gracia de Dios, yo puedo hablar el lenguaje que ellos necesitan"[323].

---

320 Derek Simpson, socio, Warren and Simpson PC, entrevista telefónica con la autora, 13 de octubre de 2010.
321 "Journey to Remember".
322 *Ibíd.*
323 *Ibíd.*

MEJORAMIENTO EN LA CONDICIÓN DE LA VIVIENDA

Cuando Southwood llevaba alrededor de seis meses de sociedad con la Escuela Lincoln, Mark llevó a su amigo Mike Stanfield de visita a un hogar en Lincoln Village. "Conocimos a una familia que vivía en una choza de dos habitaciones sin electricidad ni agua corriente", recuerda Stanfield. Mark le dijo: "Estamos tratando de llegar a estos niños en la escuela, pero aquí es donde ellos vienen a casa. Así que se nos ha hecho muy difícil ayudarlos". El corazón de Mike quedó capturado. "Estoy agradecido por las bendiciones que tengo", dice, "y eso me hace sentir aún más responsable de dar también". Él estaba dispuesto a servir.

Cuando se le preguntó por qué Mark había acudido a él para que liderara la iniciativa de vivienda, Mike, ingeniero con un largo historial de liderazgo en la iglesia, respondió que probablemente fue una combinación de su fuerte amistad con Mark y las habilidades que él podía aportar para semejante proyecto. "Soy bastante bueno en las estrategias", dice Mike; "organizo, fijo objetivos y trazo un plan para alcanzar esos objetivos". De inmediato añade:

> Soy el primero en reconocer que *no* soy bueno en muchas cosas. Así que la junta que reuní incluye a un desarrollador inmobiliario. Incluye a un abogado que se encarga de todos nuestros asuntos legales. Incluye a un hombre que es propietario de una empresa constructora, así que él se encarga de todos nuestros asuntos de construcción por nosotros. Así que supongo que esa es una habilidad que poseo: ver lo que es necesario y luego juntarlo todo para hacer que algo ocurra.

Stanfield y su equipo establecieron la Corporación de Preservación de Lincoln Village (LVPC en inglés) en mayo de 2003 con la misión de adquirir casas en el pueblo, reacondicionarlas con trabajo voluntario y asistir a los arrendatarios para que se convirtieran en propietarios. Hasta la fecha, LVPC ha comprado cuarenta y dos viviendas y ha provisto hogares nuevos o restaurados para veintiocho agradecidas familias. Dado que LVPC es relativamente reciente, Michelle Jordon, jefe del Departamento de Desarrollo Comunitario de Huntsville dice: "Esas son estadísticas realmente impresionantes"[324].

---

324 Michelle Gilliam Jordan, jefe de departamento, Departamento de Desarrollo Comunitario, Ciudad de Huntsville, entrevista telefónica con la autora, 15 de octubre

Los residentes perciben el impacto que está causando LVPC en la comunidad. Como alguien dijo sencillamente: "He visto muchos cambios. Las casas se ven mejor, los patios también"[325]. Liz Clemons, del Club Chicos y Chicas local concuerda: "Las palabras no alcanzan a describir cuánto han levantado esta comunidad. Han venido con un grupo de personas y han reconstruido la comunidad... los mejoramientos que han hecho en el área de Lincoln Village son extraordinarios"[326].

Varios profesionales inmobiliarios de Southwood han donado sus habilidades a LVPC. Mickey Plot, corredor de propiedades con su propia empresa, ha estado completando avalúos de propiedad para LVPC desde su creación. Esta es la primera vez que él ha podido usar sus habilidades profesionales para beneficio de un ministerio sin fines de lucro. Hace poco pasó una semana completando avalúos en varias casas en Lincoln Village.

Debido a rigurosas regulaciones bancarias, a Mickey no se le permite ofrecer sus servicios gratuitamente. Sin embargo, cobra cien dólares por cada avalúo, en lugar de su tarifa normal de cuatrocientos dólares. También ha podido ayudar a la Iglesia la Villa, iglesia que Southwood plantó en Lincoln Village hace algunos años. Por medio de su compañía, Mickey adquirió una propiedad que incluía dos salas de clases portátiles. Él las donó a la nueva iglesia para ser usadas como espacio para escuela dominical.

Mickey dice: "Quiero ayudar a la gente", y le encanta la manera en que está comenzando a usar sus habilidades para el ministerio. "Nunca he sido una persona que pone manos a la obra; no soy bueno con un martillo", dice riendo. Pero puede aportar su pericia en bienes inmuebles. Recientemente, Mickey logró negociar con un banco a favor de LVPC para que no tuviera que completar avalúos en cada propiedad en un grupo de casas similares que hubieran sido reacondicionadas. Esto "realmente ha ayudado a mantener los costos bajos", señala[327].

Para Sam Yeager, un desarrollador inmobiliario comercial de Southwood, el involucramiento con el Ministerio Lincoln Village le da la oportunidad de hacer cosas que a él le encantan: unirse a líderes de un ministerio

---

de 2010.

325 Residente anónima de Lincoln Village citada en "Journey to Remember".

326 Liz Clemons, entrevista telefónica con la autora, 14 de octubre de 2010.

327 Mickey Plott, corredor de propiedades, PLOTT ReGroup, entrevista telefónica con la autora, 14 de octubre de 2010.

en terreno como un amigo alentador y consejero de negocios, y ejercer su don para "hacer acuerdos". A él le gusta decir que su mayor contribución simplemente es "más que nada ser el ayudante de Mark"[328]. Pero las "habilidades blandas" que Sam ha pulido durante muchos años en el mundo del desarrollo inmobiliario comercial también han ayudado a LVPC:

> Lo que yo hago aquí es concertar acuerdos. Reúno dinero para las cosas y ayudo a concertar asociaciones. Mantengo a las personas unidas, y resolvemos problemas y situaciones, y pensamos acerca de lo que se necesita para llevar algo a cabo, y a quién se necesita. Esa es mi mayor vocación... y es lo que aporto a este [proyecto]. En el mundo de las deudas y los presupuestos y la reunión de fondos, allí es donde llevo mi pericia[329].

El conocimiento de Sam para manejar los procesos de los permisos de urbanización y su relación con la ciudad de Huntsville también han sido de gran ayuda para LVPC.

UN ANTICIPO DE SALUD E INTEGRIDAD

Los profesionales médicos de la Iglesia de Southwood también han formado parte de la multifacética obra de Ministerios Lincoln Village en la comunidad. El doctor Brian Cost, la pediatra Eloise Alexander y los dentistas Brian Beitel y Al Willis, todos ellos han donado atención gratuita a niños y adultos necesitados en el barrio. Durante varios años, Eloise trabajó considerables horas como voluntaria en la clínica HEALS en la Escuela Lincoln. (HEALS es una organización local no lucrativa orientada a proveer atención médica a los pobres de la ciudad; patrocina clínicas en varios lugares de la ciudad). Ray Saunders, un trabajador social en la clínica HEALS en la Escuela Lincoln relata que "Southwood... ha marcado una enorme diferencia al proveer servicios que nosotros no podríamos brindar en HEALS para las familias a las que servimos"[330].

---

328 Sam Yeager, fundador, Bristol Development Group, entrevista telefónica con la autora, 5 de octubre de 2010.

329 *Ibíd.*

330 "Journey to Remember".

LA IMAGEN DEL "DESPUÉS"

El trabajo de Southwork en Lincoln Village —y el de muchas otras congregaciones involucradas en el Ministerio Lincoln Village— no ha concluido. Pero después de siete años de inversión estratégica y compasiva, se ha manifestado un cambio real. Con los esfuerzos de LVPC en el área de la vivienda, el aspecto del barrio, al menos en el vecindario contiguo a la escuela, se ha transformado visiblemente. "Es de día y de noche", dice Mark. "Es pacífico, tranquilo. Se ven niños jugando juntos; se ven vecinos conversando". Él señala que ya no existe el mismo tráfico de drogas que en otro tiempo caracterizaba estas calles.

"Cuando la gente conduce por aquí, ve que este lugar ha sido limpiado", dice Mark. Cuando entra un vehículo desconocido, [los residentes] lo notan, y ven que el conductor da la vuelta y se va en busca de un área mucho más decaída para "enviciarse". Mark lo resume así: "La comunidad está más unida, esperanzada, y segura. Se siente que va en otra dirección". Al mismo tiempo, él enfatiza que aún queda mucho por andar. "Puedo ir dos cuadras más allá y es una historia totalmente distinta".

Bajo los mejoramientos externos fácilmente visibles subyace una corriente de nueva esperanza: esperanza que emerge cuando las personas descubren que no están solas, que alguien se preocupa por ellas y está *a favor* de ellas. Dale Bowen de LVPC dice:

> Ha llegado mucha esperanza a la escuela. Yo creo que eso se traspasa a los vecindarios que [aún] no hemos podido alcanzar en cuanto a vivienda, porque aquellos niños están recibiendo atención médica y dental, alimentación, vestuario. El Club Chicos y Chicas está en nuestro vecindario. Ellos tienen mucha esperanza ahora en comparación con hace diez años, porque cuentan con una afluencia de personas que vienen a apoyarlos y se ponen a su lado[331].

La transformación específica más impresionante, sin embargo, fue reconocida en 2010 cuando la Escuela Lincoln fue seleccionada como una de las ganadoras en la competencia de los Premios Panasonic al Cambio en la

---

331 Dale Bowen, coordinador de vivienda, Corporación de Preservación de Lincoln Village, entrevista telefónica con la autora, 16 de septiembre, 2010.

Escuela Nacional, que galardona a seis escuelas de Estados Unidos que han cambiado significativamente para bien.

Al final del año escolar de 2003, los alumnos de cuarto grado de Lincoln obtuvieron un porcentaje de 63 por ciento de habilidad lectora y 60 por ciento de habilidad en matemáticas en la Prueba de Lectura y Matemáticas de Alabama (ARMT en inglés). Al final de 2005, esto había mejorado al 86 por ciento en habilidad lectora y 100 por ciento en habilidad en matemáticas[332]. El siguiente año escolar, 2006-2007, la Escuela Lincoln fue denominada como una "Escuela Antorcha" por el Departamento de Educación Estatal, en reconocimiento de los logros y el progreso de todos sus alumnos[333].

Los profesores y administradores de la escuela le dan gran parte del crédito al Ministerio Lincoln Village por la sorprendente transformación. La maestra de quinto grado Joy Downing dice:

> Si el Ministerio Lincoln Village no estuviera involucrado aquí, sentiríamos la presión de tener que satisfacer las necesidades básicas de nuestros alumnos. Yo impartí clases en escuelas de sectores vulnerables en Georgia, y era difícil. Cuesta llegar a ellos académicamente cuando uno está concentrado en llegar a ellos emocionalmente. Aquí los voluntarios del ministerio trabajan con nuestros niños, los incentivan, les muestran amor[334].

La directora Jensen lo resume simplemente así: "Creo que MLV fue enviado por Dios a esta comunidad. Nuestro éxito no habría sido posible sin tanto, tanto apoyo y compasión hacia estos niños"[335].

CROSSROADS Y LA MISIÓN POR LA JUSTICIA

En la Iglesia Crossroads de Cincinnati, el foco central del esfuerzo acotado pero profundo para llegar a la gente no está en un barrio en particular, sino en una causa apremiante: promover la justicia frente al mal del tráfico sexual internacional.

Dada la gran cantidad de recursos que Crossroads intenta desplegar en esta misión por la justicia, ha tenido que disciplinarse para evitar la

332 Datos entregados por la escuela en su postulación al premio Panasonic 2010.
333 *Ibíd.*
334 Citado en Pyron, "Lincoln's Powerful Community Partnership".
335 *Ibíd.*

dispersión de sus esfuerzos por alcanzar a las personas. "Desde el comienzo mismo [de Crossroads] tratamos de exaltar la palabra *no*", dice el pastor Brian Tome[336].

> Hay muchas buenas ideas alrededor, hay muchas cosas a las que Dios nos llama, pero hay muy pocas cosas a las que Dios nos está llamando a *nosotros*. Y por lo tanto, para hacerlo, hay que decir "no" a muchas cosas buenas. Si uno no lo hace, va a estar en un incumplimiento por tener cincuenta o sesenta cosas que apoya con cincuenta dólares al mes, o si se trata de una iglesia más pequeña, treinta cosas que apoya por veinticinco dólares al mes. Y desde un comienzo vimos que ese tipo de cosas no son muy efectivas. Así que queremos hacer muy pocas cosas y hacerlas muy bien.

Una cosa que Crossroads desea hacer muy bien es promover la justicia para las víctimas del tráfico sexual en Estados Unidos y en India a través de una asociación estratégica con Misión Justicia Internacional (IJM en inglés). La travesía de Crossroads en la misión por la justicia comenzó en 2005, fundamentalmente a través del encuentro del anterior pastor de enseñanza Brian Wells con los escritos de Gary Haugen (Haugen es el fundador de IJM). "La lectura de *Buenas noticias acerca de la injusticia* realmente me desafió", dice Wells. Él digería la interpretación de un texto de Haugen, luego revisaba los versículos en la Biblia. "Lo leía en contexto y pensaba: '¡En ese punto tiene toda la razón!'", relata Wells. "¿Cómo es que nunca me detuve a leer eso antes?"[337].

"Eso realmente me remeció", relata. "Volví de esa experiencia y me reuní con algunos de nuestro líderes en Crossroads. Y les dije: '¿Saben?, quiero hacer una confesión: he estado predicando un evangelio incompleto'".

El liderazgo de Crossroads sintió que Dios le estaba diciendo algo a la iglesia por medio de Wells. Cuando él expresó su deseo de reunirse con Haugen en Washington, lo enviaron con un cheque por veinticinco mil dólares para IJM. "Le dije personalmente a Gary: 'Yo creo que eres un profeta.

336 Todas las citas de Brian Tome, pastor principal, Crossroads, proceden de una entrevista telefónica con la autora, 5 de octubre de 2010.

337 Todas las citas de Brian Wells, anterior pastor de enseñanza, Crossroads, proceden de una entrevista telefónica con la autora, 24 de octubre de 2009.

Le has dado a la iglesia una palabra que necesitamos escuchar"', dice Wells. "'Ahora, ¿cómo podemos ayudar sin ser un estorbo?'".

Así comenzaba el viaje de Crossroads en su misión por la justicia. Primero los llevó a Sri Lanka, adonde envió un equipo de investigadores, abogados y gente de negocios porque IJM estaba considerando establecer una nueva oficina en el campo. El equipo completó un abarcador informe durante siete meses, pero los planes de IJM se vieron impedidos cuando estalló la guerra civil en el país. El equipo de Crossroads continuó impávido el diálogo con IJM. Juntos concluyeron que los esfuerzos de la iglesia debían enfocarse en el cuidado posterior de las víctimas rescatadas. "IJM había desarrollado significativos criterios de éxito en el frente legal y el de intervención, pero se necesitaba poner más atención y muchos más recursos en el seguimiento", dice Wells.

Desde 2006, Crossroads ha invertido más de medio millón de dólares ayudando a los distintos socios de IJM que realizan el seguimiento para que provean consejería residencial de alta calidad y rehabilitación vocacional para niñas y mujeres rescatadas del tráfico sexual en Mumbai. Más de cien voluntarios de Crossroads han ido a terreno, y han hecho todo tipo de cosas, desde pintar murales y hacer reparaciones en las instalaciones, detectar vacíos en el sistema de seguimiento, hasta dirigir talleres de fotografía con adolescentes rescatadas de burdeles.

Como era de esperar, algunos en la iglesia comenzaron a preguntarse si no habría problemas de tráfico humano en Cincinnati que la iglesia también debía estar abordando. Christine Buchholz, la primera directora de justicia en Crossroads, comenzó a asistir a reuniones de la Coalición Rescate y Restauración local, llamada Fin a la Esclavitud Cincinnati. La relación se profundizó, y finalmente Crossroads se asoció con Fin a la Esclavitud Cincinnati en el primer estudio importante sobre conciencia del tráfico humano en la ciudad. Más de veinticinco voluntarios de Crossroads, liderados por la abogada Deborah Leydon, realizaron una investigación y entrevistas para evaluar tanto el alcance del problema del tráfico a nivel regional y la pertinencia de las leyes existentes que lo abordan.

Deborah había formado parte del equipo de Crossroads que había escrito el informe de Sri Lanka para IJM. Ella no tenía conciencia del alcance del tráfico sexual hasta que leyó *Buenas noticias acerca de la injusticia*. Circunstancias familiares impidieron que se involucrara personalmente en la obra de Crossroads en Mumbai, pero respondió con entusiasmo a la oportunidad de ayudar a Fin a la Esclavitud Cincinnati.

Deborah no solo echó mano a sus propios talentos como abogada sino que además aprovechó sus dotes institucionales. Como era socia en Dinsmore & Shohl LLP, pudo designar horas voluntarias al trabajo e involucrar a varios asistentes judiciales de la firma en el proyecto. Hoy Deborah sigue buscando formas de aprovechar su posición para el trabajo de justicia de la iglesia: "Nuestra firma sigue creciendo y yo sigo pensando: '*Yo debería permanecer aquí y aprovechar los recursos que tengo*'. Es decir, sin duda con mi equipo y otros abogados y asistentes y otros que están interesados en este tipo de temas también. Mira, estamos a la espera listos para ayudar"[338].

MOVILIZACIÓN SEGÚN HABILIDADES Y PASIÓN

Con el doble enfoque de Crossroads en las enormes necesidades de seguimiento en India y el trabajo local con Fin a la Esclavitud Cincinnati, al equipo le preocupaba que los miembros de la iglesia pudieran paralizarse ante la magnitud y la complejidad de este problema. Así que comenzaron a implementar una estructura para movilizar voluntarios. Andrew Peters, quien asumió como director de justicia en lugar de Christine Buchholz en 2009, dice:

> Básicamente hemos creado cuatro "baldes", que son las principales formas que hemos identificado en que el Señor ha dotado a las personas para el involucramiento. Así que tenemos un balde de investigación, un balde de planificación, un balde de oración y un balde de comunicación. Uso el término "baldes", pero no hablamos de ello públicamente. Lo que le decimos a la gente es: "¿Sabes?, no se trata de que tengas que decidir entre la chica que es violada a un lado de la calle [en Cincinnati] o la chica que es violada en el extranjero. Se trata de la manera única en que *tú* engranas[339].

Por lo tanto, explica Andrew, un artista probablemente sería asignado al balde de comunicaciones, porque "todas nuestras iniciativas en algún

338 Deborah Leydon, socia, Dinsmore & Shohl LLP, entrevista con la autora, Cincinnati, Ohio, 21 de octubre de 2009.

339 Todas las citas de Andrew Peters, ex director de justicia, Crossroads, proceden de una entrevista con la autora, Cincinnati, Ohio, 21 de octubre de 2009.

momento tendrán la necesidad de comunicar la realidad del corazón de Dios por la justicia de manera creativa y con excelencia". Los feligreses de profesiones en las que se requiere investigación son asignados al equipo de investigación. Ellos podrían escribir una ficha de datos acerca del trabajo esclavizado en India para que el líder de un grupo pequeño la use para educar a sus hermanos. O el líder de un grupo pequeño de Crossroads podría solicitar que un expositor del equipo de comunicaciones haga una presentación para su grupo acerca de la situación en India o en Cincinnati. La presentación podría incluir diversos medios, así que los miembros del "balde de comunicaciones" con diseño gráfico, diapositivas y habilidades cinematográficas también podrían contribuir. "Realmente es un involucramiento práctico que está en el punto óptimo de las personas", dice Andrew, "pero en torno a la justicia".

El miembro de Crossroads Mark Pruden, un consejero de salud mental, contribuye con sus habilidades realizando una orientación formal para los participantes de los emocionalmente intensivos viajes de corto plazo a los hogares de acogida en Mumbai. Mark también se pone a disposición para los informes posteriores al viaje o para terapia en grupo pequeño o individual. A veces las personas —especialmente las que han tenido experiencias propias de abuso— necesitan ayuda para procesar su experiencia en India, pues ello puede detonar dolorosos recuerdos[340].

Jamie Elkins, graduada de ciencias políticas de la Universidad Miami en Ohio en el 2006, está empleando sus talentos en terreno en Mumbai como residente a tiempo completo en la oficina de campo de IJM. Anteriormente Jamie era asistente jurídica con una firma de derecho migratorio, y se involucró por primera vez en la labor de justicia de Crossroads en el equipo de comunicación. Ahora está desplegando sus competencias administrativas, organizacionales y de escritura en beneficio del equipo de relaciones comunitarias en IJM Mumbai. Está ayudando a redactar un programa educacional para las iglesias locales para ayudar a los pastores a educar a los miembros acerca de la injusticia. Ella también ha ayudado con la implementación de tres conferencias educacionales para líderes eclesiásticos indios, enfocadas en enseñarles a involucrar a sus feligreses de manera fructífera[341].

---

340 Mark Pruden, consejero clínico profesional licenciado, Mark Pruden y Asociados, entrevista con la autora, Cincinnati, Ohio, 1 de octubre de 2010.

341 Jamie Elkins, residente en oficina de campo, Misión Justicia Internacional,

David Masys, un vendedor corporativo cuya "personalidad, disposición y habilidades" lo convierten en un efectivo comunicador que puede establecer rápidamente buenas relaciones con una amplia variedad de personas, sirve liderando el equipo de comunicaciones[342]. Uno de sus proyectos recientes fue viajar a Mumbai y organizar un retiro entretenido, relajante y significativo para el equipo de campo de IJM. "Normalmente el personal administrativo [local] tiene que manejar todos los pormenores del retiro", explica Don Gerred, anterior director en IJM Kolkata. "Esta vez no tuvieron que trabajar. Pudieron descansar, y eso es una gran cosa. Las personas en estas oficinas necesitan poder relajarse"[343].

Linda Averbeck, abogada tributaria que lidera el balde de investigación, tiene alrededor de treinta y cinco miembros de Crossroads a los que puede recurrir (consejeros, abogados, líderes de negocios, trabajadores sociales y un fiscal). El equipo ha escrito un manual para líderes de futuros viajes de corto plazo a India. Ahora están pensando acerca de un nuevo proyecto local. "Muchas personas en la iglesia quieren trabajar en el problema local del tráfico porque saben que ocurre aquí en Cincinnati tal como ocurre en todas partes", señala Linda[344].

Organizaciones no lucrativas como Fin a la Esclavitud Cincinnati ya están haciendo una importante labor de educar a los oficiales de policía y a los servicios de emergencia (tales como paramédicos y el personal de salas de emergencia) acerca del tema. En consecuencia, los miembros del equipo de Linda ven un rol potencial para Crossroads de "enfocarse en las personas vulnerables al tráfico", dice ella. La idea es asociarse con organizaciones no lucrativas que trabajan con personas tales como inmigrantes o fugitivos para identificar factores de riesgo y tal vez impartir educación preventiva a las potenciales víctimas[345].

Los esfuerzos del equipo de justicia para movilizar a los laicos se están afinando y fortaleciendo aún más con la llegada de una talentosa ingeniera,

entrevista telefónica con la autora, 16 de septiembre de 2010.

342 David Masys, vendedor corporativo, GE Health Care, entrevista con la autora, Cincinnati, Ohio, 1 de octubre de 2010.

343 Don Gerred, director de justicia, Crossroads, entrevista con la autora, Cincinnati, Ohio, 1 de octubre de 2010.

344 Linda Averbeck, abogada principal, IRS Office of Chief Counsel, entrevista con la autora, Cincinnati, Ohio, 2 de octubre de 2010.

345 *Ibíd.*

Roberta Teran, quien está proveyendo liderazgo y una significativa cantidad de tiempo para supervisar los cuatro baldes. En su trabajo diario, Roberta maneja logística y proyectos mundiales para Procter and Gamble. Su involucramiento con la labor de justicia en Crossroads comenzó hace tres años cuando lideró el primer viaje en equipo de la iglesia a Mombai. Por sus habilidades administrativas y experiencia internacional, ella era idónea para este rol, donde coordinaba a personas y cronogramas, y resolvía problemas.

Bajo el liderazgo de Roberta, Crossroads ha establecido un claro camino para el involucramiento de miembros que deseen unirse al trabajo de justicia. El equipo de comunicaciones ahora ha diseñado reuniones informativas regulares y reportes para los feligreses que quieran conocer lo básico del trabajo de la iglesia en India. El sitio web de Crossroads, las partes interesadas pueden obtener información acerca del trabajo y los cuatro baldes, así como completar un listado de habilidades. Luego se produce una planilla que registra las habilidades de cada potencial voluntario.

Roberta concuerda en que la mayordomía vocacional es una estrategia crucial para desplegar de manera efectiva el conjunto de talentos de Crossroads y lograr los objetivos del equipo de justicia:

> Buscamos a las personas sobre la base de las habilidades únicas que ellas dicen tener. Así, por ejemplo, si alguien dice "soy enfermero", le diremos: "Bueno, queremos hacer un viaje [de un equipo pequeño] a India, y queremos que sea de orientación médica". [Otro] ejemplo sería: queremos hacer una clase de arte terapéutico para las chicas en India, o una clase de nutrición. Entonces revisamos la planilla y vemos quién está interesado en eso[346].

En febrero de 2010, el equipo de justicia envió un equipo de "fuerzas especiales" a Mumbai. "Este incluía una serie de talleres [en los hogares de acogida]", dice Roberta. "Uno de ellos involucraba salud e higiene. Varias personas en ese equipo de trabajo tenían experiencia en salud; una era enfermera". Crossroads tuvo una buena experiencia con los viajes de fuerzas especiales, los cuales reúnen un pequeño grupo de profesionales de la misma ocupación para un viaje breve al extranjero para cumplir objetivos específicos.

---

346 Todas las citas de Roberta Teran, directora asociada, Global Logistics, Procter and Gamble, proceden de una entrevista telefónica con la autora, 1 de octubre de 2010.

En un momento, Crossroads envió equipos enormes y variados a Mamelodi, Sudáfrica. Pero entonces el director de misiones en Sudáfrica Rob Seddon se dio cuenta de que la iglesia lograría hacer más cosas si reclutaba a personas según sus talentos profesionales y los desplegaba en grupos más pequeños. La iglesia comenzó a enviar equipos de músicos a trabajar con escolares; equipos de expertos en negocios para ayudar a los africanos con capacitación laboral y emprendimiento de negocios; y equipos de educadores para apoyar a los maestros africanos de Mamelodi[347]. El equipo de justicia de la iglesia ha imitado este enfoque y pretende usar más de estos equipos de fuerzas especiales en el futuro. El próximo en carpeta es un viaje de corto plazo para oficiales de policía de Crossroads. El objetivo es coordinar a este equipo con los investigadores de IJM que están en el país para compartir ideas y mejores prácticas a través de sesiones de entrenamiento.

También habrá un enfoque continuo en poner a individuos de la congregación en los roles más adecuados a sus competencias, dice Roberta. Por ejemplo, una voluntaria de justicia de Crossroads indicó en su evaluación de habilidades que era buena en marketing. Así que esta mujer fue vinculada con I-Sanctuary, una organización no lucrativa asociada con hogares de acogida en Mumbai para vender joyería hecha por las chicas rescatadas. Otro caso es el de una mujer de Crossroads que le preguntó a Roberta: "Soy administradora en el trabajo y me encanta. ¿Puedo ser administradora para algún trabajo con el equipo de justicia?". Efectivamente se necesitaba algo así, y esta voluntaria ha alivianado una considerable cantidad de la carga de tramitación de Roberta y de Don Gerred.

"Solo tenemos que pensar cómo involucrar a más personas con trabajo significativo y responsabilidad, para sentir que están haciendo algo valioso", dice Roberta. "Para mí, todo el asunto se trata de lograr que las personas se integren con sus habilidades al ministerio de justicia para hacer posible la visión general".

LECCIONES APRENDIDAS DE SOUTHWOOD Y CROSSROADS

Si bien ni los líderes de Southwood ni los de Crossroads afirmarían que lo han resuelto todo, y si bien la travesía misionera de ambas iglesias aún es

347 Rob Seddon, South Africa Partnership Director, Crossroads, entrevista telefónica con la autora, 12 de octubre de 2010.

joven, sus historias son instructivas así como inspiradoras. Veamos varias lecciones que ellos han aprendido.

Primero, los líderes de ambas iglesias reconocen la importancia de predicar y liderar con un énfasis en el reino: en el enfoque externo de la iglesia para la misión en la comunidad y el mundo. El pastor principal de Crossroads, Brian Tome, dice:

> Yo visualizo la experiencia y la enseñanza del fin de semana no solo como la difusión de conocimiento, sino realmente como una arenga al interior de los vestidores... Así que este es un importante giro desde venir a un modelo de sala de clases, o venir a un modelo de presentación sobre el escenario, o venir a un modelo de "atrio de la gloria shekinah" o algo así. Yo lo veo como personas que vienen a un vestidor donde se les debería esclarecer cuál es su misión y deberían sentir energías para salir nuevamente.

El pastor anterior de Southwood, Mike Honeycutt, dice: "A medida que llevamos iniciativas de cambio específicas a la congregación, la arraigamos en la visión global de convertirse en una iglesia *misional.* También tratamos de plantear la visión de una forma fácil de entender y difícil de olvidar". Él se presentaba con frases simples y breves para describir el latido de la visión de la iglesia: "discipulado que mira hacia al exterior" o "discipulado que mira al mundo". Él dice: "Esa declaración hizo dos cosas: abordó la preocupación de la congregación de que estábamos abandonando nuestro llamado a edificar el cuerpo de Cristo, y nos mantenía avanzando en la dirección correcta: hacia afuera"[348].

Una segunda lección que aprendemos de estas iglesias es que una estrategia acotada y profunda no solo tiene sentido porque es más efectiva en cuanto a resultados tangibles para las personas o la comunidad a las que se sirve, sino porque también hace más visible el progreso. Y *eso* contribuye a la motivación continua de la congregación. Brian explica que cuando uno pone todos los huevos en muy pocas canastas, los efectos son más profundos: "Lo que sucede es que uno en realidad comienza a anotar victorias en el tablero, y la iglesia se entusiasma porque puede ver que están ocurriendo

---

348 Mike Honeycutt, "Shepherding Change in the Local Congregation", pp. 143-51.

cambios tangibles". Honeycutt concuerda: "Una de las cosas grandiosas de nuestro involucramiento es que podemos ver que acontece una transformación visible"[349].

Tercero, las historias de estas iglesias revelan que el éxito requiere de un significativo compromiso financiero. Para movilizar tal compromiso, se precisó un liderazgo intencional y predicación orientada. El anterior director de justicia de Crossroads Andrew Peter explica la manera en que la congregación reunió más de doscientos mil dólares para invertir en la atención de seguimiento:

> Aquí hicimos una serie llamada Consumidos, y todo se trataba de liberarse del materialismo. Por ejemplo, ¿de qué manera la mentalidad consumista occidental influye en la forma en que gastas tu dinero? Así que fue una serie de seis semanas muy intensa, y básicamente a partir de ello vimos un enorme [resultado]: la gente sencillamente experimentó una libertad en las donaciones financieras en febrero de 2008 de maneras sorprendentes[350].

En Southwood, Honeycutt y otros tuvieron que ser audaces y concretos acerca de los costos que implicarían la renovación urbana y la plantación de la iglesia en Lincoln Village. Southwood paga el salario de Mark y el del pastor Alex Shipman en la Iglesia la Villa. También provee cuatro mil dólares mensuales para el Ministerio Lincoln Village y recientemente se comprometió con veinte mil dólares para pavimentar el estacionamiento de la Iglesia la Villa. "No tuvimos mucha resistencia" en las finanzas, recuerda Honeycutt con gratitud. No obstante, algunos factores únicos ayudaron a la situación: algunos individuos de Southwood y otros de la comunidad de Huntsville hicieron grandes donaciones, y otras congregaciones se sumaron para proveer fondos y voluntarios para el Ministerio Lincoln Village.

Una cuarta lección aprendida es que, si bien ambas iglesias afirman fuertemente el valor de movilizar a los miembros según sus conjuntos de habilidades, no ven la mayordomía vocacional como su método *exclusivo* de movilización laica. Hay un llamado para todos a servir, para que todos asuman la responsabilidad. Y hay muchas oportunidades para el servicio

349 Entrevista telefónica con la autora, 14 de octubre de 2010.

350 Andrew Peters, ex director de justicia, Crossroads, entrevista con la autora, Cincinnati, 21 de octubre, 2009.

que no requieren ninguna formación o experiencia profesional específica. Como explica Dale Bowen de LVPC: "Cuando Mark presentó la visión [en Southwood], les dijo que existe un área de trabajo para cada persona. La gente sintió que tenían algo que contribuir [aun] si no eran doctores o dentistas. Se publicó para todos, sabiendo que en todas partes había algo para todos"[351]. Brian, de Crossroads, enfatiza que la primera tarea en la movilización laica es simplemente conseguir *cualquier* tipo de involucramiento. Él cree que el servicio basado en los dones específicos de uno puede irse manifestando con el tiempo.

> Al comienzo, lo más importante es simplemente entrar en el juego... [Los miembros de la iglesia] solo necesitan entrar al juego en cualquier posición a nivel raso o cualquier cosa que impulse el reino hacia adelante. Luego, andando el tiempo confiamos en los susurros del Espíritu Santo que ellos se perfeccionarán y tomarán un lugar que pueda estar más acorde con lo que Dios quiere que sean. Pero lo más importante es lograr que las personas se involucren.

Finalmente, este camino, especialmente si se expresa en un ministerio orientado a un barrio, requiere una mentalidad de mutualidad. Cuando una iglesia cuyos miembros son en gran medida de clase media o media-alta, y muchos de ellos profesionales de cuello y corbata, se involucra en un barrio de bajos ingresos, el riesgo del paternalismo es elevado. Los líderes de la iglesia deben trabajar arduamente para ayudar a sus laicos altamente talentosos a ver su *propia* pobreza y necesidad. Una magnífica forma de hacerlo es enseñar la definición bíblica de la pobreza, a saber, "la ausencia de *shalom* en todos sus significados"[352]. La pobreza no es solo material; también es relacional y espiritual. Dadas las implicaciones universales de la Caída, todos los humanos —incluidos los que materialmente no son pobres— son pobres de una forma u otra.

Esta comprensión puede ayudar a los miembros que no son económicamente pobres a evitar considerarse superiores. También puede ayudar a los feligreses a encontrar puntos en común con los miembros de la comuni-

---

351 Dale Bowen, coordinador de vivienda, Corporación de Preservación de Lincoln Village, entrevista telefónica con la autora, 16 de septiembre de 2010.

352 Steve Corbett y Brian Fikkert, *When Helping Hurts: How to Alleviate Poverty Without Hurting the Poor and Yourself* (Chicago: Moody Press, 2009), p. 62.

dad objetivo. Alan Judge de Southwood, un abogado inmobiliario, dice por ejemplo que los residentes de Lincoln Village no son distintos a la gente de clase media de la iglesia: "Ellos merecen la dignidad de tener la oportunidad de poseer una casa" tanto como sus pares de Southwood[353].

La mutualidad del ministerio no solo se trata del hecho de que ambas partes dan y reciben. También se trata de la realidad de que en conjunto están visualizando y creando un futuro mejor juntos. Una gran belleza del camino 4 es la oportunidad de que la comunidad objetivo o las personas afectadas por el problema objetivo se unan con los servidores de la iglesia e imaginen *juntos* cómo podría ser un nuevo futuro. Luego, a medida que el Espíritu de Dios actúa, pueden alegrarse juntos por los nuevos anticipos de *shalom* que sus esfuerzos mutuos hacen realidad.

353 Alan Judge, abogado inmobiliario, entrevista telefónica con la autora, 5 de octubre de 2010.

Conclusión

ALEGRANDO LA CIUDAD

La afirmación de la Biblia es que Jesús no solamente viene a realizar su proyecto de rehacer el mundo para que haya shalom; él viene a hacernos participantes de esa construcción. Esa es parte del propósito intrínseco de su venida.

Rev. Greg Thompson

A veces las historias pueden ser al mismo tiempo inspiradoras y paralizantes. Escuchamos el relato acerca de alguien —quizá alguien como los de este libro— y pensamos: "*Lo que han hecho es realmente asombroso. Me encantó saber al respecto. Pero no creo que* yo *pueda llegar a hacer algo así*".

Tal vez esa haya sido tu reacción ante las historias que aquí contamos. Como líder de la iglesia o un miembro individual, quizá tu corazón se aceleró un poco al leer estos relatos; pero luego entró la duda. Uno se pregunta si tiene la energía o la creatividad, la libertad o la fortaleza, o la capacidad o la competencia para vivir misionalmente a través del trabajo (o liderar la congregación para hacerlo). Esta visión de la mayordomía vocacional para el bien común es atractiva, concuerdas tú, pero quizá no sea alcanzable. Sencillamente no estás seguro, como líder de la iglesia, que podrías llevar al rebaño en esa dirección. Como trabajador individual, no acabas de convencerte de que podrías imitar el tipo de acciones que has leído aquí.

Es cierto que, en un sentido, las personas y congregaciones mostradas en este libro son extraordinarias. En un contexto donde tantas personas carecen de la visión para vincular efectivamente su fe y trabajo, los ejemplos de personas como Perry Bigelow, Daisy Waimiri y Tom Hill III son notables. En un contexto donde la mayoría de los líderes de las congregaciones nunca hablan de vocación, los relatos de iglesias como Mavuno, Christ Community y The Falls son escasos.

Al mismo tiempo, sin embargo, lo que han logrado los individuos y los líderes de iglesias retratados aquí no está fuera del ámbito de lo posible. Son personas como tú; son congregaciones como la tuya. Lo que ellos han hecho, tú puedes hacerlo.

Las historias que he relatado son verídicas, pero las restricciones de espacio impiden dar un recuento acabado. En consecuencia, mis relatos corren el riesgo de hacer que la mayordomía vocacional suene sencilla. Y dado que eso podría ser desalentador para los lectores que se preguntan "¿por qué yo no he sido más experto en esto?", quiero compartir algunos detalles adicionales. Estos sirven para poner los pies en la tierra respecto a la manera en que normalmente se desarrolla el viaje de la mayordomía vocacional. No es un proceso mecánico, sencillo o directo. Las personas e iglesias descritas en estas páginas han luchado, cuestionado, se han frustrado y han dado pasos en falso a lo largo del camino. Son personas comunes como tú y yo. No lo tenían todo resuelto.

Alcanzar la claridad acerca de las acciones específicas que uno puede seguir para promover el reino en y a través de su profesión toma tiempo: tiempo para pensar, orar, consultar, leer, discutir, cuestionar, debatir. Wendy Clark, la joven dueña de la empresa Carpe Diem Cleaning que conocimos en el capítulo 10, estima que tardó alrededor de *diez años* en entender cómo promover anticipos del reino a través de su negocio. En los primeros días, gran parte de su atención iba simplemente a mantener la compañía a flote. Perry Bigelow (capítulo 2) no leyó un día la bella visión de Zacarías 8 de un barrio donde los niños juegan seguros en las calles mientras los ancianos charlan en sus porches, y luego al día siguiente salió a y construir HomeTown Aurora. Wendy y Perry leyeron muchos libros, fueron a conferencias, discutieron asuntos con amigos de confianza.

Tim Schulz (capítulo siete) relata que Industrias ReVive es un sueño en el que ha estado pensando por tres años o más. Durante aún más tiempo ha lidiado con la manera en que sus distintas pasiones —acerca del reciclaje, la indigencia, el desempleo y el arte— deberían o podrían armonizar de forma coherente. Ha debatido y analizado estas cosas con su esposa, sus parientes y consejeros espirituales. Ahora tiene la visión más clara, pero apenas ha comenzado la fase de implementación. Una gran pregunta para él es si dejar su empleo regular y cuándo hacerlo para operar Industrias ReVive a tiempo completo.

Encontrar el punto óptimo de la vocación normalmente es un proceso que incluye mucho ensayo y error. La ejecutiva de Coca Cola Bonnie Wurzbacher (capítulo 10) no comenzó como estudiante de negocios en la universidad. Su primer empleo tampoco fue en los negocios. Pasó cinco años como maestra antes de caer en la cuenta de que no era la adecuada para ello y que tendría que tener el valor de intentar algo distinto. Margaret Powell (capítulo 13) anheló durante años enseñar a niños vulnerables, pero tuvo que esperar a que las responsabilidades de la crianza de sus propios hijos disminuyeran para poder asumir el rol que tiene ahora como especialista en intervención. Y recordemos que antes de que Tom Hill III prestara empleados de KimRay a la ciudad, casi había perdido su empresa y despidió a muchos empleados a causa de sus malas decisiones.

También se requiere tiempo para despertar a todas las distintas posibilidades que hay para servir a Dios a través de nuestras habilidades vocacionales. Durante algún tiempo, Derek Simpson, el abogado de Southwood (capítulo 13), pudo ver la manera en que sus amigos doctores podían servir al reino pero no la forma en que él podía hacerlo como abogado. Además, a veces la mayordomía vocacional toma formas inesperadas. Por ejemplo, Val Shean (capítulo 1) no fue a Uganda con una clara visión de ser una pacificadora. Fue como veterinaria. Estando allí, Dios expandió su influencia y reputación, y tuvo que crear buenas estrategias sobre la mejor forma de aprovechar aquellas dimensiones de su poder vocacional.

Todas las personas cuyas historias he relatado finalmente encontraron el punto óptimo de su vocación y han experimentado un gran gozo al desplegar sus talentos para promover el reino. No obstante, ninguno de ellos piensa que ha dominado la mayordomía vocacional. Para la mayoría, el viaje hasta donde están ahora, con lo que están haciendo ahora, ha requerido mucho esfuerzo, intencionalidad y perseverancia. El camino no siempre ha sido llano.

Asimismo, las iglesias mencionadas en este libro también sufrieron golpes a lo largo del camino. No eran perfectas. Tienen sus luchas tal como cada congregación. La Iglesia Mavuno (capítulo 12) está lidiando con cómo apoyar adecuadamente a todos sus líderes de iniciativas de emprendimiento en terreno a medida que ese grupo se expande. Como una congregación joven que crece muy rápido, a veces también le faltan líderes maduros para todos sus grupos pequeños en el curso Mizizi.

Duke Kwon, de Gracia DC (capítulo 10) relata que aunque sus grupos pequeños orientados hacia la vocación prosperaron durante un año, y algunos aún continúan, otros se han acabado. Esta pequeña iglesia enfatiza el involucramiento en Grupos Comunitarios (el nombre que le dan a la comunión semanal en hogares), y algunos miembros no se pueden comprometer a una membrecía simultánea en estos *y también* en un grupo vocacional. En consecuencia, Gracia DC está tratando de discernir cómo infundir un mayor énfasis en la vocación en los Grupos Comunitarios y cómo proveer mayor apoyo a los miembros para vincular efectivamente fe y trabajo.

Crossroads (capítulo 13) no tiene planeado ningún alejamiento de su compromiso con su estrategia ministerial acotada pero profunda, pero encontrar suficientes oportunidades de servicio para suplir la demanda de sus miles de miembros es un desafío. Mientras tanto, los líderes de Southwood (capítulo 13) enfrentan un problema distinto: parte del entusiasmo inicial por los Ministerios Lincoln Village se ha apagado con el tiempo ahora que este ministerio urbano ya no es "la novedad" de la iglesia.

DIOS NOS PROVEE MARTILLOS

Seguir el viaje de la mayordomía vocacional como iglesia no se trata de "tres simples pasos y está hecho". Es un proceso evolutivo que luce distinto en diferentes momentos y contextos. Y no hay un modelo universal. Moisés disfrutó de un clarísimo llamado de Dios (¡no muchos tenemos la experiencia de una zarza ardiente!). Pero él también tuvo que soportar una larga etapa de preparación para su obra. Aun cuando estaba en el punto óptimo de su vocación, las cosas no fueron fáciles. Aparte de la oposición externa, enfrentó problemas de los miembros de su propio equipo. O consideremos a José. Le significó un largo tiempo desarrollar el carácter maduro necesario para administrar los dones y el poder que se le habían dado. A veces disfrutó de un contexto donde realmente pudo florecer (piensa en su influencia y plataforma como vice-regente de Egipto) mientras que en otras ocasiones sus circunstancias fueron más limitadas (tal como cuando estuvo en la cárcel).

No obstante, sin importar cuál sea nuestra etapa o contexto en particular, de lo que podemos estar plenamente seguros es la promesa de Dios de ayudarnos en esta emocionante pero embrollada travesía. A fin de cuentas, él es quien nos ha llamado a este viaje. Él es quien nos emite la impresionante invitación a unirnos a él en su misión de restaurar todas las cosas. Él es el que ha preparado buenas obras de antemano para que andemos en ellas y nos ha creado para ellas (Ef 2:10).

Mi pastor, Greg Thompson, cuenta una historia acerca de su padre, Bruce, un talentoso carpintero y mozo. La rutina de sábado favorita de Bruce era una mañana ocupada en algún tipo de proyecto de mejoramiento del hogar, seguido de una tarde de deportes universitarios en la televisión. Si bien los hermanos de Greg pasaban los sábados jugando fútbol, a él le gustaba quedarse en casa y "ayudar" a su papá en los proyectos. El propio Greg ahora es padre, y reconoce el sacrificio que hizo su papá al incluirlo en esos proyectos de sábado por la mañana. Con los años, Greg y su padre repararon muchas cosas juntos.

Una mañana, Greg observó junto al martillo de su padre —que tenía las iniciales BT talladas en el asa— un segundo martillo. Cuando Greg lo miró de más cerca, vio las iniciales GT, de Greg Thompson. Greg dice: "El martillo era una invitación, y era la seguridad de que mi participación en su trabajo no solo era tolerada, sino deseada, y no solo deseada, sino esperada, y no solo esperada, sino facilitada"[354].

Y eso es lo que Jesús hace por nosotros, nos aseguró Greg.

En todas las esferas donde trabajemos —educación, negocios, gobierno, medios de comunicación, derecho, artes y otros— somos agentes de restauración. ¡Ese sí que es un cargo estimulante! Las afirmaciones de la doctrina cristiana son audaces: el trabajo que hacemos *importa* y *perdura*. En una época de comics como *Dilbert* y series como *The Office*, que plantean que el trabajo moderno no es más que futilidad y absurdo, estas declaraciones son sorprendentes[355]. Incluso podríamos vernos tentados a pensar que son una fantasía —salvo que, como hemos visto, personas reales en iglesias reales lo están viviendo. Desde luego, no perfectamente, y no sin luchas. Pero han progresado en el viaje de la mayordomía vocacional porque Dios les ha provisto los martillos. Él los llamó a su obra y proveyó para que la llevaran a cabo. Él hará lo mismo por ti y por mí.

---

354 Greg Thompson, "By Bringing Us into His Work", sermón entregado en Iglesia Presbiteriana Trinidad, Charlottesville, Virginia, 31 de octubre de 2010.

355 Scott Adams, creador de *Dilbert*, citado en Virginia Postrel, "The *Dilbert* Doctrines: An Interview with Scott Adams," *Reason*, febrero de 1999 <www.reason.com/archives/1999/02/01/the-dilbert-doctrines-an-inter>.

RECONSTRUIR EL MURO, ALEGRAR LA CIUDAD

El libro de Nehemías cuenta la historia del pueblo de Dios trabajando unido para reconstruir el muro alrededor de la ciudad de Jerusalén. Los residentes de la ciudad eran vulnerables al ataque de los enemigos y bestias salvajes. En el mundo antiguo, una ciudad sin muros era un lugar de desesperanza. Sabiendo que la calidad de vida en un lugar así era muy pobre, Nehemías lloró amargamente cuando un compatriota de Jerusalén visitó Babilonia y le informó acerca de las condiciones en su patria (Neh 1:4). Nehemías se conmovió tanto por los lamentos de los habitantes de Jerusalén que decide ponerse en acción. Dios le concedió favor delante de su jefe babilonio, y Nehemías viajó a Jerusalén. Allí movilizó al pueblo y los inspiró a trabajar juntos diligentemente para reconstruir los muros y las puertas de la ciudad.

A veces se pasa por alto Nehemías 3, pues suena parecido a los pasajes que contienen aquellas soporíferas crónicas genealógicas del Antiguo Testamento. Es un listado de todas las personas que trabajaron en el muro y en qué secciones trabajaron. Incluso cuenta un poco acerca de sus ocupaciones. Algunos de los constructores eran sacerdotes; otros era funcionarios públicos. Algunos eran perfumistas, uno era un guardia de seguridad, algunos eran orfebres, y varios eran comerciantes.

Todos tenían un rol que cumplir. Trabajaban en distintas secciones del muro y aportaban sus propios talentos individuales a sus labores. Juntos usaron sus dones para realizar el bien común.

El pastor Scott Seaton de la Iglesia Emanuel en Arlington, Virginia, observa que la mayordomía vocacional es muy similar a esto. Él explica que sin un fuerte muro en la ciudad, Jerusalén no era un lugar de *shalom*. "Los muros y las puertas ayudaban a crear un ambiente seguro para una comunidad próspera", dice el pastor, "no solo económicamente, sino también social, educacional y espiritualmente"[356]. Además, las palabras hebreas usadas en Nehemías 1 indican que los habitantes de Jerusalén se sentían avergonzados de su ciudad y su situación. Hoy no tenemos muros físicos alrededor de nuestras comunidades. En lugar de ello, hay otras cualidades que proveen fortaleza e identidad: nuestros sistemas económicos, nuestras escuelas, las artes y los sectores no lucrativos, nuestras estructuras de gobierno, nuestros

356 Scott Seaton, "Restoring the City", sermón entregado en la Iglesia Presbiteriana Emmanuel, Arlington, Va., 12 de septiembre de 2010 (archivo de audio) <www.emmanuelarlington.org/pages/page.asp?page_id=128989& programId=74889>.

barrios, los medios de comunicación, el sistema legal, el sistema de salud, entre otros. Cada uno de estos sectores es como una sección del muro de la ciudad, y todos deben ser fuertes y prósperos para que la gente disfrute muestras de *shalom*.

El libro de Nehemías deja claro que la obra de reconstrucción del muro de la ciudad no era fácil. Los obreros enfrentaban amenazas de los enemigos que se oponían al proyecto. Y el trabajo mismo era extenuante. A fin de cuentas, ¡el muro había estado en ruinas por 141 años! Pero Nehemías era un líder muy sabio. Él permitió que las personas trabajaran en la sección del muro más cercana a su residencia. En otras palabras, ellos hicieron la parte del trabajo que más les apasionaba. Esto también es muy parecido a la mayordomía vocacional. Perseveramos de mejor forma cuando nuestra labor se enfoca en lo que hacemos bien y lo disfrutamos, y cuando hemos hallado el lugar en el muro que se corresponde con las pasiones y dones que Dios ha puesto en nuestro interior.

El libro de Nehemías también revela el profundo gozo que emerge al participar en la reconstrucción del muro. Cuando la tarea estuvo terminada, el pueblo se reunió para una gran asamblea y celebración. Pudieron gozarse individualmente en el rol que habían desempeñado. Colectivamente, bailaron con júbilo por su reciente seguridad. Muestras de *shalom* irrumpieron en la ciudad, y la reacción fue una gran fiesta.

La mayordomía vocacional que produce transformación en la comunidad ocasiona ese tipo de gozo.

A veces el gozo es primero una tranquila experiencia interior. Los creyentes que participan de manera intencional, concienzuda, estratégica y creativa en la *missio Dei* a través de su trabajo diario experimentan más profundamente a Dios. Aprenden más acerca de su carácter al participar con él en las cosas que le apasionan. La vida laboral de ellos cobra un profundo sentido y propósito. Ellos se dan cuenta de que Dios está realizando su labor de "orden creacional" a través de ellos. Es decir, ellos pueden ver el valor intrínseco de su agricultura, o su abogacía, o su arte, o su gerencia, o su pedagogía. A través de estas profesiones, ellos se dan cuenta de que Dios está haciendo su obra —¡a través de ellos!— de proveer, sustentar y gobernar su mundo.

Los creyentes que toman en serio la mayordomía vocacional también ven que su dependencia del Espíritu Santo se vuelve más auténtica, una práctica más bien diaria. Se apoyan firmemente en la oración, y buscan la sabiduría celestial para tomar decisiones. Ofrecen diariamente su día laboral como adoración a Dios. Buscan nuevas formas de servir a su prójimo cercano y lejano a través de su trabajo. A lo largo del camino, comienzan a sentir que han dejado de ser meros espectadores y se han vuelto actores activos en la labor que el Rey Jesús está haciendo para replegar la maldición e introducir el reino de *shalom*. Y todo esto trae gozo.

Cuando tomamos nuestro lugar como agentes de restauración, también nos convertimos en instrumentos por medio de los cuales nuestro prójimo prueba más de la bondad de Dios. Cuando hacemos fielmente nuestra parte en la sección del "muro" a la que hemos sido llamados, promovemos el bien común. Dependiendo de nuestras circunstancias, nuestros esfuerzos por administrar nuestro poder vocacional puede causar transformación en diversos niveles: entre las personas, dentro de las organizaciones o los vecindarios locales, o a través de instituciones y distintos sectores de la sociedad.

A veces las personas a las que serviremos mediante nuestra mayordomía vocacional son parte de nuestras propias congregaciones. El músico Craig Pitman (capítulo 7), por ejemplo, es un *tsaddiq* que brinda un anticipo de sanidad a los hermanos de la congregación que sufren. La diseñadora e iluminadora gráfica Jessie Nilo (capítulo 1) ha sido una *tsaddiq* para los creyentes que han necesitado una muestra más profunda y rica de la belleza de Dios.

A veces aquellos a quienes servimos son parte de nuestro propio lugar de trabajo. El agente de seguros Bruce Copeland (capítulo 2) fue un *tsaddiq* para las mujeres empleadas en su firma durante un tiempo de discriminación institucionalizada, y les ofreció una renovada muestra de justicia. La empresaria Wendy Clark (capítulo 10) es una *tsaddiq* para sus empleadas que necesitan una muestra de compasión mientras luchan por equilibrar trabajo y familia.

En otras ocasiones servimos a nuestros conciudadanos. La educadora Margaret Powell (capítulo 13) ha sido una *tsaddiq* para los niños de Lincoln Village que necesitaban ver que el éxito escolar era posible. Los horticultores Mark y Courtney Williams (capítulo 2) son *tsaddiqim* que brindan una muestra de esperanza a adolescentes de un desfavorecido barrio vulnerable de Pittsburgh. Los dueños de empresas Tom y Beth Phillips, de Memphis (capítulo 1), son *tsaddiqim* que ofrecen oportunidades económicas a algunos de los ciudadanos más pobres de Estados Unidos. El alcalde Don De

Graff (capítulo 1) es un *tsaddiq* que brinda mayores anticipos de unidad a su comunidad racialmente diversa.

A veces brindaremos un anticipo de *shalom* a prójimos muy distantes. El químico papelero Dan Blevins (capítulo 10) ha sido un *tsaddiq*. Al contribuir con nuevas formas de subsistencia para ocupantes ilegales en Manila a través de su trabajo con Village Handcrafters, él ha ayudado a impulsar su alegría. El abogado Matthew Price (capítulo 1) ha sido un *tsaddiq* para prisioneros detenidos ilegalmente en Uganda, quienes a través de los esfuerzos de Matthew han probado el rescate. El fotógrafo Ken Oloo (capítulo 12) es un *tsaddiq* para los adolescentes en Kibera, pues les otorga una muestra de suficiencia económica. Bonnie Wurzbacher (capítulo 10) es una *tsaddiq* cuyo trabajo en Coca Cola ayuda a esta compañía internacional a llevar empleos y desarrollo económico a las comunidades a través de los países en desarrollo.

Y a veces nuestro trabajo puede contribuir a la reformación en nuestro sector vocacional específico. El ejemplo y la promoción de Perry Bigelow de metodologías de desarrollo suburbano no convencionales están contribuyendo a cambiar la forma en que se realiza la construcción habitacional en Illinois. La diseñadora de interiores Cynthia Leibrock (capítulo 6) es una *tsaddiq* que a través de sus clases en la Universidad de Harvard y su casa modelo en Colorado promueve el valor de la accesibilidad en su industria, e incentiva a los diseñadores a adoptar las estrategias para envejecer en el hogar. A través de su trabajo con Act One, la libretista Barbara Nicolisi (capítulo 1) está tratando de sembrar Hollywood con artistas que introduzcan una profunda teología de Caída y redención a su trabajo en la cinematografía.

A través de sus esfuerzos por discipular a creyentes que apliquen sus talentos vocacionales en los medios, el gobierno, la educación, la salud y en los negocios, los líderes de la Iglesia Mavuno están tratando de reparar secciones del "muro de la ciudad" en Nairobi. Entretanto, la Iglesia Presbiteriana de Southwood y las congregaciones asociadas están tratando de hacer lo mismo a menor escala, en un barrio que necesita mayores muestras de *shalom*.

Hoy en día muchos en nuestro mundo están gimiendo, porque los "muros de la ciudad" están deteriorados. Nuestro prójimo cercano y lejano tiene hambre de mayores experiencias de reconciliación, belleza, salud, paz, justicia, y otros anticipos del reino. Este mundo deshecho espera la manifestación de los creyentes que vivan como *tsaddiqim*, desplegando sus talentos para alegrar la ciudad. El Rey Jesús tiene muchos martillos dispuestos, con los nombres de su gente inscritos. Ahora es tiempo de que los líderes de la iglesia cultiven a sus miembros para que tomen aquellos martillos y vivan misionalmente en y a través de su trabajo.

Entonces comenzarán muchas danzas de gozo.

Epílogo

Tú das gracias antes de la comida. Muy bien. Pero yo doy gracias antes del concierto y la ópera, doy gracias antes de la obra de teatro y la pantomima, y doy gracias antes de abrir un libro, doy gracias antes de dibujar, pintar, nadar, practicar esgrima, boxear, caminar, jugar, bailar, y doy gracias antes de hundir la pluma en la tinta.

G. K. Chesterton

Tengo un buen amigo que es empresario, o quizá más precisamente un emprendedor. Desde sus días en la universidad, ha tenido ojos para ver oportunidades y luego ha encontrado formas de aprovechar su percepción. Con el tiempo ha puesto sus manos en todo tipo de cosas, y es prácticamente imposible que la persona promedio viva la vida sin interactuar con su trabajo. Vivimos con y por su imaginación emprendedora; a sus ideas les han salido alas.

Hace algunos años estábamos almorzando, y me preguntó si sabía por qué él quería hablar. Francamente no lo sabía, si bien entre nosotros hay afecto y respeto cultivados durante años de historia. En la mesa, me dijo: "Tú crees que lo que yo hago importa; crees que mi trabajo como empresario importa; que mi trabajo en sí mismo importa; que el trabajo en los negocios importa. He estado en la iglesia toda mi vida, y he estado durante años en y alrededor de organizaciones para-eclesiásticas, ¿y sabes qué? Ambas me ven de la misma forma. Cuando entro en una sala, es como si entrara una enorme chequera. Eso es lo único que soy. A nadie le importa lo que he hecho para ganar dinero".

Si la historia de mi amigo fuera un caso aislado, uno entre mil, podría ser distinto. Pero lamentablemente, su experiencia es la de la mayoría de los cristianos que pasan su vida en los mercados del mundo, esperando como hacen ellos que exista alguna conexión honesta entre lo que hacen y la obra de Dios en el mundo. Ellos anhelan ver que su vocación es esencial, no accidental, para la *missio Dei.*

Tristemente, la iglesia por lo general enseña lo contrario. Católicos, ortodoxos, protestantes, todos tropezamos en esto, y muy a menudo más bien planteamos que nuestra vocación es incidental, secundaria respecto a lo que a Dios realmente le importa y está haciendo, como ha descubierto dolorosamente mi amigo emprendedor.

Durante muchos años he viajado por Estados Unidos, planteando el asunto de la vocación. En el recorrido he visitado seminarios de las costas este y oeste, preguntando a decanos y rectores: "¿Cómo entienden ustedes la vocación? ¿Cómo se enseña a sus alumnos?". A veces esa pregunta ha nacido de una hora de conversación en una oficina, a veces en un día con los profesores del seminario. He escuchado espeluznado las mismas palabras en la mayoría de los lugares adonde he ido; a saber: "Lo que dices es nuestra teología, pero no lo enseñamos aquí".

A causa de la historia entretejida en esas conversaciones, siempre hay un terreno común de honor y esperanza. Yo no las entablo para terminar una relación; más bien siempre quiero profundizar una amistad y hallar la forma de hacer algo juntos. A veces he dicho en respuesta: "Pero me pregunto, ¿a quiénes se imaginan ustedes que van a pastorear sus alumnos? La mayoría de las personas en la mayoría de las congregaciones pasan la mayor parte de sus vidas en sus vocaciones; ¿y no tienen tiempo para abordar esa realidad en los años que los tienen aquí?".

Si la historia concluyera aquí, sería distinto. Pero así como las ideas son persistentes, también lo es un currículum. No pasa ni una semana sin que yo hable con alguien cuya vida está inmersa en el mercado —y uso esta palabra para abarcar un rango de vocaciones, desde negocios a la política, de la agricultura a la educación, del periodismo a la medicina, del derecho a las artes, de la construcción a la arquitectura, y así sucesivamente. Dondequiera que voy escucho el anhelo de la gente de ver que el trabajo de sus manos está conectado esencialmente con la obra de Dios. Y normalmente ese anhelo está muy ligado a la tristeza de que al parecer la iglesia no comprende, y, más precisamente aun, que al parecer los pastores no comprenden.

Un hombre con el que hablé el año pasado me contó parte de su vida. Durante décadas él se ha esforzado en el mundo de los negocios, trabajando arduamente, tomando tareas cada vez más complejas que involucran a personas y dinero. En el transcurso de los años él se ha dedicado con honesta humildad al servicio en las iglesias donde ha vivido, y es un hombre gentil, leal y reflexivo (es mi visión de él, no su propia descripción). Con algo de dolor, dijo: "Nunca he sentido que el pastor pensara en alguien como yo cuando estaba preparando el sermón. Siempre da la impresión de que él imagina que la gente vive en la iglesia, no en el mundo".

¿Qué debemos hacer? Rehúso ser escéptico, y con Bono creo que "arrancarle un canto a la oscuridad" es una buena vida. Todos podemos alegrarnos de que Amy Sherman tenga pasiones y compromisos que la hayan llevado a esta interrogante con una notable riqueza teológica. Siempre atenta tanto a la visión bíblica como a los desafíos de la vida normal para el hombre y la mujer comunes, ella ha expuesto una visión de la vocación que está profundamente moldeada por la realidad del reino de Dios, contando historias de hombres y mujeres de todo el mundo que ven sus vidas y trabajo como un llamado, como parte esencial de la *missio Dei*.

Mi esperanza es que nunca volvamos a orar "venga tu reino, que se haga tu voluntad en la tierra como en el cielo" sin recordar la excelente obra de la Dra. Sherman, que nos llama a todos a considerar nuestro trabajo como un llamado del reino.

Steven Garber
The Washington Institute

Apéndice A

TEMAS TEOLÓGICOS CLAVE QUE SUSTENTAN LA MAYORDOMÍA VOCACIONAL

1. EL EVANGELIO DEL REINO

Para que los cristianos administren adecuadamente su vocación, necesitan tener un gran concepto de la obra redentora de Dios. En el corazón del evangelio está el glorioso mensaje de nueva vida en Cristo, que es posible por el sacrificio expiatorio de nuestro Salvador Jesús, quien vivió la vida que nosotros debíamos vivir y murió la muerte que nosotros merecíamos por nuestros pecados. Con todo, esta nueva noticia es aún más grande: la obra salvífica de Dios no se limita a la salvación individual sino que atañe a su misión de restaurar la totalidad del orden creado (Col 1:19-20; Ef 1:9). El evangelio del reino se trata de reparar *todas* las cosas. Se trata de la creación del nuevo mundo —lo que Apocalipsis 21:1 llama "un cielo nuevo y una tierra nueva"—, un lugar sin sufrimiento, ni dolor, ni lágrimas, ni guerra, ni hambre, ni opresión, ni muerte.

El reino de Jesús ha sido inaugurado y está *ahora* en formas definidas gracias a su vida, ministerio y resurrección (Lc 4:21: "Hoy se cumple esta Escritura en presencia de ustedes"). Como cristianos, hemos entrado en este reino y somos ciudadanos de él, y esa ciudadanía debe moldearnos en todo aspecto, incluida nuestra vida laboral.

Por qué esto es importante para la mayordomía vocacional

1. Porque nos ayuda a evitar el error de pensar que las únicas vocaciones importantes son las del "ministerio cristiano a tiempo completo" (pastores, misioneros, etc.).

2. Porque dirige útilmente nuestra atención a la "breve lista" de prioridades de Dios (predicar el evangelio a los pobres, devolver la vista a

los ciegos, libertar al oprimido; es decir, evangelización, ministerio de compasión y misión de justicia).

3. Porque nos ofrece el objetivo general —relevante para todo trabajo vocacional— de hacer aquello que sirve como señal y anticipo del reino venidero.

2. EL PROPÓSITO DE DIOS: "¡YO HAGO NUEVAS TODAS LAS COSAS!"

Esto obviamente está relacionado con el número uno anterior. La resurrección de Jesús muestra su plan para la vida restaurada. Esperamos nuevos cuerpos y una nueva tierra, la verdadera recreación de la creación de Dios. Estas verdades deberían llevarnos a rechazar el dualismo gnóstico y a afirmar la bondad de la creación, pues Dios no pretende enviar el planeta al bote de la basura, sino redimirlo y renovarlo. En consecuencia, la vida después de la muerte no es incorpórea, y la salvación no es solo espiritual.

Por qué esto es importante para la mayordomía vocacional. Porque estamos llamados e invitados a unirnos a la obra de recuperación de Dios *ahora*... y nuestra participación en ello va a *perdurar*. En suma, nuestro trabajo *importa*. El gran capítulo de la resurrección concluye con esto: "Por lo tanto, mis queridos hermanos, manténganse firmes e inconmovibles, progresando siempre en la obra del Señor, conscientes de que su trabajo en el Señor no es en vano" (1Co 15:58). A causa de la resurrección de Jesús, nuestro trabajo no es en vano. En la consumación no será desechado. La obra de recuperación de Dios se extiende "hasta donde llegue la maldición"; él está renovando y reconciliando todas las cosas bajo su gobierno.

El elevado encargo de Dios a la humanidad —servir como vice-regentes sobre la creación— no fue revocado tras la Caída; permanece como nuestro destino en la Nueva Jerusalén (Ap 5:10). Por lo tanto, el trabajo fiel que realizan los seguidores de Cristo en el presente, ya sea que involucre arte, o negocios, o enfermería, o ingeniería, o planificación urbana, o cualquiera de las innumerables profesiones, perdura hasta el futuro de Dios. Como escribió Lesslie Newbigin: "Todos los que han realizado su trabajo en fidelidad a Dios serán levantados por él para participar de la nueva era, y descubrirán que su trabajo no se perdió, sino que ha hallado su lugar en el reino consumado"[357].

357 Lesslie Newbigin, *Signs Amid the Rubble: The Purposes of God in Human History*

3. EL CORAZÓN DEL DISCIPULADO PERSONAL

Cristo nos llama a seguirlo. Él busca discípulos obedientes sujetos a su señorío cósmico. Él espera que, por el poder de su Espíritu, nos conformemos cada vez más a su carácter (mostrando el fruto del Espíritu; que creamos y ordenemos nuestra vida por su verdad; que adoptemos sus pasiones y prioridades; y que nos unamos a él en su misión en el mundo. Al igual que él, nosotros somos "enviados".

Por qué esto importa para la mayordomía vocacional. Porque esto afecta el "qué" de la misión personal y corporativa: lo que *hacemos* importa, no solo nuestro carácter. Si bien no existe una división sagrado/secular, no todas las vocaciones seculares son creadas iguales, y deberíamos tomar decisiones sabias en cuanto a invertir nuestras vidas en las cosas que a Dios le apasionan. ¿Por qué dedicar tu vida y tus talentos vocacionales a empresas que inventan nuevos sabores de alimentos para gatos y nuevos colores de lápices labiales? En la mayor medida posible, los cristianos deberían evitar lo trivial y buscar oportunidades de carrera que se enfoquen en lo profundamente significativo: el florecimiento humano, el orden público, el cuidado de la creación, la justicia y la belleza.

4. NUESTRA VOCACIÓN GENERAL (EL MANDATO CULTURAL)

Si bien ha caído y está bajo los gemidos de la maldición, la creación es ordenada, revelacional, significativa, y apreciada por Dios. El Padre llama a sus hijos a ser mayordomos/vice-regentes de su creación (Gn 1:28). Él nos da los dones tanto de la naturaleza como de la cultura, y nos llama a imitarlo a él como seres creativos, tanto atendiendo (protegiendo) como trabajando (desarrollando) el Huerto. Este mandato cultural nos llama a reconocer que "del Señor es la tierra y todo cuanto hay en ella" (Sal 24:1) y servir como mayordomos de la abundancia que Dios nos ha provisto para satisfacer nuestras propias necesidades y las del mundo.

Por qué esto importa para la mayordomía vocacional.

1. Significa que todos participamos de esta vocación, independientemente de nuestros empleos específicos (los cuales pueden ser tediosos o dejar

---

(Grand Rapids: Eerdmans, 2003), p. 47.

poco o ningún espacio para la creatividad). También podemos vivir esta vocación general a través de nuestros intereses no vocacionales, pasatiempos y trabajo voluntario, así como a través de las esferas no laborales de nuestra vida, tales como la vida familiar y la recreación.

2. Significa que estamos llamados a ser creadores de cultura, y nos brinda orientación para esa obra.
3. Legitima los denominados quehaceres no espirituales como el arte y la ciencia (y muchos otros).
4. Significa que Dios ha compartido su poder y autoridad con nosotros; él nos ha dado responsabilidad real en este mundo. Tenemos un elevado llamado.
5. Significa que el medio ambiente importa y deberíamos enfocarnos en el cuidado de la creación y ser "verdes" en y a través de nuestra vocación.

5. UNA ADECUADA VISIÓN DE LA NATURALEZA HUMANA

Necesitamos aceptar *tanto* nuestra condición caída y pecaminosidad *como* nuestra gloria en cuanto personas hechas a imagen de Dios y cristianos que ahora están redimidos en Cristo, en cuyo interior vive el Espíritu. Como lo expresa John Eldredge en *Waking the Dead*: "Me atrevo a decir que hemos escuchado bastante acerca del pecado original, pero no lo suficiente acerca de la gloria original, que viene antes del pecado y es más profunda en nuestra naturaleza"[358].

La Biblia comienza en Génesis 1, no en Génesis 3. Necesitamos la humildad que reconoce plenamente nuestra pecaminosidad, así como el valor para afirmar que el divino poder de Dios está vivo en nosotros por medio de su Espíritu. Tanto una visión demasiado elevada de nosotros mismos *como* una visión demasiado disminuida encierran peligros.

Una visión bíblica de la naturaleza humana también nos enseña que estamos hechos para la comunidad. Lo único que no era bueno en el paraíso era que Adán estaba solo. Estamos hechos para Dios, y para una relación con los demás.

---

358 John Eldredge, *Waking the Dead: The Glory of a Heart Fully Alive* (Nashville: Thomas Nelson, 2003), p. 14.

Por qué esto importa para la mayordomía vocacional.

1. Porque nuestro trabajo importa en los propósitos redentores de Dios. Nosotros, aunque frágiles y siempre necesitados de que su obra nos haga aptos (2Co 3:5-6), somos parte del plan de Dios. Como escribió San Agustín: "Dios sin nosotros no hará nada; nosotros sin Dios no podemos nada". Es sorprendente que el apóstol Pablo nos llame colaboradores de Dios (2Co 6:1). Si solo pensamos en nosotros como gusanos inútiles que pecan constantemente y nada tienen que ofrecer, no nos creeremos capaces de cumplir nuestro llamado como colaboradores de Dios que han sido diseñados por él para buenas obras (Ef 2:10).

2. Porque deberíamos procurar promover una comunidad saludable y justa a través de nuestro trabajo. No estamos creados solo para trabajar; esta idea es la raíz del vicio trabajólico. Estamos llamados para las relaciones y tenemos el encargo de vivir y actuar como la nueva humanidad, exhibiendo en y a través de nuestra vida comunitaria la belleza de Jesús cuyo Espíritu mora en nosotros.

6. ADECUADA SOBRIEDAD ACERCA DEL "MUNDO, LA CARNE Y EL DIABLO"

Nuestra cultura nos está configurando en todo tipo de formas que a menudo no advertimos o no vigilamos. Los evangélicos lo bastante educados en una cosmovisión bíblica robusta pueden estar capacitados para reconocer las ideas malvadas o contrarias a la Biblia. Pero los mismos cristianos a veces pueden ser incapaces de ver las formas y patrones culturales malvados o contrarios a la Biblia. El teólogo reformado David Wells ha mostrado que las tendencias malvadas están enquistadas y son afirmadas en nuestras instituciones públicas; y estas manifestaciones de mundanalidad pueden afectarnos en un grado aún mayor que las conductas tradicionalmente asociadas con lo mundano (la embriaguez, la promiscuidad, las apuestas, etc.).

Por qué esto importa para la mayordomía vocacional.

1. Nos incentiva a ser sobrios acerca de lo muy difícil que es realmente cambiar el mundo.
2. Nos recuerda que la oración es fundamental.

3. Nos advierte (en cuanto a nuestra creación de cultura) acerca luchar solo en el ámbito de las ideas y no en el ámbito de las instituciones.

7. SOMOS EXTRANJEROS Y PEREGRINOS EN ESTE MUNDO Y DEBEMOS VIVIR COMO TALES

Por qué esto importa para la mayordomía vocacional. Esto obviamente afecta el "cómo" de nuestro trabajo: debemos ser jefes y empleados de cierto tipo, actuando según la virtud y las normas bíblicas, las cuales son distintas a la forma en que opera el mundo. Pero también debería configurar los *fines* de nuestro trabajo y creatividad. Vocacionalmente necesitamos dedicarnos al trabajo de ayudar a las personas a florecer, pero necesitamos una definición bíblica de "florecimiento humano" en lugar de la definición del mundo.

8. UNA COMPRENSIÓN BÍBLICA DEL PODER —Y DE LA BENDICIÓN

El poder es un don (uno del cual se suele abusar, pero que no es inherentemente malo, como creen algunos cristianos). Dios nos concede poder, y nos encarga que lo usemos responsablemente. También nos ha bendecido ricamente. Necesitamos conocer el propósito con el que Dios nos ha dado poder y bendiciones.

Por qué esto importa para la mayordomía vocacional. Los cristianos estadounidenses poseemos relativamente más poder, riqueza, oportunidades y privilegios que la mayor parte del resto del mundo. Especialmente los que están en disciplinas académicas y profesionales tienen grandes oportunidades de contribuir al florecimiento humano (más que los desposeídos del mundo que simplemente luchan por sobrevivir). Puesto que somos los receptores de tal poder y privilegio, somos especialmente responsables de su correcto uso ("Al que se le ha confiado mucho, se le pedirá aun más", Lc 12:48). Nuestras oportunidades vocacionales —el hecho de que tengamos opciones vocacionales— son un don, un privilegio y una forma de poder, algo que debemos tomar muy en serio y sobre lo cual debemos ser muy intencionales.

9. UNA COMPRENSIÓN BÍBLICA DE LA MAYORDOMÍA —Y LA PROPIEDAD

En la Biblia, ser mayordomos es fundamental para nuestra naturaleza humana y nuestro llamado vocacional general. La mayordomía se trata de dedicar todo lo que soy y todo lo que tengo a Dios, reconociéndolo como el propietario último de todo (nuestro ser, nuestra vida, nuestro tiempo, nuestro dinero). Como miembros de un cuerpo, como humanos creados para tener comunidad, Dios nos llama a combatir el egoísmo arraigado con el que todos luchamos y reconocer que estos dones se conceden a todos para el bien común.

Por qué esto importa para la mayordomía vocacional. Para algunos cristianos, pareciera que la mayordomía solo se trata del uso de nuestro dinero. Necesitamos una enseñanza básica acerca de la mayordomía de toda la vida. La gente necesita saber que son responsables de la manera en que administran su vida laboral y capacidades vocacionales.

10. EL CORAZÓN DE DIOS POR EL POBRE, EL EXTRANJERO, LA VIUDA, EL OPRIMIDO Y EL HUÉRFANO

La pasión de Dios por los pobres y su odio a la injusticia son dos rasgos centrales del carácter divino. Él llega a decir que no hay verdadera adoración sin hacer justicia (Is 1); que "la religión pura y sin mancha delante de Dios nuestro Padre es ésta: atender a los huérfanos y a las viudas en sus aflicciones, y conservarse limpio de la corrupción del mundo" (Stg 1:27); que atender al necesitado y hacer justicia son centrales para lo que significa conocer a Dios (Jer 22:16); que el reino de Dios "pertenece" a los pobres (Lc 6:20); y que incluso podemos encontrar a Jesús en el rostro de los pobres (Mt 25:45).

Por qué esto importa para la mayordomía vocacional. Si bien estamos llamados a hacer muchas cosas diversas por medio de nuestra vocación (tales como hacer descubrimientos científicos, crear belleza y defender la verdad), Dios efectivamente tiene un especial énfasis en la justicia y la compasión por el pobre, y esa prioridad suya debería influenciar de alguna manera nuestra mayordomía vocacional.

11. GRACIA COMÚN

Dios no solo lleva a cabo su obra a través de su iglesia, sino también a través de una variedad de otras instituciones creadas y a través de los no creyentes de buena voluntad. Como argumentó Juan Calvino, los incrédulos han alcanzado significativas obras de conocimiento en muchos campos. Los cristianos debemos percibir estos logros como cosas loables que provienen de Dios, quien dejó dones en la naturaleza humana "aun después de que esta fuera despojada del verdadero bien"[359]. Dios en su gracia también restringe el mal a través de la gracia común y actúa para mantener el orden en la vida social.

Por qué esto importa para la mayordomía vocacional. Porque significa que los cristianos, y las iglesias, pueden asociarse legítimamente con los que están fuera de la iglesia para procurar el bien común. Dios puede promover sus soberanos propósitos —de belleza y justicia, plenitud y paz— a través de instituciones seculares, y debemos discernir todos los lugares donde él está obrando.

12. LA ÚNICA IGLESIA

El Credo de los Apóstoles afirma que los cristianos creen en "la santa iglesia universal". El apóstol Pablo usó la imagen de un cuerpo para describir la iglesia de Dios y nos ordenó que nunca subvaloremos una parte de ese único cuerpo que sea distinta a nosotros. Somos interdependientes (1Co 12:21: "El ojo no puede decirle a la mano: 'No te necesito'"). Nos *pertenecemos* unos a otros (Ef 4:25).

Por qué esto importa para la mayordomía vocacional. Porque en nuestros esfuerzos por desplegar a los feligreses para la mayordomía vocacional deberíamos tener presentes los esfuerzos de nuestros hermanos y hermanas de otras congregaciones hacia fines similares. Deberíamos estar dispuestos a asociarnos, a escuchar y a aprender de otras iglesias que también están tratando de promover los buenos y soberanos propósitos de Dios en el mundo.

359 Juan Calvino, *Institución de la religión cristiana*. II.2.15.

Apéndice B

GUÍA DE DISCUSIÓN PARA GRUPOS PEQUEÑOS CONGREGACIONALES[360]

El diccionario define *vocación* como "un fuerte sentimiento de idoneidad para una carrera u ocupación específica". El término prácticamente es sinónimo de *llamado*, pues viene del latín *vocare* ("llamar"), el sentido de ser atraído hacia un campo en particular. En consecuencia, una vocación no es simplemente un empleo; de hecho, tu actual empleo puede estar o no estar en conformidad con un llamado más profundo. Además, puede que no te estén pagando por tu vocación: tal vez estés estudiando en algún tipo de programa, trabajando como voluntario en tu campo de interés, o no recibiendo ningún ingreso. El aspecto definitorio de una vocación es un sentido interior de que uno fue "hecho para esto", a medida que la afinidad y las habilidades, y otras personas y oportunidades la van confirmando crecientemente.

Dios no solo nos ha creado para adorarlo y vivir en comunidad con los demás; él también ha formado en nuestro interior una necesidad de trabajar con dignidad y propósito. Nuestro trabajo administra y cultiva los tesoros de la creación como parte de lo que los teólogos llaman nuestro "mandato cultural". Aunque un mundo caído mancha la inherente dignidad del trabajo —a través de lo que la Biblia llama "cardos y espinas"— el mandato de Dios continúa. Y tal vez lo que es más asombroso, lo que hacemos por Cristo será disfrutado para siempre.

Necesitamos considerar estos asuntos en comunidad, para ayudarnos mutuamente a resolver qué significa vivir nuestro llamado en la práctica. Un formato sería que los grupos comunitarios se enfocaran en esto una vez

360 Esta guía fue producida originalmente por líderes de la Iglesia Presbiteriana Emmanuel en Arlington, Virginia, y aquí está usada y adaptada con el permiso de ellos.

al mes, comenzando con una comida juntos. Después de la comida, que un miembro del grupo comparta respuestas a algunas o todas las preguntas que vienen a continuación, plantee temas relacionados que quieran abordar o reciba preguntas del grupo. Lo mejor es identificar a esta persona al menos con una semana de anticipación, para que tenga tiempo para prepararse. Asegúrense de concluir la discusión con oración por el miembro del grupo y su vocación.

1. **Mirada general**. En pocos minutos, cuéntale al grupo sobre tu vocación. ¿Qué haces? ¿Para quién trabajas? ¿Cómo es un día típico (si existe tal cosa)? ¿Con quién trabajas? ¿Qué tipo de capacitación o educación relacionada recibiste?
2. **Llamado**. ¿Cuándo y cómo comenzaste a sentirte atraído hacia esta área? ¿Hasta qué punto has considerado tu empleo como un llamado de Dios, como parte de un "mandato cultural" más amplio? ¡Está bien ser honesto! Para muchas personas, un empleo es algo que uno hace para pagar cuentas, o algo donde uno aparentemente cayó. En consecuencia, un sentido subyacente de llamado puede parecer cuando mucho nebuloso. Comparte honestamente cómo ves tu vocación.
3. **Imagen**. Parte de lo que significa que uno está hecho a imagen de Dios es que uno "refleja" a Dios en la creación, de manera similar a como un retrato refleja a una persona. En un mundo caído, no somos más que imágenes arruinadas, ¿pero qué atributos de Dios (p. ej., misericordia, cuidado, orden, justicia, creatividad, belleza) refleja específicamente tu vocación a los demás?
4. **Idolatría**. Cualquier cosa buena que sea elevada como una realidad última se convierte en ídolo: algo a lo cual miramos primordialmente en busca de nuestra identidad, seguridad, y sentido. ¿De qué formas ves que tu vocación actúa como un ídolo, ya sea para ti o para los demás?
5. **Comunidad**. ¿Hay comunidad cristiana dentro de tu vocación, es decir, personas que hablen el idioma de tu llamado y puedan ofrecer ideas, aliento o comentarios sobre lo que haces? Si es así, ¿cómo es esa comunidad?
6. **Escritura**. ¿Qué pasajes bíblicos te han resultado especialmente útiles como inspiración o dirección en tu campo?
7. **Artículos**. ¿Existen artículos breves acerca de la intersección de la fe y tu vocación que te hayan parecido útiles? Si es así, no dudes en hacer

un resumen de ellos o incluso compartirlos de antemano con el grupo para incluirlos en la discusión.

8. **Cosmovisión**. Una cosmovisión ayuda a explicar el mundo en que vivimos respondiendo preguntas básicas de la vida tales como ¿por qué estamos aquí?, ¿cómo explico los problemas en mi vida y el mundo?, ¿cuál es la solución a esos problemas?, ¿a dónde nos dirigimos en última instancia, y tiene alguna incidencia en ello lo que hago ahora? Todo el mundo tiene respuestas explícitas o tácitas a esas preguntas. La Biblia proclama las siguientes:

    - *Creación*: Dios nos creó a su imagen, dándonos dignidad y valor inherentes, con el propósito de glorificarlo a él, no a nosotros mismos.
    - *Caída*: Estamos naturalmente separados de Dios, de manera que todo lo que hacemos está manchado por alguna forma de egoísmo: orgullo, ambición, codicia, envidia, malicia, prejuicio, lujuria, etc.
    - *Redención*: Somos incapaces de derrotar por nosotros mismos nuestra naturaleza pecaminosa y quitar nuestra culpa y vergüenza. No obstante, en la cruz, por gracia, la vida de Jesús fue intercambiada por la nuestra.
    - *Restauración*: Un día, el reino de Dios vendrá en plenitud, pero ya ha comenzado en nuestro corazón y en nuestra vida. Lo que hacemos ahora con fe por Cristo será disfrutado para siempre.

Es probable que tu vocación tenga respuestas explícitas o tácitas a algunas o todas las preguntas anteriores. ¿Cuál es su similitud con una cosmovisión cristiana? ¿Están en un conflicto tal que te impongan alguna presión profesional o social?

9. **Artefactos**. En el libro *Culture Making*, Andy Crouch incentiva a los cristianos a ayudar a moldear nuestro mundo no simplemente *condenando*, *criticando*, *copiando* o *consumiendo* cultura sino *creando* "artefactos": bienes culturales, ya sean sillas, lenguaje, leyes, arte o incluso tortillas. ¿Qué artefactos vocacionales has considerado crear que de algún pequeño modo ayuden a crear cultura?
10. **Influencia**. James Davison Hunter, en el libro *To Change the World*,

cataloga la mayoría de los intentos cristianos en el involucramiento cultural como inadecuados, y concluye que han servido mayormente para marginalizar a la iglesia, con poco impacto en la cultura. En lugar de ello, él nos llama a una "fiel presencia" en nuestros campos, en cualquier nivel. Si bien esto incluiría el llevar vidas íntegras, como testigos bíblicos para los demás, Hunter nos llama a participar, identificarnos y humildemente influenciar las estructuras existentes de la sociedad. ¿Qué puede significar eso para ti en tu vocación? En tu campo, ¿qué te apasiona/enoja/entusiasma lo suficiente para llamarte a ser una influencia positiva? ¿Qué dilemas podrías enfrentar? Menciona formas en que podrías trabajar con otros cristianos en tu vocación hacia un propósito común.

Apéndice C

PARA MÁS INFORMACIÓN

Los lectores pueden encontrar un gran número de útiles recursos para seguir informándose en www.vocationalstewardship.org. Estos son algunos ejemplos:

RECURSOS PARA PASTORES Y LÍDERES DE LA IGLESIA

1. Diez formas de incentivar la mayordomía vocacional en tu iglesia.
2. Ocho pasos para comenzar una iniciativa en el Camino 2.
3. Introducción a Negocios como Misión (BAM en inglés).

RECURSOS PARA CREYENTES INDIVIDUALES

1. Bibliografía con comentarios de libros sobre asuntos vocacionales.
2. Perfiles adicionales de cristianos involucrados en mayordomía vocacional en cada uno de los cuatro caminos.
3. Hoja de trabajo "Manifiesto personal/Visión para el trabajo" de Iglesia Presbiteriana Harbor North County.

Apéndice D

ÍNDICE DE PERFILES POR VOCACIÓN

Acerca de la autora

La Dra. Amy L. Sherman dirige el Centro sobre Fe en Comunidades en el Instituto Sagamore y es Investigadora Asociada Sénior con el Instituto para el Estudio de la Religión en Baylor University. Ella es fundadora y anterior directora ejecutiva de Ministerios Vida Abundante Charlottesville en Virginia. Sherman es autora de seis libros, y sus artículos han sido publicados en periódicos tales como *Christianity Today*, *The Christian Century*, *Books & Culture*, *World*, *First Things* y *Prism*. Desde 2005 ha servido como Investigadora Asociada Sénior con Misión Justicia Internacional.

Para continuar con *El llamado del reino*, visita la página:

www.vocationalstewardship.org

Made in the USA
Columbia, SC
10 October 2023